O SEGREDO DO
CHANEL Nº 5

TILAR J. MAZZEO

O SEGREDO DO CHANEL Nº 5

A HISTÓRIA ÍNTIMA DO PERFUME MAIS FAMOSO DO MUNDO

Tradução de
Talita Rodrigues

Título original
THE SECRET OF CHANEL Nº 5
The Intimate History of the World's most Famous Perfume

Copyright © 2010 *by* Tilar J. Mazzeo

Todos os direitos reservados. Nenhuma parte desta obra pode ser reproduzida ou transmitida por qualquer forma ou meio eletrônico ou mecânico, inclusive fotocópia, gravação ou sistema de armazenagem e recuperação de informação, sem a permissão escrita do editor.

Foto de Marilyn Monroe com Chanel Nº 5
© Michael Ochs Archives/Getty Images.

Foto da página 189 *by* Serge Lido. Cortesia Chanel.

Edição brasileira publicada mediante
acordo com a HarperCollins Publishers.

Direitos para a língua portuguesa reservados
com exclusividade para o Brasil à
EDITORA ROCCO LTDA.
Rua Evaristo da Veiga, 65 – 11º andar
Passeio Corporate – Torre 1
20031-040 – Rio de Janeiro – RJ
Tel.: (21) 3525-2000 – Fax: (21) 3525-2001
rocco@rocco.com.br | www.rocco.com.br

Printed in Brazil/Impresso no Brasil

preparação de originais
LIGIA DINIZ

CIP-Brasil. Catalogação na fonte.
Sindicato Nacional dos Editores de Livros, RJ.

M429s Mazzeo, Tilar J.
O segredo do Chanel Nº 5: a história íntima do perfume mais famoso do mundo/Tilar J. Mazzeo; tradução de Talita Rodrigues. – Rio de Janeiro: Rocco, 2011.

Tradução de: The secret of Chanel Nº 5: The Intimate History of the World's most Famous Perfume.
ISBN 978-85-325-2662-5

1. Chanel, Coco, 1883-1971. 2. Parfums Chanel (Empresa). 3. Chanel Nº 5 (Perfume). 4. Perfumes – Indústria – França – História – Século XX. I. Título. II. Título: A história íntima do perfume mais famoso do mundo.

11-2625

CDD-338.76685540944
CDU-338.45:665.57(44)

PARA SUSANNE

Σαν έτιμος από καιρό, σα θαρραλέος,
αποχαιρέτα την

Perfume, essa é a coisa mais importante.
Como disse Paul Valéry:
"Uma mulher mal perfumada não tem futuro."

– COCO CHANEL, entrevista com Jacques Chazot,
produzida como "Dim Dam Dom", dir. Guy Job, 1969.

A coisa mais misteriosa, a mais humana, é o cheiro.
Isso significa que o seu físico corresponde ao do outro.

– COCO CHANEL, citada em Claude Baillén, *Chanel Solitaire*
[Nova York: Quadrangle, 1974], 146.

SUMÁRIO

Prefácio 11

PARTE I | COCO ANTES DO CHANEL Nº 5

1. Aubazine e o código secreto do aroma 21
2. A bela perfumista 30
3. O odor de traição 40
4. A educação dos sentidos 55
5. O príncipe e a perfumista 66
6. O nascimento de uma lenda moderna 78

PARTE II | AMOR E GUERRA

7. Lançando Chanel Nº 5 95
8. O aroma com uma reputação 103
9. Minimalismo no marketing 121
10. Chanel Nº 5 e o estilo moderno 133
11. Hollywood e a grande depressão 142
12. Uma sociedade desfeita 154
13. À sombra do Ritz 163
14. Coco em guerra 175
15. Coco joga com os números 191

PARTE III | A VIDA DE UM ÍCONE

16. Um ícone dos anos 50 207
17. A arte dos negócios 219
18. O fim da perfumaria moderna 231

Posfácio 241

Agradecimentos 247

Notas 251

Bibliografia 297

PREFÁCIO

Manchetes no mundo inteiro, nos primeiros dias de dezembro de 2009, anunciavam com ousadia algo que poucos receberam com surpresa: "*Chanel Nº 5 é avaliado 'o aroma mais sedutor' numa pesquisa com mulheres.*" A icônica fragrância de Coco Chanel havia mais uma vez sido mencionada como o perfume mais sensual do mundo, derrotando facilmente os perfumes de estilistas das maiores grifes da moda contemporânea, inclusive essências tão presentes e encantadoras como Eternity, de Calvin Klein, ou Beautiful, de Estée Lauder. Algumas das fragrâncias mais vendidas no mundo nem entraram na lista. Entre as vinte primeiras, havia uma outra coisa notável também: nenhuma tinha uma história anterior à década de 1980 – nenhuma, isto é, exceto Chanel Nº 5, agora com quase noventa anos de idade.

Chanel Nº 5 é um dos poucos perfumes de "legado" remanescentes, e a ideia de que Chanel Nº 5 deixa a mulher irresistivelmente fascinante não é novidade. Quando a história da fragrância mais sedutora do mundo foi publicada nas páginas do *London Daily Mail*, o repórter também observou com frieza que "Marilyn Monroe nunca teve problemas para atrair homens". Agora, "parece que a sua interessante vida amorosa talvez se resumisse a uma simples escolha – o seu perfume". Afinal de contas, quem poderia se esquecer do famoso gracejo da nova estrela dizendo que, de noite, na cama, a única coisa que ela usava eram algumas gotas de Chanel Nº 5?

Certamente, não as milhares de mulheres que votaram nomeando-a a fragrância mais fascinante no mercado e declarando-a o perfume perfeito não só para arrumar um encontro mas também "para levá-lo mais adiante até o status de namoro". De fato, entre essas mulheres, a espantosa proporção de uma em cada dez afirmou ter encontrando o seu Príncipe Encantado quando estava usando o simbólico perfume.

Se é assim, o Chanel Nº 5 tem a seu crédito um bom número de histórias de amor: segundo o governo francês, um frasco do perfume mais famoso do mundo é vendido, em algum lugar no mundo, a cada trinta segundos em média, movimentando algo em torno de 100 milhões de dólares por ano. O número exato, como muitas outras coisas a respeito desta famosa fragrância, é um segredo empresarial muito bem guardado. Mas esses números – que se traduzem em algo acima de um milhão de vidros vendidos anualmente – significavam só uma coisa: um vasto número de mulheres lindamente perfumadas para alguém adorar. E isso vem acontecendo ano após ano, há décadas.

Segredos, é claro, dão origem a lendas, e ambos giram em torno da história de Chanel Nº 5. Isso acontece desde que Coco Chanel lançou o perfume com a sua marca registrada no início da década de 1920 – esse momento crítico após a primeira "grande guerra", quando o mundo estava determinado a deixar para trás um passado doloroso e abraçar todas as promessas do novo e do moderno. De repente, coisas antes inimagináveis pareciam possíveis. Albert Einstein ganhava o prêmio Nobel por reimaginar as leis da física, e doenças antes fatais eram domadas com o milagre das vacinas. No início dessa década, a América era apenas um punhado de milionários. Poucos anos depois, a categoria dos super-ricos havia inchado mais de 700%, chegando a um número próximo dos quinze mil, anunciando o que prometia ser uma nova era dourada. As alvoroçadas economias do pós-guerra criaram um novo modelo de riqueza e luxo, e, pela primeira vez, tudo isso parecia estar ao alcance das pessoas comuns. Havia aparelhos de rádios e filmes falados, carros para as classes médias e moda chique pronta para ser usada – e excelentes perfumes franceses – nos andares das reluzentes lojas de departamentos, outro fenômeno dessa tentadora nova era comercial.

Essa foi a década de Nova York e Paris, e de tudo que acontecia num momento em que a distância entre essas duas grandes cidades estava começando a parecer um pouquinho menor. Foi a década dos superastros e heróis. E, conforme o surgimento da comunicação rápida dava início a uma cultura cosmopolita internacional, ela também se tornava uma era de celebridades simbólicas. Babe Ruth conduziu os New York Yankees a três títulos da World Series nessa década exuberante, e Charles Lindbergh voou trinta e três horas de Nova York a Paris. Clara Bow tornou-se a primeira *"it girl"* do mundo; Charles Chaplin levou a bengala de palhaço de Hollywood a alturas estonteantes; e, nos palcos da vida noturna da capital francesa, a fogosa Josephine Baker dançava com os seios expostos ao som de aplausos ofegantes, noite após noite, durante os anos de intervalo entre uma guerra e outra. Entre todos os ícones da década de 1920, entretanto, nenhum chegou aos pés de Coco Chanel, já reconhecida como uma das mulheres mais chiques e influentes de toda uma geração.

A linha divisória entre lenda e história, entretanto, é maravilhosa e desconcertantemente maleável. Muito do que se diz e se repete como sabedoria convencional sobre a espetacular ascensão de Chanel Nº 5 e a sua transformação num sinônimo internacional de sensualidade é matéria de meias verdades, confusão, fantasia coletiva e pura invenção. Às vezes, a verdade que essas lendas escondem é mais fantástica do que qualquer ficção.

Considere tudo que você pensa sobre Chanel Nº 5, que durante a maior parte da sua história tem sido a fragrância mais vendida de todos os tempos e figura entre os objetos de luxo mais cobiçados do século. Talvez você lembre que este perfume ímpar foi inventado no verão de 1920 pela jovem estilista de moda Gabrielle "Coco" Chanel. Só que não foi. De fato, já era um perfume com uma longa e complicada história – uma história a respeito de nada mais do que a intimidade entre perda e desejo. Talvez você tenha lido fontes que contam como Chanel Nº 5 atordoou o mundo das fragrâncias tradicionais como uma estonteante inovação técnica: a primeira composição sintética da história, a sua primeira essência abstrata, a sua recente utilização de matérias-primas para perfumes conhecidas como "aldeídos". Na verdade, é provável que você saiba disso, porque esse argumento é uma peça chave na lenda de como Chanel Nº 5 se tornou um fenômeno. O problema é que nada disso é verdade também. O Chanel Nº 5 não foi o primeiro perfume a fazer nenhuma dessas coisas. E não foi nem o segundo. Suspenso à beira da considerada até os dias de hoje como a "era de ouro" da perfumaria, Chanel Nº 5 *foi* uma autêntica revolução que mudou a história das fragrâncias para sempre e uma das grandes obras de um novo tipo de arte numa deslumbrante era moderna. O que o torna espetacular, entretanto, é algo diferente – algo que o faz ser contínua e genuinamente sexy.

Entre as crenças largamente sustentadas, uma é quase universal: a ideia de que a propaganda criativa e persistente criou a fama internacional de Chanel Nº 5. Apesar da beleza de uma essência que os especialistas em perfumes aplaudem como um marco e obra-prima, quem poderia duvidar de que a sua fama e poder constantes se resumem a um marketing brilhante e, especialmente, à cuidadosa embalagem do perfume nesse frasco quadrangular maravilhosamente simples? Afinal de contas, a lenda nos conta como o frasco passou a ser reverenciado, como ele foi reconhecido por Andy Warhol na sua famosa série de litografias da década de 1960 como um ícone do século XX. E tem aquela espetacular foto de Marilyn Monroe, maior porta-voz do perfume, segurando um frasco de Chanel Nº 5 provocantemente perto do seu amplo decote.

O problema é que Chanel Nº 5 nunca foi uma das imagens na famosa série de ícones da arte pop de Warhol na década de 1960. E ninguém pagou a Marilyn Monroe pela sua recomendação. Até a tão conhecida história de como o frasco passou a fazer parte das coleções permanentes do Museu de Arte Moderna em Nova York, no fim da década de 1950, é simplesmente um equívoco. Mas a ideia de que Chanel Nº 5 é uma criação de marketing é persistente porque parece muito óbvia. Dê uma olhada nos arquivos, examine a história da publicidade e os exemplares empoeirados de velhos jornais e revistas de moda, entretanto, e um simples e surpreendente fato vem à tona: o sucesso de Chanel Nº 5 nunca foi devido a marketing.

Apesar da tão divulgada convicção popular de que uma boa propaganda fez de Chanel Nº 5 um nome importante no mundo dos artigos de luxo, a verdade é mais estranha e a história, bem mais atraente e complicada: durante os primeiros quarenta anos da sua fama, o marketing era medíocre e muito sem inspiração. Não deveria ter sido menos do que desastroso. Os maiores rivais de Chanel Nº 5 nas décadas de 1920, 1930 e até 1940 foram a concorrência e a confusão criada pela própria empresa – e, mais tarde, por Coco Chanel. De certo modo, o marketing e a promoção não tinham importância.

Considere de novo esse simples fato: um frasco a cada trinta segundos. Os números são desconcertantes e, além disso, não fazem parte de uma tendência recente. Chanel Nº 5 tem tido esse tipo de sucesso galopante desde a década de 1920. Como o crítico de perfumes do *New York Times* Chandler Burr nos lembra, na indústria de fragrâncias hoje, a essência, que ainda domina o mercado global, é mencionada em tons respeitosos simplesmente como *le monstre* – o monstro.

Mais do que isso, embora não estivesse entre os ícones de Warhol na década de 1960, o Chanel Nº 5 *é* um desses produtos surpreendentemente raros que adquiriu vida própria e exala significado como um símbolo. Ele *é* um ícone. Como um concorrente exasperado certa vez confessou a Burr, sem se identificar: "É inacreditável! Não é uma fragrância; é um danado de um monumento cultural, como a Coca-Cola." A melhor metáfora, entretanto, ainda é a do belo *monstre*, porque essa coisa tem uma vida própria.

Poucos produtos no mundo inteiro são mais queridos do que Chanel Nº 5, e ele inspira nos seus milhões de fãs – e são milhões – o tipo de paixão e fidelidade que executivos em vistosas agências de publicidade na avenida Madison só podem sonhar em produzir. O dilema para qualquer historiador curioso, empreendedor entendido no assunto ou aficionado em fragrâncias é: qual, exatamente, é a conexão? *Como* o Chanel Nº 5 se tornou um dos produtos de luxo mais famosos de todos os tempos? Se levou décadas para o marketing estar à altura do sucesso do perfume mais famoso do mundo, qual *é* o segredo do seu fabuloso destino? Simplificando ainda mais, por que Chanel Nº 5 é o perfume mais sensual do mundo, e o que exatamente torna essa essência tão sensual? Este livro – a biografia não autorizada de uma essência – separa o fato da ficção, e destrincha as verdades do cipoal de meias verdades e silêncios reveladores, para contar a história do monumento cultural familiar cuja história na verdade nós nunca soubemos.

De certa forma, este é um livro não convencional. Afinal de contas, por onde, exatamente, se começa a história de um produto, um item para consumo? Com a criação do produto? Com o seu primeiro sucesso? Com o momento em que a ideia foi plantada na mente do seu criador? Apesar de ser um dos produtos de luxo simbólicos do século XX, vendido no mundo inteiro a milhões de entusiasmados fiéis, ao longo da história de Chanel Nº 5, uma coisa não mudou: por trás de todos os riscos, esforços e triunfos que criaram este produto, existem histórias profundamente íntimas.

Das perdas particulares sofridas por Coco Chanel, que a levaram a imaginar uma fragrância com o seu nome, aos dias estonteantes do seu espetacular sucesso; das décadas de acirrados dramas nos tribunais que acabaram por levá-la a tentar sabotar a sua criação até a amarga guerra particular travada com parceiros sob as leis da França ocupada pelos nazistas e nas fábricas das indústrias de Hoboken, Nova Jersey; do momento de gloriosa fama pós-guerra aos dias atuais, quando o perfume mantém o seu extraordinário fascínio apesar de todas as dificuldades, *O segredo do Chanel N° 5* é a curiosa história de como um produto querido pode ter vida própria.

Esta é a história da essência mais sedutora do mundo, a busca do glorioso *monstre* da indústria de fragrâncias – um exame profundo da vida secreta de um perfume que é apenas a produção de um desejo.

Essa história só pode começar com a bela, mas cheia de imperfeições, criadora do produto – uma mulher cuja vida fabulosa fica ainda mais complexa e fascinante quando vista pelas lentes de uma de suas mais famosas criações.

PARTE I
COCO ANTES DO CHANEL Nº 5

1
AUBAZINE E O CÓDIGO SECRETO DO AROMA

Durante a maior parte do século XX, o aroma de Chanel Nº 5 tem sido um sussurro abafado que diz que estamos na presença de algo intenso e sensual. É o farfalhar sereno de elegante autoindulgência, o aroma de um mundo de bela e esplêndida opulência. E, a quase 400 dólares o vidro de 30 ml, não é de espantar que Chanel Nº 5 nos passe nada mais do que a ideia de luxo.

É uma poderosa associação. O Chanel Nº 5 é suntuoso. De fato, a história deste famoso aroma é a de como um perfume singular capturou exatamente o espírito de vida veloz e despreocupado dos jovens e ricos nos *Roaring Twenties*, os Exuberantes Anos Vinte – e de como continuou a capturar a imaginação e os desejos do mundo. O Chanel Nº 5, desde o momento do seu primeiro apogeu, foi o aroma da bela extravagância.

As origens do perfume e de quem o criou, entretanto, não poderiam ser mais diferentes de tudo isto. De fato, parte da complexidade quando se pretende contar a história do Chanel Nº 5 é a linha divisória entre o que pensamos deste perfume icônico e o lugar onde ela teve início. O Chanel Nº 5 lembra tudo que é rico e encantador. É surpreendente que ele tenha começado num lugar que era a antítese do que mais tarde viria a defini-lo. A verdade é que a fragrância que sintetiza todos esses prazeres mundanos começou com um deplorável empobrecimento e em meio a perdas atordoantes.

As raízes camponesas de Gabrielle Chanel estavam profundamente enterradas no provinciano sudoeste da França e, em 1895, sua mãe, Jeanne Chanel – exausta de trabalhar e parir filhos – sucumbiu à tuberculose que a havia lentamente destruído. A doença espalhava-se rapidamente no clima frio e úmido das províncias rurais e, no século XIX, era chamada de "consumpção" por um motivo. Ela consumia a saúde das suas vítimas por dentro, corrompendo os pulmões irremediavelmente e com muito sofrimento. Gabrielle – que recebeu o nome da freira que ajudou no seu parto – e seus quatro irmãos e irmãs sobreviventes haviam presenciado tudo. Ela estava com apenas doze anos de idade quando a mãe morreu.

O pai, Albert, era um mascate e talvez simplesmente não tivesse ideia de como cuidar de cinco crianças pequenas. Talvez não se importasse muito com isso. Ele possuía um charme levemente libertino e a vida inteira a sua tendência foi a de fugir às responsabilidades. Seja como for, em poucas semanas, a jovem Gabrielle perderia também o pai. Os meninos foram mandados para trabalhar e abrir caminho no mundo da melhor forma que conseguissem. Albert colocou as três filhas numa carroça sem nenhuma explicação e as abandonou num orfanato, numa cidadezinha rural na encosta de uma montanha no Corrèze, no convento de uma abadia conhecida como Aubazine.

Foi aqui que a menina que seria conhecida no mundo inteiro simplesmente como Coco cresceu como uma órfã vivendo de caridade. Foi uma profunda deserção, e as feridas causadas pela perda e o abandono foram temas que se entrelaçariam na história do Chanel Nº 5, como estiveram entrelaçadas na de Coco. Elas formaram um registro emocional que moldaria a história do perfume mais famoso do mundo e do relacionamento muitas vezes complicado de Coco com ele.

Hoje, a abadia de Aubazine continua muito parecida com o que era durante a sua dura e solitária infância. Na verdade, ela continua em grande parte como era no século XII, quando o santo Étienne d'Obazine – como seu nome foi traduzido do original em latim – a fundou. Durante o tempo em que passou no orfanato, Coco Chanel e as outras meninas eram obrigadas a ler e reler a história da sua vida exemplar, e a monotonia inexorável das suas boas ações é esmagadora.

O santo Étienne, entretanto, tinha um aguçado senso estético num momento em que as ideias da cultura ocidental sobre beleza e proporção estavam em radical transição. Ele e os monges que o acompanharam até este fim de mundo num canto remoto do sudoeste da França eram membros da nova e crescente ordem clerical cisterciense que valorizava nada mais do que uma vida e uma arte de elementar simplicidade. O refúgio isolado de Étienne do mundo em Aubazine foi – e continua sendo – um espaço de ressonante e austera grandiosidade.

A estrada que parte em zigue-zague do vale até Aubazine é íngreme e estreita, e as florestas inclinam-se bruscamente em direção a longas ravinas. No cume, não há nada mais do que um pequeno vilarejo, com um aglomerado de construções baixas de pedra, algumas lojas, e casas tranquilas dominadas pela presença imponente de uma das grandes abadias medievais da França. Nos meados do século XIX, quando Gabrielle Chanel nasceu, ela havia sido transformada de mosteiro em orfanato para meninas dirigido por freiras. Para aquelas crianças, era uma juventude de muito trabalho e rígida disciplina e, felizmente para o futuro da jovem Gabrielle, uma boa parte estava concentrada em roupas. Não havia nada de luxo nisso, entretanto. Os dias se passavam lavando e consertando roupas, e foi aqui que ela aprendeu, é claro, a costurar.

Coco Chanel certa vez comentou, anos depois, que moda era arquitetura, e a arquitetura que ela queria representar era a deste convento que foi o seu lar, com suas linhas brutalmente puras e a beleza severa de contrastes simples. A associação nunca foi totalmente explorada em nenhum dos livros escritos sobre a revolucionária moda de Coco Chanel. Talvez a primeira pessoa a reconhecer a profunda importância de Aubazine tenha sido a biógrafa de Coco Chanel, Edmonde Charles-Roux, uma das poucas pessoas a conhecer a história dessa infância solitária. Ela a menciona de passagem. Pensando em Aubazine e no anseio de Gabrielle por certo tipo de severidade, Charles-Roux sempre acreditou que:

> Quando [Coco] começava a ansiar por austeridade, pelo máximo de limpeza, por rostos esfregados com sabão amarelo; ou demonstrar um entusiasmo nostálgico por tudo que fosse branco, simples e claro, por pilhas de roupas brancas nos armários, paredes caiadas... era preciso compreender que ela estava falando num código secreto, e que cada palavra que ela pronunciava significava apenas uma. Aubazine.

Estava no cerne da estética de Coco Chanel – a sua obsessão por pureza e minimalismo. Essa estética moldava os vestidos que ela desenhava e o modo como vivia. Moldou o Chanel Nº 5, a sua grande criação olfativa, não menos profundamente.

Destacando-se em meio às cenas da infância de Coco Chanel, o poder de Aubazine é óbvio. Vista de fora, a abadia é uma imponente estrutura de granito e calcário em tons de areia que se eleva sobre o vilarejo que cresceu ao redor. Dentro, é um contraste de excepcional brancura e sombras persistentes. Os vãos das portas com arco em ferradura são de madeira escura contra vastas extensões de pedra descorada. Tem a imperturbável solidez de paredes em arco, adornadas apenas pelo jogo de luz e o sol esgueirando-se através das janelas de vitrais incolores. Ela possui um tipo de beleza surpreendente e silenciosa.

Esta construção também estava cheia de significados que moldariam o curso da vida de Coco Chanel – e a vida do Chanel Nº 5. Por toda a parte em Aubazine, havia aromas e símbolos – e lembranças da importância do perfume. São Bernardo de Claraval, que fundou o movimento cisterciense, fazia questão de encorajar seus monges a dar ao perfume e à unção um papel central nas orações e nos rituais de purificação. Nos seus famosos sermões sobre o "Cântico dos Cânticos" da Bíblia – alguns dos versos mais eróticos encontrados na literatura religiosa –, ele aconselhava clérigos devotos a passar algum tempo espiritual contemplando os seios perfumados da jovem noiva descrita nas principais passagens do cântico. Não demorou muito e alguém teve a ideia de que esta contemplação seria ainda mais eficaz se combinada com algum tempo passado simultaneamente cheirando os aromas do jasmim, da lavanda e das rosas do local.

Durante séculos, aromas fizeram parte da vida de devoção em Aubazine, e os traços persistiram. Para Étienne, plantar flores muito perfumadas por toda a parte nas ravinas vazias e terrenos baldios ao redor das suas abadias passou a ser uma missão. Eram as mesmas colinas por onde as meninas davam longas caminhadas com as freiras aos domingos. Logo ali perto, no pátio do claustro, estavam os vestígios cuidadosamente preservados dos jardins originais do século XII, a fonte de todos esses aromas. A nave reverberante, onde Gabrielle escutava intermináveis sermões, havia sido o local desses rituais perfumados de meditação e preces durante centenas de anos. Até a desgastada escada de pedra em Aubazine que levava aos quartos de dormir das crianças e ao sótão, onde Gabrielle escondia seus livros de aventuras românticas secretos, era a mesma que aqueles monges medievais subiam todas as noites a caminho de seus sonhos perfumados. Aromas sempre fizeram parte da sua infância.

Foi uma infância muito infeliz. Mais tarde, "Aubazine" foi uma palavra que, durante toda a sua vida, Coco Chanel jamais pronunciaria. Ela a cercava de silêncio e mistério, e permaneceu como um segredo guardado e vergonhoso. Em todas as entrevistas que deu nos anos seguintes, ela afirmaria ter sido criada por tias e inventava uma história fabulosa e fictícia sobre o pai tendo feito fortuna na América. De fato, ela fazia o possível para se descartar do passado, chegando até a mandar dinheiro para pessoas da sua família com a condição de jamais revelarem esses secretos compartilhados.

Aquilo com que ela sempre viveu, entretanto, foram os cheiros de Aubazine. Eram os cheiros estimulantes de ordem e severidade. Por toda a parte em Aubazine, havia o cheiro de lençóis fervidos em panelas de cobre suavizado com raízes secas de íris e os aromas do ferro de passar. Havia o perfume de armários de roupa branca revestidos com pungentes pau-rosa e verbena. Havia mãos limpas e pisos de pedra lavados. Acima de tudo, havia o cheiro de sabão de sebo tosco sobre a pele das crianças e corpinhos impiedosamente esfregados. Era o perfume de tudo limpo. Aubazine era um código secreto de aromas e, no futuro, estaria na essência de tudo que ela achasse belo.

Aubazine também estava cheia de símbolos e do poder misterioso dos números, e esses números podiam ser encontrados – junto com seus significados – literalmente nas paredes e nos pisos ao redor dela. Era uma arquitetura rica em histórias silenciosas. Os cistercienses que ergueram as paredes desta abadia quase mil anos antes acreditavam profundamente num tipo de geometria sagrada que ordenava o universo. Suas construções a refletiam por toda a parte. Na pequena capela aonde as crianças eram levadas para rezar, toda a numerologia romanesca estava esculpida em pedra diante delas nos lugares mais rotineiros, nos pisos, nas paredes e vãos de porta. Diante delas, estava a singular unidade da perfeição divina no simples formato de um círculo. Colunas duplas refletiam a dualidade de corpo e espírito, céu e terra, e três janelas seguidas eram a tríplice natureza da divindade. Nove representava as fundações dos muros de Jerusalém e o número de arcanjos, e seis simbolizava os dias da criação.

O número cinco em Aubazine era sempre considerado especial. Era o número de um tipo de destino essencialmente humano. Ou essa, pelo menos, era a ideia dos monges que fundaram a abadia da infância de Coco Chanel, e eles construíram toda a sua estrutura baseada no poder deste número especial. A arquitetura cisterciense floresceu na Europa na época das Cruzadas, e estas eram as igrejas que mais intimamente estavam associadas com os mistérios ocultos da Ordem dos Templários. Para esses mistérios, o número cinco – o pentágono – era central. "Catedrais, igrejas e abadias cistercienses", escreve um estudioso, "são construídas com base em medidas... que se igualam mais ou menos [à] Proporção Áurea de Pitágoras." É a razão da estrela de cinco pontas e da forma humana.

Coco Chanel compreendeu o poder deste número muito antes que as freiras iniciassem as crianças no simbolismo esotérico da arquitetura da abadia e no seu significado espiritual em suas aulas. No longo corredor iluminado pelo sol que levava à escura solenidade dessa catedral, o caminho era revestido de mosaicos ásperos, desiguais, antigas pedras de rio arrumadas em padrões geométricos, simbólicos. Aqui, até as meninas menores aguardavam em fila para ser chamadas para suas orações, e Gabrielle fazia este percurso todos os dias. Disposto ali em círculos ondulantes, ela encontrava repetido sem cessar o padrão do número cinco, às vezes na forma de estrelas. Às vezes, ele estava ali no formato de flores.

O número cinco: ela acreditava profundamente na sua magia e beleza. Aquelas freiras cistercienses haviam ensinado suas pupilas órfãs a reverenciar o poder de símbolos e do espírito, e neste antigo ramo de fé católica ele era um número especial – o número da quintessência: a personificação pura e perfeita da essência de uma coisa.

Era também, num universo material de terra, água, ar e fogo, essa outra coisa – éter, espírito – algo misteriosa e intocavelmente belo. Ali em Aubazine, a palavra que ela jamais diria, havia quintessência por toda a parte ao seu redor, e não é de causar surpresa, então, que o "Nº 5 fosse seu número fetiche desde a infância". Ele fazia parte dos seus jogos infantis e questionamentos de adolescente: "Ela o desenhava na terra... com um galho que havia colhido, [era o número] que ela procurava, como um jogo, entre as datas gravadas nos túmulos no cemitério." Quando Gabrielle saiu do convento, deixou para trás a sua religião, mas jamais abandonou a sua crença no misticismo oculto dos números.

Ela também sabia que o número cinco era associado com as mulheres em particular. Desde o início, o número cinco e suas proporções perfeitas estavam entrelaçados com a secreta sensualidade do fascínio feminino – e com o simbolismo das flores. Essa conexão foi sempre, em Aubazine, elementar. Na verdade, o próprio nome "'cisterciense', e o do [seu] primeiro mosteiro, Citeaux, ambos vêm da palavra *cistus*, da família das citáceas, que hoje conhecemos como a simples 'rosa-silvestre' de cinco pétalas... popular no simbolismo medieval envolvendo pinturas da... Virgem Maria, [a quem] os cavaleiros cistercienses, templários, hospitalários e teutônicos reverenciavam como a padroeira de suas respectivas Ordens". A sua imagem foi esculpida na lápide funerária de santo Étienne, pela qual as meninas passavam todos os dias, e a planta crescia à vontade nas colinas do sul da França por onde elas caminhavam.

Nos jardins de Aubazine, havia também outra flor muito parecida com ela: a camélia branca. Esta tinha uma história menos antiga e menos inocente. A imperatriz Josefina, mulher de Napoleão, havia popularizado as camélias por todo o sul da França no século XIX, e Alexandre Dumas, uma geração depois, as levou para o palco do vaudeville popular na adaptação para o teatro do seu romance *La Dame aux Camélias* (1848) – "A dama das camélias" –, a tragédia de uma bela cortesã e seu amor impossível por um jovem cavalheiro. Era um romance que Gabrielle Chanel conhecia muito bem, e, quando moça, ela a viu na pele da legendária atriz Sarah Bernhardt, em Paris. "*La Dame aux Camélias*", ela disse certa vez, "era a minha vida, todos os romances populares de que eu me alimentava." Giuseppe Verdi aproveitaria o enredo na sua ópera *La Traviata* (1853). Esta flor eterna, cujas folhas são usadas para fazer chá, já era um símbolo da devoção de um amante.

Nos anos que se seguiram a Aubazine, Coco Chanel usaria a camélia branca como um símbolo pessoal preferido. Era a forma, ela sempre dizia, de infinitas possibilidades. Seria também para ela uma flor mesclada com a história de devoção, o esplendor das luzes da ribalta, e o tipo de amor que não acaba bem. Como de se esperar, às vezes era retratada como tendo cinco pétalas. Em breve, ela ficaria sabendo algo também sobre os corações partidos de rapazes ricos e suas amantes.

Coco Chanel, afinal de contas, não estava destinada às paredes de um convento – longe disso. Quando as órfãs em Aubazine completavam dezoito anos, somente aquelas preparadas para renunciar ao mundo e se tornar freiras podiam ficar na abadia. Ninguém jamais imaginou que a vida religiosa era a vocação desta jovem cheia de vida e brincalhona, e ela certamente não alimentava ilusões. Pelo contrário, ela sonhava com a cidade grande. Neste canto remoto do sudoeste da França, a cidade grande era um modesto lugarzinho não muito ao norte chamado Moulins sur Allier.

Ao deixar Aubazine para fazer fortuna, a menina que ainda não era Coco Chanel não tinha ideia de que queria criar um perfume. Ela nem mesmo imaginava ainda que ia ser uma estilista de moda. Mas ela deixou este pequeno vilarejo com um catálogo fundamental de aromas e uma forte conexão com o número que mais tarde a definiria.

2
A BELA PERFUMISTA

Moulins sur Allier parecia muito distante de Paris no verão de 1905. Aqui, nesta província rural no sudoeste da França, a vida seguia em grande parte como vinha acontecendo havia séculos. A imponente catedral gótica de Notre Dame de Moulins e um palácio renascentista dominavam o centro da cidadezinha medieval e uma grande torre do relógio – o seu famoso Jacquemart – batia as horas com entediante persistência.

Na capital, entretanto, mudanças aconteciam furiosamente. No final de uma faustosa era dourada, Paris já era o refúgio daqueles boêmios, inovadores e artistas que a tornariam famosa nas décadas seguintes. Em poucos meses mais, o pintor Henri Matisse e seus compatriotas chocariam o mundo das artes com uma nova exposição de obras extravagantes que ficariam conhecidas instantaneamente como fauvismo. Nesse verão, uma jovem mulher de infame sensualidade, chamada Margaretha Geertruida Zelle, entraria em cena com o nome de Mata Hari e transformaria o striptease nos cabarés – inventado em Paris havia apenas dez anos – na quintessência do entretenimento francês.

Moulins sur Allier, a uns trezentos quilômetros de Paris, era outro mundo. Mas até Moulins tinha suas dançarinas de cabaré. Em pequenos salões de baile mal frequentados como o La Rotonde, coristas cobertas de lantejoulas cantavam e rebolavam para entreter oficiais locais que estavam alojados na guarnição vizinha.

Se as coisas tivessem funcionado diferentemente – se tivessem acontecido, na verdade, conforme ela planejara – jamais teríamos conhecido Coco Chanel por sua moda ou pelo famoso perfume Chanel Nº 5. Nós a conheceríamos, junto com Mata Hari e, depois, Josephine Baker, como Coco Chanel, a cantora voluptuosa.

Foi uma virada surpreendente, visto que ela crescera no ambiente ascético daquela remota abadia católica, cercada por muros de um claustro e, mais adiante, por terras cultivadas. Ao deixar o convento aos dezoito anos de idade, poucos anos antes, a alegre e animada Gabrielle Chanel – ela ainda não era "Coco" – colocou em uso as suas habilidades de costureira que havia adquirido em Aubazine e se empregou como vendedora de lingerie e meias numa butique chamada À Sainte Marie, em Moulins. Nos finais de semana, para ganhar um dinheirinho extra, ela trabalhava para um alfaiate da região, consertando culotes masculinos. No fim de 1904, a vida de vendedora de loja e costureira parecia ser o seu futuro.

O trabalho era entediante e jamais lhe proporcionaria uma fortuna, mas Moulins não era totalmente desprovida de diversões. Gabrielle era jovem e bonita, e logo começaram os flertes excitantes com os jovens oficiais que vinham consertar seus culotes. Eles a levavam para tomar café e sorvete e, de vez em quando, a espetáculos no cabaré local, onde as moças no palco berravam letras picantes com melodias fáceis de lembrar enquanto a plateia cantava junto encantada.

Gabrielle ainda não pensava em criar um perfume com o seu nome – nem mesmo ainda em criar a sua moda inovadora, muito menos uma fragrância associada à alta-costura. Foi ali, em Moulins, entretanto, que a semente de uma ideia foi plantada pela primeira vez na sua mente e que um dia floresceria de forma tão maravilhosa. O espetáculo preferido em Moulins naquele ano era uma antiga ópera-cômica familiar das últimas décadas do século XIX e que continuava a encantar as plateias da França rural. Era exatamente o tipo de coisa a que um oficial amante da boa diversão levaria uma balconista animada para ver numa noite de verão. Chamada simplesmente de *La Jolie Parfumeuse* – "a bela perfumista" – seria algo inesquecível para Gabrielle.

De fato, o enredo de *La Jolie Parfumeuse* pode ter sido profético. Foi uma peça popular nesta pequena cidade durante várias temporadas e sem dúvida ela viu. Seu criador, Jacques Offenbach, era uma celebridade no mundo dos cafés musicais – o tipo de homem que poderia "descobrir" uma corista e lançar a sua carreira espetacularmente. Em meio a melodias animadas e comédias sexuais irreverentes, *La Jolie Parfumeuse* era a história de Rose Michon – como Gabrielle Chanel, uma órfã abrindo o seu caminho no mundo. A escolha diante de Rose na comédia era familiar: entre os prazeres da vida no palco do vaudeville e o agitado e inteligente papel de empresária de uma lojinha de perfumes.

Era um pequeno drama erótico, encenado num cabaré, e a plateia ovacionava as aventuras da espirituosa e inocentemente voluptuosa Rose, cujas esperanças de se casar com o rapaz dos seus sonhos estavam ameaçadas pelas intrigas libertinas do seu sedutor em potencial e por sua incrível semelhança com uma corista provocante, famosa, de Toulouse. Rose naturalmente triunfou, e, numa cena final cômica, o castigo do seu sedutor chegou quando ele se viu trancado num depósito de perfumes e sufocado com os vapores de perfumes femininos fortes e irresistíveis com patchouli e angélica em excesso.

O tempo todo, é claro, os jovens oficiais que vinham se divertir tinham coristas seminuas suficientes para os seus olhares lascivos. Como de se esperar, *La Jolie Parfumeuse* foi um sucesso internacional durante anos, nos palcos da França, da Alemanha e dos Estados Unidos. No mundo dos primeiros musicais de bulevar franceses, ela foi adorada e emblemática.

Teria sido também a história da jovem Gabrielle Chanel se ela não tivesse feito uma escolha bem diferente. Um dia, ela, também, abriria uma loja e daria ao mundo a sua mais famosa fragrância. Com vinte e poucos anos, entretanto, essa ideia ainda não lhe ocorrera. O que havia lhe ocorrido – como ela expressou mais tarde – era que ela tinha "um corpinho sensual" e, quando desistiu de trabalhar como balconista, foi para entrar para o cabaré.

Como cantora, Coco Chanel não era lá muito talentosa. O que lhe faltava em voz, entretanto, ela compensava com verve e jovial sensualidade e estava determinada a fazer carreira como atriz e dançarina de vaudeville. Ela sonhava um dia viver em Paris, onde mulheres como Mata Hari estavam conseguindo fama e fortuna. Ela aprendeu a requebrar as cadeiras e dançava com vestidos cintilantes enfeitados com lantejoulas. Ela até ganhou o seu apelido, Coco, naquele ano, cantando "Qui qu'a vu Coco" e "Ko Ko Ri Ko" – uma famosa melodia de Offenbach –, suas marcas registradas, para o encanto dos oficiais que vinham vê-la.

Era divertido cantar lá em cima no palco e ter tantos galantes admiradores. Não demorou muito e alguns desses cavalheiros se tornaram mais do que apenas admiradores, e foi entre esses oficiais que Gabrielle Chanel – agora simplesmente Coco para todos – logo escolheu os seus primeiros amantes. Não demorou e ela estava grávida, e o problema era que o jovem oficial de Coco sabia muito bem que se casar com ela estava fora de questão. Ela havia se extraviado demais do convento.

Ela era uma atriz corista e essa era uma linha de trabalho picante para uma jovem mulher, o que a deixava, aos olhos de rapazes respeitáveis e suas famílias, essencialmente descartada para casamento. Falando claramente: "Para uma grande parte da sociedade, as semelhanças entre a vida de atriz e a de prostituta ou *demi-mondaine* eram inesquecíveis e invalidavam qualquer outra evidência de respeitabilidade." Até cantoras e coristas talentosas ficavam para sempre condenadas a viver às margens da sociedade bem-educada

– essa região intermediária conhecida simplesmente como *demi--monde*, daqueles que jamais seriam aceitáveis.

O *demi-monde* era uma espécie de limbo social, e Coco Chanel havia entrado nele. Não importa o que veio depois – não importa a espantosa fama que ela alcançaria ou a riqueza que acumulou, não importa o fato de ter definido um estilo para toda a sua geração ou criado o perfume mais famoso do mundo –, ela jamais conseguiu se livrar dessa dura realidade. Ela havia consentido em "ser 'contratada' para diversão" e este simples fato – e as consequências do que seus biógrafos acreditam ter sido um aborto malfeito que a deixaria incapaz de ter filhos – moldaria o curso da sua vida profunda e dolorosamente.

A breve carreira de Coco Chanel como corista também levaria, por vias tortuosas mas de forma inexorável, à criação do perfume Chanel Nº 5. E não apenas à sua criação, mas também ao próprio aroma que ele iria capturar. Os aromas das *demi-mondaines* – as mulheres mundanas – eram algo de que ela sempre lembraria.

Agora grávida e em dificuldades, um de seus admiradores – talvez o amante responsável – ajudou-a a combinar o aborto. Étienne Balsan era um rico oficial do nono regimento de infantaria do exército, criador de cavalos caros e herdeiro da vasta fortuna que sua família havia construído fornecendo produtos têxteis para o exército francês. Ele era bonito e cheio de entusiasmo na sua admiração pelas mulheres. Era também bom e generoso. Lembrando-se do santo patrono da sua severa infância no convento, Coco Chanel lhe contou: "Eu já tive um protetor chamado Étienne, e ele realizou milagres também." Em breve, ele ofereceu à jovem Coco outro tipo de proteção – a proteção de ser a sua amante.

Na verdade, o que ele lhe oferecia era a posição de sua segunda amante residente. Quando Coco considerou as opções, a sua escolha deve ter parecido bastante simples. Já era evidente para todos que a jovem Coco, embora graciosa e encantadora, simplesmente não tinha talento como cantora para fazer uma carreira brilhante no palco. Ela, também, não suportaria voltar a trabalhar como balconista ou costureira; as duas coisas significariam uma vida dura com poucos prazeres. Escolher entre ser uma amante na grande propriedade rural de um homem rico e levar uma vida apertada, debruçada sobre um par após o outro de culotes masculinos, não foi difícil. Além disso, ela gostava de Étienne. Bem ou mal, ela escolheu ser sustentada e, durante os seis anos seguintes, foi uma das suas amantes.

A alta sociedade na França do início do novo século ainda era um mundo de códigos e rituais, e, durante aqueles anos com Balsan, Coco Chanel – uma garota de raízes camponesas – aprendeu a transitar por eles esplendidamente. Entre esses códigos, ela logo compreendeu que nada era mais revelador do que o cheiro. Havia uma linha tênue entre respeitabilidade e o *demimonde*, e havia até tipos diferentes – e níveis – de amantes. Perfume era um dos modos essenciais de distinguir entre eles.

A amante oficial de Étienne, a célebre cortesã Émilienne d'Alençon, estava no ápice desta hierarquia. Ela havia sido amante do rei da Bélgica, e o escritor francês Marcel Proust imortalizara as suas ligações no seu romance épico *À la recherche du temps perdu*, a extravagância repleta de aromas que nós conhecemos como *Em busca do tempo perdido*. Émilienne era uma das chamadas *grandes horizontales* – as grandes horizontais – da sua época, e Coco Chanel a admirava imensamente.

Do que Coco Chanel mais gostava em Émilienne era que, ao contrário de tantas outras amantes que chegavam e partiam nos finais de semana na propriedade de Étienne, em Royallieu, onde seus amigos do sexo masculino iam beber champanhe e ter relações sexuais com mulheres, ela jamais cheirava como uma cortesã.

No início do século XX, havia uma acentuada diferença entre o cheiro de uma cortesã e o de uma boa moça. Alguns aromas – como jasmim e almíscar, patchuli e angélica – davam à mulher um cheiro flagrantemente sexual, e apenas uma atriz, cortesã ou *demi--mondaine* ousaria usá-los. Moças respeitáveis usavam delicados aromas florais de rosas e violetas. Por isso, a plateia ria tanto em *La Jolie Parfumeuse* quando Rose, a bela perfumista, punia o seu lascivo sedutor em potencial nos fundos da sua loja com mais perfumes eróticos do que ele podia suportar.

A fragrância de uma mulher dava uma versão silenciosa sobre a sua sexualidade e, durante uma boa parte da história da humanidade, as conexões entre perfume e prostituição foram quase inseparáveis. Segundo os arqueólogos, o perfume mais antigo do mundo era produzido na ilha de Chipre, no Mediterrâneo, milhares de anos antes da era cristã, e este aroma forte – uma mistura doce e amadeirada com toques de frutas cítricas e baunilha – era dedicado a Afrodite, a deusa grega do amor sexual. Muito antes que alguém pensasse no pulverizador, este óleo fragrante era queimado como uma oferta nos seus templos, e vale lembrar que a própria palavra perfume, afinal de contas, vem do latim *per fumum*: "através da fumaça".

Também ofertadas nos templos de Afrodite, em Chipre, havia belas jovens virgens. A ilha estava no centro de um dos mais famosos cultos do mundo antigo dedicados à prostituição sagrada. Em reverência à deusa, moças eram requisitadas a oferecer seus corpos a estrangeiros uma vez na vida. Era a metade de um sacrifício ritual. Queimar grandes quantidades de perfume caro era a outra.

Talvez as sacerdotisas queimassem a fragrância nos templos perfumados de Afrodite com tanto desprendimento porque se acreditava que seus vapores tinham um intenso poder inebriante – e de provocar excitação sexual. Algumas pessoas ainda acreditam que o ingrediente principal desta fragrância antiga – a resina do *cistus* dos cistercienses ou esteva, conhecida como ládano – é inerentemente sensual. Ela é usada hoje na moderna perfumaria porque também tem um cheiro muito parecido com o de outro ingrediente entre os muitos valorizados no mundo na história das fragrâncias, o "ouro flutuante" conhecido como ambergris ou "âmbar-cinzento". O ambergris vem das fezes da baleia e, talvez uma surpresa considerando-se essas origens, também é considerado irresistivelmente erótico. Jeanne Bécu, mais conhecida na história como a famosa cortesã real Madame du Barry, encharcava-se de ambergris no século XVIII e, pelo visto, tanto ela como o então rei da França, Luís XV, ficavam satisfeitos com os resultados na cama. Mas tudo começou nos templos de Afrodite, e os afrodisíacos receberam esse nome por causa da deusa de lascivos prazeres com razão.

Desde o início da sua história, então, o perfume tem estado associado com a sensualidade de uma mulher e, enquanto foi amante de Étienne, Coco Chanel aprendeu que a escolha de um perfume por uma mulher podia ser uma forma de propaganda da sua sensualidade. Enquanto perfumes fortes e lânguidos baseados em essências como almíscar, jasmim, angélica e âmbar entravam e saíam de moda entre os aristocratas do século XIX – tanto que na década de 1810 a Imperatriz Josefina encharcava tudo no palácio de Versalhes com os aromas íntimos de almíscar animal para excitar Napoleão –, as linhas divisórias eram claras e inequívocas no alvorecer do século XX. Na época, esses tipos de aromas eram associados com uma coisa apenas: o "*odor di femina* das prostitutas e outras mulheres de virtude duvidosa". Todos sabiam que "fragrâncias com forte base animal... ou jasmim", especialmente, "eram marcadas como pertencendo ao mundo marginal de prostitutas e cortesãs". Mulheres "de bom gosto e reputação" usavam "apenas [as] simples essências florais" que capturavam o aroma de uma única flor de jardim.

O que Coco Chanel gostava em Émilienne era que ela quebrou as regras sobre a sexualidade feminina – e sobre o perfume de uma cortesã. Émilienne não chegava para finais de semana no campo em Royallieu deixando um rastro de aromas de jasmim e almíscar. Ela evitava os perfumes que as outras mulheres de prazer usavam naqueles dias quando até os châteux de campo não tinham água de banho corrente para disfarçar os odores de sexo e de corpos. Para Coco Chanel, o cheiro irresistível do almíscar, com suas sugestões de corpos não lavados, era simplesmente obsceno. Ela compreendeu logo que era o odor de prostituição, e era insuportável. Tão fino era o seu olfato e tão ofensivos ela achava esses perfumes que o modo como algumas das outras amantes cheiravam lhe dava náuseas.

Émilienne não fingia ser uma refinada ingênua encharcando-se com tímidos aromas de violetas, mas recusava-se a cheirar como o boudoir. Émilienne – a elegante e educada Émilienne, que podia transitar facilmente entre os reis e príncipes da Europa – cheirava para Coco Chanel como uma coisa só: limpeza. Ela era sensual e bela, mas perfumava-se levemente e estava sempre cercada pela fragrância de pele cálida e cabelos recém-lavados.

O cheiro de algo ao mesmo tempo limpo e sensual: essa era a combinação que Coco admirava. Afinal de contas, havia algo desagradável também na ideia de que uma mulher pudesse não ser sensual ou que a sexualidade em si fosse uma coisa suja. Embora, em 1905, não lhe passasse pela cabeça criar um perfume com a sua marca – nem ela imaginasse que se tornaria a famosa Coco Chanel no curto espaço de uma década – ela já sabia que estava procurando um jeito de capturar a essência de um novo e diferente tipo de sexualidade moderna. Era essencial para o que ela pensava de si mesma e das suas próprias decisões.

Havia algo de fresco e moderno no estilo particular de franca sensualidade de Coco Chanel, e, em parte, era isso que a tornava tão atraente. Ela estava longe de ser uma pudica de convento e personificava um novo tipo ousado de erotismo que os rapazes nos primeiros anos do século XX achavam muito excitante. Embora o auge da beleza ainda fossem as mulheres voluptuosas e curvilíneas como Émilienne, havia uma moda picante para mulheres com corpos infantis conhecidas como *fruits verts* – frutos verdes. Era uma moda alimentada pela ficção pornográfica da virada do século, com histórias sobre a lascívia secreta das estudantes órfãs católicas, e Coco Chanel encaixava-se exatamente nesta imagem.

Na juventude de Coco Chanel, este jeitinho de menino estava carregado de um tipo muito preciso de erotismo travesso que nenhuma mulher respeitável ousaria exibir. Segundo observa um historiador, o excitante não eram mulheres com aparência de homens, "mas, sim, de crianças". Era um escândalo na época, também, o fato de esses "frutos verdes" estarem muitas vezes associados a um lesbianismo liberado. Durante toda a sua vida, sempre houve histórias sobre Coco envolvendo-se com muitos tipos diferentes de amantes. Com a publicação do romance escandalosamente erótico de Victor Margueritte *La Garçonne* (1922), isso se tornou um estilo boêmio. No auge dos Exuberantes Anos Vinte, era a aparência a que todas as jovens melindrosas – como estas *garçonnes* ficaram conhecidas – aspiravam. Isso continua existindo hoje nas passarelas de Paris e Milão, graças em grande parte à celebridade de Coco Chanel.

Um dia, ela iria criar o aroma perfeito para essas melindrosas, também – um perfume que desmentiria todos os estereótipos convencionais sobre dois tipos de mulheres e as fragrâncias que elas poderiam usar. Seria um cheiro que pudesse definir o que significava ser moderno, elegante e sensual. Um dia, mas não ainda.

3
O ODOR DE TRAIÇÃO

O dia em que Coco Chanel começou a imaginar este perfume chegou muito mais cedo do que poderíamos esperar, talvez já em 1911. Na época, ela já era amante de outro homem.

De fato, na época, Coco estava apaixonada. Já a caminho de se tornar uma das maiores estilistas de moda do seu século também. Essas situações foram dois pequenos milagres pelos quais ela podia agradecer a Étienne Balsan indiretamente.

Durante os anos em que viveu em Royallieu, ela ficou conhecida entre os homens e suas amantes simplesmente como a *petite amie* de Étienne, sua namoradinha, e passou os primeiros anos da sua segunda década de existência lendo romances na cama até o meio-dia e aprendendo a montar em cavalos velozes. No fim, baixou o tédio. Além do mais, Coco Chanel teve o bom-senso de perceber que não ficaria para sempre com aquela aparência jovem de adolescente. Ainda sonhando com uma vida glamourosa nos palcos de vaudeville parisienses, ela pensou em voltar ao teatro, mas Étienne não aprovou. Se o palco estava fora de questão, ela pediu em vez disso para aproveitar o seu talento para fazer chapéus bonitos, e ele não viu nenhum dano em deixar que ela se interessasse por um hobby mais feminino. Em 1909, com a bênção de Étienne, ela montou um ateliê de chapéus no primeiro andar do seu apartamento em

Paris. Quando as portas se abriram para a inauguração, Coco Chanel foi lançada no comércio de moda.

Enquanto achou que a aventura de Coco era uma diversão, Étienne esteve disposto a sustentá-la. Mas, no inverno seguinte, quando ela lhe pediu um empréstimo para expandir o negócio, que tinha sido um sucesso quase instantâneo, ele recusou categoricamente. Uma amante ex-corista era uma coisa: era escandaloso e deliciosamente boêmio. Uma amante que trabalhava para viver no comércio era outra bem diferente, pelo menos nos seus círculos aristocráticos.

De qualquer maneira, naquela altura, ambos sabiam que ela estava dividindo a sua cama com outra pessoa. Num fim de semana em Royallieu, Coco ficou conhecendo um amigo inglês, rico, de Étienne, Arthur "Boy" Capel, e se apaixonou logo. Ela gostava que Boy cheirasse a "couro, cavalos, floresta e sabão de óleo de mocotó" e, com a estranha civilidade de dois homens trocando de amante, Étienne e Boy concordaram que Coco seria amante de Capel e que ele a sustentaria.

Assim, no ano seguinte, Coco Chanel abriu a sua chapelaria no agora famoso endereço, número 21 da rua de Cambon, em Paris, numa rua estreita paralela aos fundos do Hotel Ritz. Apenas uma década depois, mais ou menos, a romancista Virginia Woolf faria a ousada afirmação de que "por volta de dezembro de 1910, o caráter humano mudou", trazendo com ele suas avassaladoras mudanças "na religião, na conduta, na política e na literatura". O que Woolf se esqueceu de mencionar foi uma mudança no futuro da moda, porque Coco Chanel foi parte desse deslocamento sísmico na cultura ocidental em direção ao moderno.

Ela já estava de olho numa visão maior e mais ambiciosa. Coco Chanel já estava provavelmente avaliando a ideia de que o perfume faria parte disso. Como uma das outras inquilinas no prédio fazia vestidos, o aluguel inicial da sua butique na rua Cambon tinha uma cláusula que proibia especificamente a jovem empreendedora chapeleira de usá-lo para vender roupas. Se ela quisesse expandir o seu negócio, a costura em 1910 não era a direção óbvia. De fato, existem indícios de que ela teve a ideia de lançar uma fragrância da marca talvez dois anos antes de vender as suas primeiras roupas em novas butiques nas elegantes cidades de Biarritz e Deauville. É uma questão curiosa, embora insignificante. Mas considere: se ela tivesse começado com fragrâncias, a história da casa Chanel talvez tivesse sido outra bem diferente. Talvez não tivesse existido a alta-costura, e o mundo talvez se lembrasse de Coco Chanel principalmente, não como a inventora de clássicos modernos como o pretinho básico, mas como uma bela perfumista.

Nem é de admirar que, no verão de 1911, os pensamentos de Coco Chanel tenham se voltado para as fragrâncias. Perfume era o assunto do momento. Em junho, toda Paris só falava de aromas. Fragrâncias já haviam feito do jovem empresário corso François Coty, cuja família era da mesma linhagem de Napoleão, um dos homens mais ricos da França. A sua casa parisiense era considerada o centro de tudo o que era extravagante e da moda, e boatos sobre o seu opulento estilo de vida estavam sempre nos jornais. Ainda mais importante, entretanto, o mais famoso estilista de moda do momento, Paul Poiret, havia chocado a capital naquele verão com o lançamento dos seus novos perfumes – tornando-o o primeiro costureiro da história a ter um aroma com sua assinatura.

O lançamento de Poiret aconteceu durante uma *soirée* na sua mansão em Paris, um baile à fantasia provocantemente chamado de "*la mille et deuxième nuit*" – as mil e duas noites. Inspirada nas "odaliscas muito perfumadas de *Scheherazade*", era a fantasia de um sultão. Toda a alta sociedade parisiense foi convidada.

Naquela noite de verão, no dia 24 de junho de 1911, o ar quente estava carregado de sons suaves de música persa, e os afortunados hóspedes ao chegarem eram recebidos na porta da opulenta propriedade de Poiret com vapores aromáticos de perfumes orientais muito antes de terem colocado os pés num mundo de fantasia. Criados vestidos com mantos de seda acompanhavam trezentos dos socialites mais famosos da cidade até um enorme jardim, fortemente iluminado com lanternas cintilantes e salpicado de tendas de harém. Aves tropicais de penas muito coloridas pousavam nas árvores; músicos tocavam ritmos lascivos em algum lugar sem serem vistos; e, da sua prisão numa estonteante gaiola dourada, a bela Madame Poiret fazia o papel de lânguida odalisca envolta em esplendor. Por toda a parte, havia aromas de mirra e olíbanos, os cheiros inebriantes de perfumes raros, e taças e mais taças de borbulhante champanhe.

Os convidados se divertiram nesta milésima segunda noite de prazeres sensuais até de madrugada e, ao alvorecer, estouraram fogos de artifício, iluminando os céus de Paris. Quando as senhoras partiram – entre elas os nomes mais elegantes da Paris aristocrática e artística –, Poiret, anfitrião e sultão da noite, entregou a cada uma delas um presente de despedida. Era um frasco do seu primeiro perfume, chamado Nuit Persane, em homenagem a essa noite de luxos persas. A história das fragrâncias jamais assistira a um lançamento tão criativo de um novo perfume, e toda Paris estava encantada.

Era difícil não admirar o tino comercial de Poiret. Embora ele negasse tais sugestões energicamente e sempre afirmasse ter dado a festa apenas para agradar a seus amigos especiais, foi de fato um jeito brilhante de apresentar aos árbitros da moda a sua nova linha de fragrâncias, Parfums Rosine, que ele havia acabado de preparar para lançar dias antes. A linha foi batizada com temas de haréns orientais, com fragrâncias como Nuit Persane (1911) e La Minaret (1912). Os vidros desse primeiro aroma foram decorados com motivos copiados das vitrinas que eram a marca característica da sua famosa butique, caso alguma dama se esquecesse da relação entre os seus aromas e o seu salão.

Ao lançar perfumes da sua casa de moda, Poiret foi o primeiro costureiro da história a associar estilo e fragrância. Ele havia encantado toda Paris com o seu dramático instinto para comercializar este novo perfume, e os jornais estavam repletos de descrições da sua extravagante festa – e dos novos aromas que puderam capturar o seu espírito. Menos de uma década depois, em 1919, o obscuro estilista de moda Maurice Babani foi o segundo *couturier* a lançar um perfume com o seu nome. Coco Chanel seria a terceira. E, quando chegou a hora, ela lembraria o talento pelo qual Poiret ficou célebre. Mas, por enquanto, Coco Chanel deixou de lado qualquer ideia passageira de perfumes. Ela engrenou, em vez disso, no seu romance com Boy Capel e na criação, em 1913, de uma linha simples de roupas esportivas na sua butique na costa, em Deauville, onde os ricos e elegantes da França passavam o seu tempo de lazer. No ano seguinte, teve início a Primeira Guerra Mundial, e os uniformes das enfermeiras voluntárias da época a inspiraram a criar, com tecidos de jérsei baratos, vestidos simples, chiques e soltos para as mulheres da classe alta que faziam parte do seu círculo social desde os primeiros dias em Royallieu. Em poucos anos, esta nova moda havia lhe dado nome e lhe gerado uma pequena fortuna. Quando a guerra terminou, Coco Chanel já era uma estilista famosa.

Na verdade, mesmo em 1914, ela era conhecida o bastante na alta sociedade para ver o seu relacionamento com Boy Capel virar alvo de fofocas e implicâncias do público. Nesse ano, o cartunista e ilustrador de celebridades Georges Goursat – em geral conhecido apenas por sua assinatura "Sem" – publicou um desenho dela e Boy dançando na elegante cidade balneário de Deauville sur Mer, intitulada apenas "Tangoville sur Mer". Nela, o apaixonado por polo Boy Capel é satirizado como um voluptuoso centauro fugindo com uma deslumbrada chapeleira, que, caso alguém não a identificasse, carregava uma enorme caixa de chapéu com a etiqueta Coco bem visível.

Gabrielle Chanel e Arthur Capel pelo cartunista Sem em 1913.

A caricatura era um aceno ao início da mania do tango naquele ano na Europa, inflamada por um livro que estava vendendo muito, *Modern Dancing*, escrito pelo casal do momento, Verne e Irene Castle. Ela era uma socialite determinada, aspirante a estilista de moda e, com seus cabelos curtos em 1914, já – como Coco Chanel – uma precoce melindrosa, num momento em que a moda *garçonne* ainda chocava. O cartum era também uma alfinetada aguda e bastante maldosa nos decadentes prazeres equestres de Boy e uma maliciosa alusão à luxúria dos centauros mitológicos, conhecidos na mitologia grega pelo seu hábito impetuoso de raptar mulheres. Afinal de contas, só porque ele e Coco estavam apaixonados, isso não significava que Boy não tivesse um estábulo de amantes. E todos sabiam que Coco estivera com Étienne antes de Boy seduzi-la.

Uma caricatura como esta não era exatamente o tipo de cobertura na imprensa elegante que uma jovem em conflito *demi-rep* – como eram chamadas as mulheres "semirrespeitáveis" – desejaria, mas, de certo modo, era um sinal de que ela havia chegado. Desenhos assim, entretanto, também deixariam Coco Chanel cautelosa com a imprensa e determinada a controlar a sua imagem pública de formas que moldariam profundamente algumas das suas decisões mais críticas sobre negócios – e um dia os negócios relacionados à sua fragrância Chanel Nº 5 em particular.

Durante os quatro anos seguintes, os anos da Primeira Guerra Mundial na Europa, Coco Chanel floresceu. Quando eles terminaram, ela podia se dar o prazer de uma villa no sul da França e um "pequeno Rolls azul". Ela era uma celebridade e estava enriquecendo rapidamente também. "A guerra me ajudou", Chanel mais tarde lembrou. "Catástrofes mostram o que somos realmente. Em 1919, acordei famosa." Ela percorrera um longo caminho desde a escola de caridade no convento de Aubazine e a época em que foi cantora de cabaré.

Ela conseguira isso aprendendo a não rejeitar boas oportunidades. Quando a guerra terminou, em novembro de 1918, entretanto, havia uma oportunidade que Coco Chanel deixara passar: perfumes. Naquele inverno em Paris, era difícil isso passar despercebido. Durante meses e meses depois do armistício, a cidade continuava repleta de muitos dos dois milhões de soldados americanos cujo retorno para casa exigiria do governo dos Estados Unidos quase um ano para coordenar. Enquanto eles esperavam, fragrâncias francesas eram os suvenires que todos queriam. Foi por causa desses soldados que os perfumistas franceses se tornaram alguns dos empreendedores mais ricos do mundo durante essa década. Perfume era Paris. Paris era chique e sexy. Os soldados de volta para casa queriam algo que mostrasse que eles tinham estado ali, algo que ajudasse a lembrar isso.

A história da fantástica ascensão do perfume francês durante o início do século XX é, em muitos aspectos, também uma história essencialmente americana, porque, não fossem o mercado americano e a paixão dos americanos por fragrâncias francesas, as fortunas conquistadas teriam sido muito, muito menores. Esse mercado um dia estaria no centro da grande paixão do século pelo perfume Nº 5 de Coco Chanel especialmente – uma fragrância que não teve nenhuma publicidade na França durante décadas após a sua invenção.

O interesse por perfumes franceses vinha crescendo nos Estados Unidos regularmente mesmo antes da Primeira Guerra Mundial, e grandes empresas de fragrâncias como Bourjois e Coty haviam começado a abrir escritórios nos Estados Unidos na década de 1910. Agora, esses empreendedores de visão estavam prestes a se tornar imensos sucessos internacionais com o frenesi por perfumes franceses que se seguiu ao armistício. Ninguém teve uma história mais interessante ou mais emblemática do que o exuberante empreendedor François Coty, que, em 1919, se tornou o primeiro bilionário francês. Sua mulher, Yvonne, que também tinha feito a sua estreia como chapeleira em Paris, era amiga da elegante e já famosa Coco Chanel. Se Paul Poiret e o fabuloso sucesso do seu Parfums de Rosine deram a Coco Chanel a ideia de associar uma linha de perfumes a uma casa de moda, foi François Coty quem foi agora a sua verdadeira inspiração. Mais tarde, eles seriam rivais. Coty era agraciado com um olfato incrivelmente aguçado e havia topado com a perfumaria uma tarde, no quarto dos fundos da farmácia de um amigo, onde fileiras de substâncias aromáticas estavam dispostas em simples frascos medicinais. Ele vendeu a sua primeira colônia nos fundos de uma charrete puxada por um pônei a mulheres das províncias, e agora, no final da Primeira Guerra Mundial, ele era um dos mais celebrados magnatas industriais do mundo e um homem de grande cultura. Seus perfumes eram usados por czarinas na corte imperial russa e por milhares de mulheres de classe média em outros lugares. No florescente mercado americano, Coty estava rapidamente se tornando um nome familiar e acumulando uma vasta fortuna. Sua história era a de um empreendedor que se fizera sozinho, encontrando um fabuloso sucesso, e a jovem arrojada Coco Chanel, querendo muito fazer fortuna também, compreendeu isso imediatamente.

Assim, lá pelo fim de 1918 ou talvez início de 1919, Coco Chanel lançou-se num sério planejamento para criar o perfume com a sua marca registrada. Das muitas explicações possíveis para como o Chanel Nº 5 nasceu, talvez a mais intrigante seja a lenda de que uma fórmula de perfume secreta, havia muito tempo perdida, foi a base para a decisão de Chanel de produzir uma nova fragrância em 1919. É uma história envolta em mistério, e, não fosse pelas evidências nos arquivos de Chanel em Paris que afirmam a existência da fórmula, seria difícil levar a sério uma história tão romântica.

Foi provavelmente durante o inverno de 1918 que Coco Chanel recebeu a visita animadora de uma amiga, a socialite boêmia Misia Sert, uma mulher cuja extrema beleza foi capturada em quadros por Pierre-Auguste Renoir e Henri Toulouse-Lautrec. Misia sabia que Coco estava querendo lançar um perfume com a sua marca. Elas já tinham conversado sobre isso, debatido desenhos para os frascos e até planejado como Coco o venderia para suas clientes da alta-costura – ou foi o que Misia sempre alegou. Agora, Misia tinha escutado falar de uma curiosa descoberta numa velha biblioteca de um *château* no vale do Loire. Ali, durante as reformas do castelo, os proprietários tinham descoberto um manuscrito da Renascença, e, entre as suas páginas, havia uma receita. Era uma fórmula perdida do "milagroso perfume" das rainhas Médici, um elixir que se dizia preservar as belezas maduras dos estragos do tempo.

Se autêntica, tanto Misia como Coco sabiam que seria uma descoberta excitante – e um jeito fabuloso de promover a sua fragrância entre seus clientes ricos. Afinal de contas, a história da produção de perfumes na França começou na corte das rainhas da família Médici, quando a jovem Catarina de Médici foi mandada para a França como noiva do rei Henrique II. Chegando da Itália, ela trazia no seu séquito um certo Renato Bianco, mais conhecido simplesmente como René, o Florentino. René foi o primeiro perfumista oficial da história da França, e, do seu ateliê na Paris do século XVI, ele fornecia poções afrodisíacas aromáticas e fragrâncias para a arte da sedução. Quando elas não funcionavam e os amantes se separavam inexplicavelmente, alguns diziam que ele também vendia o ocasional raro e mortal veneno com o qual despachava o concorrente – ou o ofensor.

Essa receita de perfume, entretanto, dizia-se pertencer à prima de Catarina de Médici, Maria, que também havia se casado na família real francesa e era uma especialidade ainda mais dedicada em perfumes. De fato, é por causa de Maria de Médici que o vilarejo de Grasse, que começou como um centro artesanal para a produção de luvas e curtimento de peles, tornou-se a capital mundial da fragrância no século XVII. Segundo conta o historiador dos perfumes

Nigel Groom, ela "montou um laboratório em Grasse para o estudo da produção de perfumes a fim de concorrer com os perfumes árabes em moda na época, pelo que ela é considerada por alguns como a fundadora da indústria de perfumes franceses". A rainha era obcecada por essências e substâncias aromáticas – e especialmente por seus segredos de beleza. Como ela continuava surpreendentemente bela com mais de sessenta anos, ninguém duvidava de que tivesse encontrado algo mágico.

Agora, haviam encontrado um antigo manuscrito com um dos perfumes de Maria de Médici. Misia Sert insistiu com Coco para comprá-lo, e ela o comprou. Pagou seis mil francos – o equivalente a quase dez mil dólares hoje – pelo manuscrito que revelava os segredos desta misteriosa "colônia", como as essências de base cítrica ainda eram elegantemente chamadas. Sem dúvida, Misia lhe disse, seria a base para os produtos de beleza com a sua marca. Coco Chanel deve ter concordado, porque, naquele verão, pelo visto, ela estava planejando ativamente a sua produção. No dia 24 de julho de 1919, arquivos da empresa mostram que Coco Chanel registrou oficialmente uma marca para uma linha de produtos que ela planejava chamar de Eau Chanel – Água Chanel.

Misia Sert, mais tarde, afirmaria que esta foi a origem de Chanel Nº 5. Afirmou também que ela e Coco Chanel passaram horas juntas desenhando a embalagem e chegando à ideia elegantemente simples de usar um vidro farmacêutico comum para o frasco. Talvez, se o tumulto na vida pessoal de Coco Chanel não tivesse intervindo no outono de 1919, o Chanel Nº 5 tivesse sido inventado antes. Mas em nenhum lugar nos arquivos de Chanel existe qualquer evidência de que Coco chegasse a encomendar vidros naquele verão. A única evidência que sugere a produção de um perfume é a notícia de um misterioso recibo que se diz ter sido descoberto nos arquivos da empresa Coty na década de 1960, que mostra que seu amigo François cobrou de Coco Chanel por algum trabalho no laboratório de perfumes. Sua mulher, Yvonne, também afirmou que, quando Coco começou a considerar a ideia de lançar uma fragrância, François se ofereceu para deixá-la usar o seu laboratório para a elaboração.

Talvez, naquele verão, Coco Chanel tivesse avançado com algumas formulações preliminares e isso está por trás da história da conta nos arquivos da Coty. Hoje, não há como saber com certeza. Chanel, entretanto, acredita que o relato de qualquer conexão entre o laboratório Coty e o Chanel Nº 5 é simplesmente apócrifo. A neta de François, Elizabeth Coty, que conta o caso na biografia do seu famoso familiar, parece ter menos certeza. O que é certo é que um perfume chamado Eau Chanel jamais existiu – e, por razões quase igualmente complicadas e tortuosas, o seu aroma não poderia ter sido a inspiração para o Chanel Nº 5.

Mesmo que o manuscrito Médici não levasse diretamente à criação do perfume Chanel Nº 5, foi uma etapa preliminar crucial nas ideias de Coco Chanel sobre a elaboração de um perfume com a sua marca. Embora tivesse deixado de lado esta antiga receita e a ideia de um Eau Chanel rapidamente, Coco estava agora convencida de que era hora de lançar um perfume associado à alta-costura. Ela havia deixado escapar a chance das vendas fabulosas de perfumes no final da guerra, quando os soldados americanos ficavam horas em fila na porta das butiques em busca de perfumes franceses, e ela estava disposta a compensar o tempo perdido.

A indústria de fragrâncias estava à beira de uma explosão violenta. Na verdade, as décadas de 1920 e 1930 ainda são conhecidas como a era de ouro da perfumaria moderna, e Coco Chanel tinha uma vaga ideia sobre isso. Se ela tivesse lançado um perfume em 1919, entretanto, não teria sido o Chanel Nº 5, ou pelo menos não o Chanel Nº 5 como o conhecemos. Seu relacionamento com a fragrância também teria sido totalmente diferente naquele momento, com resultados bem diversos para a história deste perfume icônico. Porque o que a impedira de lançar um perfume naquele momento em breve se tornaria parte do motivo pelo qual ela ficou duplamente obcecada em encontrar o aroma perfeito – o aroma preciso de Chanel Nº 5.

Em 1919, a vida particular de Coco Chanel estava em frangalhos. Na verdade, tinha sido sofrida e tumultuada desde o outono de 1918, no mínimo, quando Boy Capel, num romance intenso de quase uma década com Coco, anunciou que jamais se casaria com ela. Foi um doloroso aviso de que não havia como escapar das suas origens.

Ser famosa não era o bastante para fazer de Coco uma mulher respeitável. Nos círculos em que transitava, nada teria sido. Ela seria sempre a filha de camponeses itinerantes que fora abandonada pelo pai aos cuidados das freiras de um orfanato rural. Ninguém se esqueceria, também, de que ela havia começado a sua carreira cantando melodias lascivas de cabarés para oficiais nos salões de baile. Nem ninguém se esqueceria do fato de que ela havia subido o primeiro degrau no mundo da alta sociedade como a segunda amante de um homem rico e uma daquelas nebulosas e sedutoras *demi-mondaines*. Com talento e charme, ela havia conquistado sozinha uma carreira brilhante. Agora ela queria fazer uma vida com Boy. "Nós estávamos apaixonados", ela mais tarde lembrou, "poderíamos ter nos casado." Ele se recusou. Ele a queria apenas como sua amante. Homens respeitáveis no início do século XX não se casavam com suas amantes ilegítimas, mesmo que uma dessas amantes tivesse se tornado um árbitro internacional da alta moda e do bom gosto.

No momento em que a primeira leva daqueles soldados americanos enfileiravam-se nas portas das butiques de Paris, no outono de 1918, procurando perfumes de luxo para levar para suas namoradas e mães em casa, Boy confessava o que ambos sabiam ter sido a verdade o tempo todo. Não importa onde estivesse o coração dele, agora ele estava noivo de outra pessoa, alguém recatada e respeitável. O tipo de moça que usava essências florais simples de rosas--chá ou violetas e cujos costumes, pelo menos na aparência, eram modestamente antiquados. Coco, ele esperava, continuaria sendo a sua amante e confidente – mas não passaria disso. Durante uma boa parte daquele ano, eles viveram juntos como sempre no apartamento dele em Paris. Em seguida, ele se casou com a encantadora Diana Lister Wyndham. Coco Chanel tinha trinta e seis anos.

Foi uma tremenda traição, e Coco Chanel se viu enfrentando um dilema impossível. Ela compreendia o que significava continuar como amante de Boy. Era o que tinha feito durante tempo suficiente para saber muito bem como ia ser. Ela viveria para sempre à margem das vidas dos outros. Seriam aniversários solitários e festas de fim de ano com amigos, e o apartamento que dividiam jamais seria o seu lar. Ir embora, entretanto, era quase igualmente insuportável.

Em dezembro, Coco ainda não tinha conseguido tomar uma decisão final. Ela se mudou naquele outono para um apartamento próprio em Paris, e o agora casado Boy a acompanhou. Então, nas vésperas do Natal, ele partiu para o sul da França, para passar as festas de fim de ano com a mulher e a família dela. Coco Chanel ficou em Paris.

Os franceses chamam a costa ao longo do Mediterrâneo de Côte d'Azur – a "costa azul" – e as estradas eram famosas por serem traiçoeiras. Descendo a costa para o sul, elas ziguezagueiam em curvas fechadas ao longo dos rochedos que se penduram sobre o mar. Mais além, ficam as *penetrantes*, as estradas ondulantes atravessando montanhas e florestas de pinheiros que ainda figuram entre as mais perigosas da França. Passe de carros por elas, e é fácil compreender como elas são realmente traiçoeiras. Um desastre de automóvel aconteceu tarde da noite; resultado de um pneu furado e talvez de excesso de champanhe também. Era 22 de dezembro de 1919, na estrada que vai de St. Raphael a Cannes, e Boy não sobreviveu. "Para uma mulher", Coco Chanel diria mais tarde, "a traição tem apenas um sentido: o dos sentidos." Sozinha na cama que haviam compartilhado, nas semanas seguintes, ela conheceu o desespero e, sem dúvida, conheceu também como o cheiro persistente do homem que você amou nos lençóis pode doer na alma. Nesse inverno, Misia convenceu a atormentada Coco a passar umas longas férias na Itália. De Veneza, Coco enviou um telegrama para casa, pedindo que retirassem tudo do apartamento em Paris. No fim, ela moraria em quartos alugados, às vezes no Hotel Meurice, mas principalmente no Ritz. Era tudo uma lembrança da magnitude das suas perdas, demais para suportar. Ela se voltou, em vez disso, para os perfumes.

4
A EDUCAÇÃO DOS SENTIDOS

Depois da morte de Boy Capel, Coco mergulhou no mundo dos perfumes. Mas não estava simplesmente imergindo no trabalho e num novo projeto como uma distração durante uma crise pessoal. O fascínio dos aromas era algo mais essencial. O perfume que ela iria criar ao final tinha algo a ver com a complicada história da sua sensualidade, com a dolorosa perda de Boy no desastre de automóvel e com tudo que tinha acontecido antes. Ao elaborar este perfume, ela retornaria ao seu ponto zero emocional.

Ela buscava algo extraordinariamente contraditório. O seu perfume tinha de ser exuberante, opulento e sensual, mas também precisava cheirar a limpeza, como Aubazine e Émilienne. Seria o aroma de pele morna esfregada e de sabão em um convento do interior, mas seria despudoradamente voluptuoso e sensual. No mundo das fragrâncias finas de hoje, um perfume começa com uma ideia – um "resumo" – e, se Coco Chanel tivesse colocado em palavras o que ela estava procurando no perfume de sua marca, teria sido essa tensão.

Ela estava fascinada com a arte dos perfumes e com as histórias que eles poderiam contar sobre uma mulher. Ela era também uma esperta empresária. Com todos aqueles americanos ansiosos por perfumes franceses e com a sua fama em alta, ela estava apostando que faria fortuna. Quando se tratava do seu perfume – o perfume que ela estava ainda apenas imaginando –, havia sempre na essência um conflito entre o aroma como uma história íntima, pessoal, e algo público e comercial. Essa convergência dos seus sonhos empresariais e perdas pessoais moldaria tanto o aroma que ela se dispôs a criar como o seu relacionamento profundamente complicado, às vezes até antagônico, com ele nas décadas futuras. Ela já sabia que o perfume seria o seu cartão de visitas – o produto mais intimamente associado com o seu nome e a sua história. Ela ia fazer isso direito.

Para Coco Chanel, precisão era uma religião, e ela sabia que não devia comprometer tempo e recursos para criar um perfume assinado sem primeiro fazer um estudo exaustivo da arte, da ciência e dos negócios relacionados com a indústria das fragrâncias. Quem trabalhou no seu salão de moda durante os anos da sua grande fama como costureira sempre lembraria que, às vezes, ela desmontava um vestido e o remontava quinze ou vinte vezes, antes de anunciar que estava perfeito e permitir que deixasse o ateliê.

Ela tinha a mesma atitude em relação aos perfumes. No ano seguinte, o perfume virou a sua obsessão. Ela viajou para o sul da França com amigos e visitou vilarejos nas montanhas muito além de Cannes, lugares como La Bocca e, especialmente, Grasse, que havia muito já se estabelecera como o centro da indústria de perfumes franceses. Esses eram os refúgios de verão favoritos de artistas, intelectuais e príncipes estrangeiros empobrecidos, que se reuniam ali por causa do clima ameno e as brisas delicadamente perfumadas que sopravam das plantações de rosas, jasmins e mimosas que se estendiam além dos muros dessas pitorescas aldeias medievais.

Foi aqui – e talvez em conversas com seu amigo François Coty – que Coco começou a estudar os perfumes a sério. Segundo lembrou a sua confidente Lady Abdy, "quando ela decidia alguma coisa, ia até o fim. Para levar a cabo e ter sucesso, ela colocava tudo em jogo". Uma vez interessada na perfumaria, ela quis aprender tudo sobre perfumes – as suas fórmulas, a fabricação e outras coisas mais. Naturalmente, ela procurava os melhores conselhos".

Coco Chanel foi esperta em fazer um estudo sobre perfumaria moderna, porque, em 1920, quando ela estava mergulhando totalmente no mundo dos aromas, a indústria das fragrâncias e a ciência por trás dos cheiros estavam ambas passando por mudanças que transformariam a experiência olfativa do século XX.

Para muitos de nós, apreciar os pontos mais delicados de uma fragrância é algo misterioso, e isso era também verdade quando Coco Chanel se dispôs a aprender como produzir perfumes. Um perfumista – conhecido na indústria simplesmente como "nariz" – é encarregado da delicada e complexa tarefa de criar, a partir de todas as centenas de milhares de aromas possíveis, uma composição que ao mesmo tempo capte uma ideia precisa ou sentimento e seja capaz de evoluir com elegância e beleza no tempo enquanto lentamente desaparece da nossa percepção.

Como Coco Chanel logo aprendeu, os elementos essenciais para apreciar uma fragrância delicada começam com esta arte de misturar aromas. Quem faz perfumes fala desses aromas em termos de "acordes" e "famílias" de aromas, e esta linguagem é crucial para a compreensão da arte dos perfumes. Acordes são grupos de aromas que se misturam de um modo natural e provocante e, ao se misturarem, transformam um ao outro. Eles são fragrâncias dentro de uma fragrância, os blocos de construção de um perfume complexo, e esses acordes são como os especialistas definem as diferentes famílias de fragrâncias.

Hoje, existe pelo menos meia dúzia de rubricas diferentes para diagramar todas as possíveis categorias de perfume, e algumas delas são irremediavelmente, até às vezes comicamente, complexas, com estas famílias e subfamílias chegando às dúzias. Em termos leigos, entretanto, na década de 1920, havia cinco categorias tradicionais: aromas designados como orientais, fougère, couro, chipre e florais.

Alguns tinham origens e tradições antigas; alguns eram inovações do século XX.

Quando içou velas para se encontrar com Marco Antônio, Cleópatra se perfumou com sândalo e encheu o ar de incenso de canela, mirra e olíbano. Hoje, poderíamos classificar as fragrâncias de Cleópatra, baseadas em aromas "âmbar" de cascas e resinas de plantas, simplesmente como perfumes orientais. No fim do século XIX, os perfumistas acrescentaram ao aroma quente e condimentado desses âmbares orientais – substâncias como olíbano, sândalo e patchuli – outro conjunto de notas de fragrâncias, outro acorde, baseado em almíscar animal e os aromas de baunilha da orquídea.

Na época em que Coco Chanel estava aprendendo sobre perfumes e sobre as ousadas inovações ocorrendo na química das fragrâncias, o aroma Jicky, "ferozmente moderno", de Aimé Guerlain, era considerado o suprassumo dos orientais. De fato, para muitos admiradores ainda é. Inventado em 1889, Jicky foi a primeira fragrância a usar o então exótico aroma de patchuli, ao qual Guerlain acrescentou o aroma de baunilha. Segundo o folclore das fragrâncias, o perfume oriental clássico Shalimar – o único rival de Jicky como perfume oriental de "referência" – foi inventado na década de 1920 quando Jacques Guerlain, sobrinho de Aimé e o menino que inspirou o nome Jicky, ficou imaginando que cheiro o perfume teria se ele acrescentasse uma dose ainda maior de baunilha. O resultado foi pura magia.

Perfumes contemporâneos da família oriental são agora reconhecidos como tendo o seu aroma baseado na baunilha – ou, mais precisamente, baunilha junto com os efeitos da baunilha criados pela vanilina da seiva de pinheiro e o ingrediente aromático heliotropina com cheiro de amêndoas e baunilha, uma molécula sintética criada em meados da década de 1880 – e misturada num acorde com os aromas de âmbar de resinas vegetais e almíscar de animais.

À venda hoje, entre perfumes orientais familiares no mercado de massa estão Obsession, de Calvin Klein, Opium, de Yves Saint Laurent, e até a colônia Old Spice.

Perfumes orientais pretendem capturar os aromas do oriente, mas os perfumistas com quem Coco Chanel conversou também lhe contaram sobre uma profunda mudança na abordagem da fabricação de fragrâncias. Durante as últimas décadas do século XIX e primeiras do século XX, dúzias de novas substâncias aromáticas "sintéticas" estavam sendo descobertas em laboratórios no mundo inteiro, e isto mudaria a direção da fabricação de perfumes até hoje.

Desde os vários milênios da sua produção, a perfumaria tradicional dependia talvez de uma centena de substâncias aromáticas naturais, e agora novos cheiros e aromas, capazes de criar novos acordes e efeitos olfatórios, estavam sendo criados com a ajuda da ciência moderna. Inovações e abstrações modernas estavam entrando na perfumaria, e era uma nova e recente estética – exatamente o tipo de coisa que sempre havia fascinado e inspirado Coco Chanel como estilista.

Uma dessas novas fragrâncias abstratas era a família de aromas conhecida como fougère. A palavra significa simplesmente "samambaia" em francês, e estes novos aromas tinham a intenção de evocar copas verdes frondosas e bosques refrescantes – ou pelo menos a ideia deles. Em geral, samambaias não têm cheiro, e a categoria é de uma beleza conceitual. O nome *fougère* vem de uma excelente fragrância antiga de Houbigant, comercializada como Fougère Royale (1882), ou "samambaia-real". Ela foi um marco na história das fragrâncias modernas: o primeiro perfume a usar um aromático sintético, o composto cumarina, que cheira a feno cortado. A esse aroma, o perfumista Paul Parquet acrescentou as essências frescas familiares de lavanda e o aroma de líquen seco de musgo de carvalho numa surpreendente combinação. O resultado foi o refrescante acorde de cumarina-lavanda-musgo de carvalho, ainda hoje conhecido como fougère. Fragrâncias que captam a essência do acorde fougère incluem aromas bem conhecidos como Grey Flannel, de Geoffrey Beene, Cool Water, de Davidoff, ou aromas da Brut Cologne.

Os perfumes conhecidos como de couro foram também uma moderna inovação na produção de perfumes da época em que Coco Chanel estava visitando perfumistas e seus laboratórios. Os aromas, de fato, não têm nada de couro e dependiam da descoberta, no fim do século XIX, de substâncias aromáticas conhecidas como quinolinas. Estas moléculas foram sintetizadas pela primeira vez na década de 1880, e seus tons fumacentos de tabaco e carvão ajudam os perfumistas a evocar a essência aromática de couro macio, curtido. Os perfumes mais exclusivos desta família – que receberam nomes de couros de alcatrão de bétula premium do império oriental da Europa – foram os aromas conhecidos como *cuir de Russie*, ou "couro da Rússia". Era o cheiro dos couros raros usados nas cortes imperiais para envolver joias preciosas. Matérias-primas familiares hoje incluem perfumes como Fahrenheit, de Dior, e Cuir, de Lancôme.

Em seguida, há o aroma de chipre – o primeiro bestseller internacional da história, o único rival verdadeiro na longa história da produção de perfumes a se comparar com a fama do Chanel Nº 5. O Chanel Nº 5 vem sendo um fenômeno desde a maior parte do século XX. Só um perfume foi tão famoso e por mais tempo: chipre, essa antiga fragrância com tons quentes de madeira e cítricos do ládano, uma resina vegetal da esteva e da bergamota com perfume de laranja, que recebeu o nome da ilha no Mediterrâneo Chipre. A família de perfumes mais antiga do mundo e a sensação dos aromas de Afrodite foi popular até os meados do século XVIII, quando misteriosamente saiu de moda. Depois de 150 anos de relativa obscuridade, entretanto, perfumistas nas primeiras décadas do século XX foram cativados pela ideia de reimaginá-lo para a nova era. Em 1895, o gigante da indústria de fragrâncias Bourjois introduziu um chipre no seu catálogo e, em 1909, Jacques Guerlain criou o Chypre de Paris. Parfums d'Orsay produziu um chipre em 1912 e, em 1913, tornou-se o Chypre de Limassol, de Bichara Malhamne.

Mas Coco Chanel sabia muito bem que era com o lançamento do Chypre de François Coty, em 1917, que o perfume mais antigo e mais reconhecidamente erótico da história estava mais uma vez tomando conta da imaginação cultural. Não era a mesma fragrância do chipre original, que muito tempo atrás adoçara o ar fumacento dos templos de Afrodite. Essa receita já se perdera havia séculos.

No processo de criação de uma nova versão do primeiro perfume do mundo, entretanto, François Coty também inventou outros acordes centrais na perfumaria moderna: uma mistura de bergamota cítrica e ládano lenhoso, à qual ele acrescentou como um delicado contraponto o aroma de líquen do musgo de carvalho.

Essas continuam sendo as notas essenciais da família de fragrâncias conhecidas dos perfumistas como um chipre. Hoje, a família inclui fragrâncias como Knowing, de Estée Lauder, e Miss Dior, de Dior. Mas esses perfumes chipres clássicos foram o fenômeno dos perfumes da segunda década do século XX – aquele momento em que Coco Chanel estava começando a pensar seriamente em aromas e sensualidade, e o que ela pretendia fazer com essa associação.

A família de fragrâncias que a fascinava, entretanto, não era chipre. Acompanhar as pegadas daquelas recentes inovações em Coty teria parecido previsível demais e muito modismo para um estilista pretendendo algo que falasse para um novo tipo de sexualidade feminina. Era a velha e familiar categoria de perfumes florais que ela queria reimaginar – fragrâncias baseadas nos intoxicantes aromas de flores desabrochando. Hoje, é uma vasta família de perfumes que inclui tudo desde L'Air du Temps, de Nina Ricci, e Joy, de Jean Patou, até o improvável fenômeno da década de 1970, Charlie.

A boa fragrância começa com a qualidade das substâncias, e isso é especialmente verdade quando se trata de perfumes florais, porque os aromas são muito fugazes. Em 1920, algumas das melhores substâncias naturais do mundo já vinham de Grasse. As rosas e jasmins que florescem ali são universalmente aceitos como nada menos do que refinados.

Rosas e jasmins, entretanto, são aromas que contam duas histórias olfativas muito diferentes sobre as mulheres que os usam. Aroma tradicional para o perfume de uma mulher, as rosas têm um encanto discreto e tranquilo. Mulheres respeitáveis, mulheres como Diana Lister Wyndahm, podiam usá-las sem hesitação, e, até a segunda década do século XX, perfumes florais tinham apenas um estilo, conhecido como soliflores.

Esses soliflores eram perfumes que capturavam o aroma de uma única flor e deviam ser representativos. Suas fórmulas podiam misturar diferentes essências florais, mas uma nota – reconhecível como o aroma de alguma flor natural – devia dominar os sentidos. Na virada do século, o grande sucesso era La Rose Jacqueminot (1903), de François Coty, o perfume que fez dele um milionário quase instantaneamente. Era baseado no aroma específico de uma variedade de rosas transmitida de geração em geração, a *rosa centifolia Jacqueminot*, que crescia nos campos de Grasse.

Uma mulher respeitável que não gostasse do perfume de rosas poderia escolher um perfume com uma nota diferente. Ela poderia usar algo com cheiro de gardênia, lilás ou lírios. Fragrâncias de violetas – especialmente as feitas de aromas sutis e poeirentos da violeta de Parma, cultivada em Grasse desde 1868 – eram modelos próprios para as damas. Uma formulação especial chamada Violetta de Parma (1870) era a fragrância típica da imperatriz Maria Luísa Bonaparte, a segunda mulher de Napoleão, e tornou-se uma potência comercial no século XIX. Quando dois químicos, em 1893, aperfeiçoaram a técnica de extrair da violeta de Parma o composto exato que dava origem ao seu delicado aroma – moléculas conhecidas como ionones –, o cheiro era comum até nos sabonetes das senhoras. Foi a descoberta similar feita antes, no século XIX, do geraniol e do álcool felinetil – os elementos essenciais do cheiro de "rosa" – que também tornou essa fragrância tão onipresente.

O que uma mulher respeitável não faria nos primeiros anos do século XX era usar os aromas fortes de "flores brancas", como jasmim, angélica ou ilangue-ilangue, conhecida como "jasmim de pobre". Os seus aromas doces e pesados eram muito sensuais, e, por mais esplêndidos que fossem, esses eram os cheiros das mulheres licenciosas, ilícitas e arrivistas.

Até a segunda década do século XX, ninguém usava as fragrâncias florais hoje conhecidas como multiflores – aromas florais misturados num buquê – simplesmente porque ainda não tinham sido inventadas. Só em 1912 é que o fabricante de perfumes Houbiquant lançou a primeira fragrância multiflores de verdade, um aroma conhecido simplesmente como Quelques Fleurs, ou "algumas flores". Era uma novidade no ramo de perfumes: um aroma que não tinha cheiro de nenhuma flor em particular que se pudesse reconhecer. Em vez disso, era a *ideia* de uma nova flor, uma que jamais existira. Era o aroma de uma criação floral inventada, imaginada e encantadora. Causou sensação de imediato, e a ideia por trás dela – a ideia da abstração essencial – Coco Chanel achou extremamente fascinante.

Afinal de contas, como o aroma de fragrâncias fougère, Quelques Fleurs e essas novas multiflores que se seguiram no decorrer da década seguinte foram maravilhosamente conceituais. Segundo o historiador dos perfumes Richard Stamelan, a maioria dos perfumistas experimentais do início do século XX não mais "sonhava em imitar a natureza, mas em transformar a realidade", com uma nova "perfumaria emotiva". A fim de criar esses efeitos, eles se voltaram para algo totalmente moderno: a ciência da criação dos cheiros. O perfumista por trás de Quelques Fleurs, Robert Bienaimé, fez experiências ousadas não só com a ideia de misturar notas florais mas também com os avanços pioneiros no campo das substâncias sintéticas aromáticas modernas, materiais capazes de dar ao perfumista apenas uma única nota dentro de uma flor. Ele usava especialmente os materiais revolucionários e em grande parte ignorados, conhecidos como aldeídos. A combinação permitia uma criação artística de um aroma que era muito original. O mundo estava à beira de uma nova era dourada na perfumaria, porque esta precisão molecular libertava os perfumistas dos grilhões da arte representativa, assim como Pablo Picasso e outros artistas a quem Coco Chanel chamava de amigos libertaram uma geração de pintores.

No verão de 1920, embora ela ainda tivesse de aprender muito sobre o mundo das fragrâncias, Coco Chanel sabia o bastante para compreender claramente a sua visão. Ela já estava imaginando uma integração revolucionária de moda feminina – a fundação de uma casa de alta-costura e uma noção de estilo que seria o símbolo da liberdade e da verve dessas jovens melindrosas. Da sua *maison*, ela lhes venderia tudo, desde vestidos a joias e fragrâncias. De fato, é impossível compreender o Chanel Nº 5 exceto como parte de um projeto maior de redefinir a feminilidade do século XX.

Ela também queria que esse perfume da marca fosse uma obra moderna de arte e uma abstração. "O perfume que muitas mulheres usam", ela se queixou, "não é misterioso... Mulheres não são flores. Por que desejariam cheirar como flores? Eu gosto de rosas, e o cheiro da rosa é muito bonito, mas eu não quero uma mulher cheirando como uma rosa." "Eu quero", ela havia decidido, "dar às mulheres um perfume artificial. Sim, estou dizendo artificial, como um vestido, algo que precisa ser feito. Não quero uma rosa ou lírio do vale, quero um perfume que seja uma composição." "Uma mulher", ela pensava, "deve cheirar como uma mulher, não como uma flor." Ela estava imaginando mais uma coisa também: um aroma que confundiria totalmente esses limites entre a fragrância usada por uma boa moça, respeitável, e a que uma sedutora usava. Ela queria um perfume que fosse sexy e provocante, e extremamente limpo. Naquele verão, ela finalmente estava pronta para criá-lo. "Uma mulher mal perfumada", ela certa vez citou uma frase do escritor Paul Valéry, "é uma mulher sem futuro." Ela pretendia ter um estonteante.

5
O PRÍNCIPE E A PERFUMISTA

Coco Chanel estava pronta, mas ela ainda precisava de uma coisa: um perfumista. Ela conhecia os contornos do perfume que tinha em mente e havia se aventurado a aprender a arte e a ciência das fragrâncias. Isso, entretanto, não era o mesmo que ser capaz de criar um perfume magnífico. Não chegava nem perto.

Uma fragrância maravilhosa – o tipo de aroma capaz de enfrentar o teste do tempo, década após década – é sempre uma proeza de engenharia e inspiração. Um aroma poderia facilmente ter até cinco ou seis dúzias de notas diferentes nele, e as antiquadas prateleiras onde os perfumistas do início do século XX arrumavam esses materiais em imaginários acordes eram chamados de órgãos. As referências musicais em ambos os casos são notáveis, porque um perfume é uma sinfonia de notas entrando e saindo, interagindo, ressoando e, com o tempo, desaparecendo. Coco Chanel tinha um olfato excelente, e ela sabia o tipo de aroma que desejava. Mas não possuía a formação e a maestria necessárias para criá-lo.

Então, como alternativa, ela saiu em busca da pessoa que seria capaz de dar vida à sua visão. Ela precisava de um perfumista talentoso, porque queria algo que fosse ousado e perfeito. Mais uma vez, foi um caso amoroso que traçou o destino de Coco Chanel e a história da fragrância que seria o Chanel Nº 5.

O sul da França, naquele verão de 1920, personificou o início da década desregrada conhecida em geral simplesmente como *les années folles* – os anos loucos. As mulheres tomavam banho de sol nas praias, usando cordões de pérolas, e os ricos boêmios cambaleavam bêbados de uma festa extravagante a outra, de um quarto de dormir a outro. Coco Chanel, a rica e já famosa estilista, sozinha, colocou o bronzeado na moda, e, como F. Scott Fitzgerald escreveu sobre aquela época, "fora toda uma raça comportando-se de forma hedonista, decidida a sentir prazer".

Depois da morte de Boy, Coco certamente havia resolvido sair em busca do prazer. Ela passava os seus verões na Riviera Francesa, onde recebia amigos glamourosos – entre eles alguns dos mais renomados artistas da sua geração. Todos estavam ali para celebrar, entre outras coisas, o fim da Primeira Guerra Mundial poucos meses antes, e algumas pessoas tinham mais a comemorar do que outras. Entre os mais sortudos, mas também mais empobrecidos, estavam os aristocráticos garçons que serviam coquetéis de champanhe naquelas villas à beira-mar. Eram os chamados Russos Brancos, os príncipes e princesas, duques e duquesas, que haviam de algum modo escapado à execução na Rússia soviética depois da revolução de 1917 – uma insurreição que encerrou de forma brutal o governo dos czares imperiais e colocou os comunistas no poder. Por toda a França, nos anos seguintes, princesas refugiadas trabalhavam como costureiras, e o pequeno número de homens nobres que tiveram a sorte de estar naquele momento da história em algum lugar bem longe de São Petersburgo agora se empregavam como vendedores. Coco Chanel pegou um dos príncipes exilados como seu novo amante.

Seu nome era Dmitri Pavlovich, e ele era um dos grão-duques da Rússia e primo do último czar, Nicolau II – assassinado, junto com quase toda a família de Dmitri, na revolução. Como Coco, Dmitri fora criado como órfão. Ali, entretanto, as semelhanças entre os primeiros anos de suas vidas terminavam, porque a pobreza deste galã russo era apenas um triste acontecimento recente. O novo amante de Coco era um homem com uma história espantosa. Dmitri havia crescido na corte real de São Petersburgo durante o crepúsculo do esplendor imperial, mas a sua infância não foi fácil. Enquanto Boy Capel havia se recusado a se casar com Coco, a sua malnascida amante, o pai aristocrata de Dmitri havia tomado uma decisão diferente e se casara com a sua amásia. Ele pagaria caro por isso. Pela imperdoável transgressão de se apaixonar por uma mulher de condição social inferior, o grão-duque Paul Alexandrovich foi mandado para o exílio forçado e informado de que teria de deixar seus dois filhos pequenos para trás. O tio nobre, Sergei, iria criá-los.

Tio Sergei e sua tia Elizabeth, nascida na Alemanha – irmã da czarina e, pelo lado da mãe, neta da rainha Vitória da Grã-Bretanha –, acolheram Dmitri e a irmã, Marie, mas até mesmo essa história não teve um final feliz. Poucos anos depois, Sergei Alexandrovich foi assassinado na rua, na frente de todos eles, durante os primeiros esforços de abortar a revolução na Rússia, em 1905. Depois disso, os órfãos foram mandados para a corte real para morar com seus parentes, o czar e a czarina. Falou-se até, durante certo tempo, que, se o seu primo doente Alexei morresse da sua incapacitante hemofilia, Dmitri poderia um dia herdar o trono imperial.

Toda essa conversa de herdar um império terminou em 1916, quando Dmitri estava com vinte e cinco anos. Horrorizados com o poder do "monge louco", Grigori Rasputin, sobre a czarina e pelos rumores à boca pequena de uma revolta no palácio, Dmitri e seu primo, príncipe Feliz Yusopov, conspiraram para assassinar o místico. Um aristocrata inglês vivendo na corte russa mais tarde revelou por quê. "Entre um trago e outro", parece que Rasputin contou aos dois jovens nobres sobre a "firme intenção" da czarina, "no início de janeiro de 1917, de dar um *coup d'état* para destronar o [czar]...

e ela mesma assumir as rédeas do governo em nome do filho". O príncipe e o duque ficaram horrorizados e resolveram agir. Primeiro, eles envenenaram Rasputin com vinho misturado com quantidades maciças de cianureto. Como ele não morria, o príncipe atirou nele. Segundo a lenda horripilante, Rasputin sobreviveu a mais três tiros nas costas e, quando as balas também pareceram sinistramente ineficazes, os rapazes finalmente o afogaram sob as águas congeladas do rio da cidade.

Quando a participação de Dmitri no assassinato foi descoberta, a czarina, furiosa, chocou a família real, mandando prendê-lo ilegalmente. O resultado foi um escândalo. Um grão-duque russo estava às margens da lei – o que em parte irritava os revolucionários bolcheviques. Até mesmo o czar não tinha o direito de prender um membro da família real. A prisão de Dmitri arrastou-se durante dias, e, no início, parecia que o czar pouco assertivo não seria capaz de se decidir a contrariar a czarina. Então, na véspera do Natal, a corte real surpreendeu-se de novo ao saber que, em vez de enfrentar o tribunal, Dmitri havia sido exilado da Rússia. Na calada da noite, ele havia sido colocado à força, sem comida e preso, no vagão trancado de um trem que ia para o leste até Kasvin, "nos confins do Império [na] fronteira com a Pérsia". Ele estava sendo enviado para servir nos campos de batalha persas, assolados de doenças, onde se esperava que morresse.

Era uma sombria punição. Em contraste, o príncipe Yusopov se livrou com facilidade, sendo simplesmente enviado de trem para um confortável exílio numa propriedade rural da família perto de Moscou. A parte mais escandalosa dessa história foi que ele teve de viajar de segunda classe. O destino de Dmitri foi bem mais cruel.

Em 1916, no auge da Primeira Guerra Mundial, o Oriente Médio foi palco de uma acirrada disputa pelo petróleo necessário para alimentar o conflito global. Era uma combinação de fria guerra de trincheira nas montanhas e o calor sufocante do verão, e Dmitri foi mandado para a Pérsia para ser humilhado. Ele foi agregado a uma cadeia de suprimentos no exército, e, até nos distantes Estados Unidos, havia notícias no *New York Times* de que "se fala que ele estava viajando a ferros" e acorrentado. Ninguém entendeu a intenção disso como outra coisa além de uma sentença de morte.

Algumas pessoas mais próximas do czar escreveram para ele, implorando que mudasse de ideia a respeito de Dmitri. Nós "imploramos", eles escreveram na sua petição, "que reconsidere a sua dura decisão no que diz respeito ao destino do grão-duque Dmitri Pavlovich. Sua Majestade deve saber as duras condições em que vivem nossas tropas na Pérsia, sem abrigos e em constante perigo... Viver ali seria para o grão-duque quase que morte certa". O czar estava decidido. Dmitri não voltaria mais para casa.

Para o jovem duque, foi um castigo aterrorizante e perverso, que piorava ainda mais pelo fato de que ele se distinguia dos conspiradores pela sentença. Foi também um golpe de sorte, pois somente esse castigo salvaria a sua vida. Um ano depois apenas, a revolução na Rússia conduziu a dinastia dos Romanov a um fim sangrento. Muitos amigos seus – e quase toda a sua família – foram executados, inclusive o seu primo, o czar, a czarina, o czarevitch e todas as princesas reais, assim como sua nobre tia e até, no fim, o seu aristocrático pai, que havia sido finalmente perdoado e retornara à Rússia no pior momento da história. Se Dmitri estivesse em São Petersburgo, era quase certo que teria morrido junto com eles.

Em vez disso, em 1920, Dmitri estava vivendo de caridade como um refugiado entre Paris e Londres, onde soube que a irmã Marie, depois de uma angustiante viagem pela Romênia, de alguma forma conseguira sobreviver à revolução. Nas suas memórias, ela contou que, na época, "o passado, o nosso passado, ainda guardava a parte mais importante de nossas vidas: éramos como pessoas rudemente despertadas de um sonho agradável, esperando o momento de pegar no sono de novo e unir os fios onde eles haviam se partido". Esta princesa logo se viu unindo fios de uma outra espécie. Ela iria fundar – com ajuda de Coco Chanel – uma das casas de bordados e tecidos mais famosas de Paris, Kitmir, que forneceu a Chanel muitos dos seus vistosos tecidos durante a década de 1920 e o seu famoso "período russo".

O passado de que Dmitri e Marie se lembravam estava repleto de todos os luxos imagináveis e sempre com fartura de perfumes. Para esses dois nobres, perfume era uma paixão. O palácio imperial de São Petersburgo era uma corte reconhecidamente perfumada, e as tias e primas da casa real de Dmitri tinham chegado em meio ao farfalhar de peles e veludos. Havia uma fragrância de que tanto Dmitri como Marie tinham uma forte lembrança: uma *eau de cologne* com notas intensas de rosa e jasmim. Feita em Moscou pela firma A. Rallet and Company, era conhecida como Rallet O-De-Kolon Nº 1 Vesovoi – ou simplesmente perfume Rallet Nº 1. Tinha sido um dos favoritos da família real, e a czarina – para quem fora inventado – gostava muito dele. De fato, esse aroma talvez estivesse entre as últimas coisas belas que os primos assassinados de Dmitri experimentaram. Entre os artigos pessoais saqueados dos aposentos onde a família real dos Romanov ficou presa estavam frascos de alguns perfumes não identificados.

Para Dmitri, vivendo pobre e exilado no sul da França, este era o aroma de infância: o cheiro de lar, família e de uma vida que havia sido destroçada para sempre. Os cientistas sempre souberam que aromas e memória estão, no circuito neurológico de nossos cérebros, inextricavelmente conectados. Dmitri sabia disso também, intuitivamente e sem explicação. O aroma desse perfume estava entre os cheiros familiares de um mundo que havia desaparecido. Alguns dizem que sua irmã Marie ainda usava Rallet Nº 1, e nada poderia ter sido mais natural do que o esforço dele para revivê-lo em outros modos, também ao compartilhá-lo com a sua elegante nova amante – uma mulher cuja paixão naquele momento era esse tipo de perfume. Ninguém sabe exatamente o que Dmitri pensava a respeito da fragrância que Coco inventou naquele verão; ele não deixou nada escrito para a posteridade. Porém, mais do que qualquer outra influência na vida de Coco, em pontos críticos Dmitri Pavlovich traçou o destino do Chanel Nº 5, e é fácil compreender por que quando conhecemos a história toda.

Quando conheceu Dmitri, Coco Chanel estava em busca de um aroma, e talvez isso em parte tenha sido o que os uniu. Talvez tenham se encontrado em Veneza, naquele primeiro inverno depois da morte de Boy, no início de 1920, quando a tristeza dela era mais aguda. Mais provável, entretanto, é que tenham se conhecido antes em Biarritz, ou em algum outro lugar ao longo da Riviera, e se esbarraram de novo mais tarde no verão. De qualquer forma, no verão de 1920, eles eram amantes.

Apesar das imensas diferenças nas suas origens, eles compartilhavam um terreno em comum: a mesma sensação de saudade em suas vidas emocionais. A mesma sensação de perda de entes queridos; a mesma sensação de abandono e traição. Ambos também sabiam o que significava estar sozinho e sem raízes. Não há evidências documentais que confirmem o que aconteceu naquele verão, mas existe um forte lógica emocional nas especulações e histórias. Coco Chanel teria contado a Dmitri, é claro, sobre seus planos para uma fragrância com a sua marca. Talvez ela lhe tivesse falado sobre a antiga fórmula dos Médici também, deste perfume feito para suas rainhas, e que ela havia primeiro planejado recriá-lo. Ela lhe falou sobre os cheiros e todas aquelas sensações que desejava que um aroma capturasse.

Em troca, ele lhe falou daquele aroma que lembrava, acima de tudo, o perfume favorito da sua infância imperial perdida, essa fragrância que havia sido criada especialmente em homenagem a sua abriria uma loja e daria ao mundo a sua mais famosa fragrância. Com vinte e poucos anos, entretanto, essa ideia ainda não lhe ocorrera. O que havia lhe ocorrido – como ela expressou mais tarde – era que ela tinha "um corpinho sensual" e, quando desistiu de trabalhar como balconista, foi para entrar para o cabaré.

Como cantora, Coco Chanel não era lá muito talentosa. O que lhe faltava em voz, entretanto, ela compensava com verve e jovial sensualidade e estava determinada a fazer carreira como atriz e dançarina de vaudeville. Ela sonhava um dia viver em Paris, onde mulheres como Mata Hari estavam conseguindo fama e fortuna. Ela aprendeu a requebrar as cadeiras e dançava com vestidos cintilantes enfeitados com lantejoulas. Ela até ganhou o seu apelido, Coco, naquele ano, cantando "Qui qu'a vu Coco" e "Ko Ko Ri Ko" – uma famosa melodia de Offenbach –, suas marcas registradas, para o encanto dos oficiais que vinham vê-la.

Era divertido cantar lá em cima no palco e ter tantos galantes admiradores. Não demorou muito e alguns desses cavalheiros se tornaram mais do que apenas admiradores, e foi entre esses oficiais que Gabrielle Chanel – agora simplesmente Coco para todos – logo escolheu os seus primeiros amantes. Não demorou e ela estava grávida, e o problema era que o jovem oficial de Coco sabia muito bem que se casar com ela estava fora de questão. Ela havia se extraviado demais do convento.

Ela era uma atriz corista e essa era uma linha de trabalho picante para uma jovem mulher, o que a deixava, aos olhos de rapazes respeitáveis e suas famílias, essencialmente descartada para casamento. Falando claramente: "Para uma grande parte da sociedade, as semelhanças entre a vida de atriz e a de prostituta ou *demi-mondaine* eram inesquecíveis e invalidavam qualquer outra evidência de respeitabilidade." Até cantoras e coristas talentosas ficavam para sempre condenadas a viver às margens da sociedade bem-educada

– essa região intermediária conhecida simplesmente como *demi--monde*, daqueles que jamais seriam aceitáveis.

O *demi-monde* era uma espécie de limbo social, e Coco Chanel havia entrado nele. Não importa o que veio depois – não importa a espantosa fama que ela alcançaria ou a riqueza que acumulou, não importa o fato de ter definido um estilo para toda a sua geração ou criado o perfume mais famoso do mundo –, ela jamais conseguiu se livrar dessa dura realidade. Ela havia consentido em "ser 'contratada' para diversão" e este simples fato – e as consequências do que seus biógrafos acreditam ter sido um aborto malfeito que a deixaria incapaz de ter filhos – moldaria o curso da sua vida profunda e dolorosamente.

A breve carreira de Coco Chanel como corista também levaria, por vias tortuosas mas de forma inexorável, à criação do perfume Chanel Nº 5. E não apenas à sua criação, mas também ao próprio aroma que ele iria capturar. Os aromas das *demi-mondaines* – as mulheres mundanas – eram algo de que ela sempre lembraria.

Agora grávida e em dificuldades, um de seus admiradores – talvez o amante responsável – ajudou-a a combinar o aborto. Étienne Balsan era um rico oficial do nono regimento de infantaria do exército, criador de cavalos caros e herdeiro da vasta fortuna que sua família havia construído fornecendo produtos têxteis para o exército francês. Ele era bonito e cheio de entusiasmo na sua admiração pelas mulheres. Era também bom e generoso. Lembrando-se do santo patrono da sua severa infância no convento, Coco Chanel lhe contou: "Eu já tive um protetor chamado Étienne, e ele realizou milagres também." Em breve, ele ofereceu à jovem Coco outro tipo de proteção – a proteção de ser a sua amante.

Na verdade, o que ele lhe oferecia era a posição de sua segunda amante residente. Quando Coco considerou as opções, a sua escolha deve ter parecido bastante simples. Já era evidente para todos que a jovem Coco, embora graciosa e encantadora, simplesmente não tinha talento como cantora para fazer uma carreira brilhante no palco. Ela, também, não suportaria voltar a trabalhar como balconista ou costureira; as duas coisas significariam uma vida dura com poucos prazeres. Escolher entre ser uma amante na grande propriedade rural de um homem rico e levar uma vida apertada, debruçada sobre um par após o outro de culotes masculinos, não foi difícil. Além disso, ela gostava de Étienne. Bem ou mal, ela escolheu ser sustentada e, durante os seis anos seguintes, foi uma das suas amantes.

A alta sociedade na França do início do novo século ainda era um mundo de códigos e rituais, e, durante aqueles anos com Balsan, Coco Chanel – uma garota de raízes camponesas – aprendeu a transitar por eles esplendidamente. Entre esses códigos, ela logo compreendeu que nada era mais revelador do que o cheiro. Havia uma linha tênue entre respeitabilidade e o *demi-monde*, e havia até tipos diferentes – e níveis – de amantes. Perfume era um dos modos essenciais de distinguir entre eles.

A amante oficial de Étienne, a célebre cortesã Émilienne d'Alençon, estava no ápice desta hierarquia. Ela havia sido amante do rei da Bélgica, e o escritor francês Marcel Proust imortalizara as suas ligações no seu romance épico *À la recherche du temps perdu*, a extravagância repleta de aromas que nós conhecemos como *Em busca do tempo perdido*. Émilienne era uma das chamadas *grandes horizontales* – as grandes horizontais – da sua época, e Coco Chanel a admirava imensamente.

Do que Coco Chanel mais gostava em Émilienne era que, ao contrário de tantas outras amantes que chegavam e partiam nos finais de semana na propriedade de Étienne, em Royallieu, onde seus amigos do sexo masculino iam beber champanhe e ter relações sexuais com mulheres, ela jamais cheirava como uma cortesã.

No início do século XX, havia uma acentuada diferença entre o cheiro de uma cortesã e o de uma boa moça. Alguns aromas – como jasmim e almíscar, patchuli e angélica – davam à mulher um cheiro flagrantemente sexual, e apenas uma atriz, cortesã ou *demi-mondaine* ousaria usá-los. Moças respeitáveis usavam delicados aromas florais de rosas e violetas. Por isso, a plateia ria tanto em *La Jolie Parfumeuse* quando Rose, a bela perfumista, punia o seu lascivo sedutor em potencial nos fundos da sua loja com mais perfumes eróticos do que ele podia suportar.

A fragrância de uma mulher dava uma versão silenciosa sobre a sua sexualidade e, durante uma boa parte da história da humanidade, as conexões entre perfume e prostituição foram quase inseparáveis. Segundo os arqueólogos, o perfume mais antigo do mundo era produzido na ilha de Chipre, no Mediterrâneo, milhares de anos antes da era cristã, e este aroma forte – uma mistura doce e amadeirada com toques de frutas cítricas e baunilha – era dedicado a Afrodite, a deusa grega do amor sexual. Muito antes que alguém pensasse no pulverizador, este óleo fragrante era queimado como uma oferta nos seus templos, e vale lembrar que a própria palavra perfume, afinal de contas, vem do latim *per fumum*: "através da fumaça".

Também ofertadas nos templos de Afrodite, em Chipre, havia belas jovens virgens. A ilha estava no centro de um dos mais famosos cultos do mundo antigo dedicados à prostituição sagrada. Em reverência à deusa, moças eram requisitadas a oferecer seus corpos a estrangeiros uma vez na vida. Era a metade de um sacrifício ritual. Queimar grandes quantidades de perfume caro era a outra.

Talvez as sacerdotisas queimassem a fragrância nos templos perfumados de Afrodite com tanto desprendimento porque se acreditava que seus vapores tinham um intenso poder inebriante – e de provocar excitação sexual. Algumas pessoas ainda acreditam que o ingrediente principal desta fragrância antiga – a resina do *cistus* dos cistercienses ou esteva, conhecida como ládano – é inerentemente sensual. Ela é usada hoje na moderna perfumaria porque também tem um cheiro muito parecido com o de outro ingrediente entre os muitos valorizados no mundo na história das fragrâncias, o "ouro flutuante" conhecido como ambergris ou "âmbar-cinzento". O ambergris vem das fezes da baleia e, talvez uma surpresa considerando-se essas origens, também é considerado irresistivelmente erótico. Jeanne Bécu, mais conhecida na história como a famosa cortesã real Madame du Barry, encharcava-se de ambergris no século XVIII e, pelo visto, tanto ela como o então rei da França, Luís XV, ficavam satisfeitos com os resultados na cama. Mas tudo começou nos templos de Afrodite, e os afrodisíacos receberam esse nome por causa da deusa de lascivos prazeres com razão.

Desde o início da sua história, então, o perfume tem estado associado com a sensualidade de uma mulher e, enquanto foi amante de Étienne, Coco Chanel aprendeu que a escolha de um perfume por uma mulher podia ser uma forma de propaganda da sua sensualidade. Enquanto perfumes fortes e lânguidos baseados em essências como almíscar, jasmim, angélica e âmbar entravam e saíam de moda entre os aristocratas do século XIX – tanto que na década de 1810 a Imperatriz Josefina encharcava tudo no palácio de Versalhes com os aromas íntimos de almíscar animal para excitar Napoleão –, as linhas divisórias eram claras e inequívocas no alvorecer do século XX. Na época, esses tipos de aromas eram associados com uma coisa apenas: o *odor di femina* das prostitutas e outras mulheres de virtude duvidosa". Todos sabiam que "fragrâncias com forte base animal... ou jasmim", especialmente, "eram marcadas como pertencendo ao mundo marginal de prostitutas e cortesãs". Mulheres "de bom gosto e reputação" usavam "apenas [as] simples essências florais" que capturavam o aroma de uma única flor de jardim.

O que Coco Chanel gostava em Émilienne era que ela quebrou as regras sobre a sexualidade feminina – e sobre o perfume de uma cortesã. Émilienne não chegava para finais de semana no campo em Royallieu deixando um rastro de aromas de jasmim e almíscar. Ela evitava os perfumes que as outras mulheres de prazer usavam naqueles dias quando até os châteux de campo não tinham água de banho corrente para disfarçar os odores de sexo e de corpos. Para Coco Chanel, o cheiro irresistível do almíscar, com suas sugestões de corpos não lavados, era simplesmente obsceno. Ela compreendeu logo que era o odor de prostituição, e era insuportável. Tão fino era o seu olfato e tão ofensivos ela achava esses perfumes que o modo como algumas das outras amantes cheiravam lhe dava náuseas.

Émilienne não fingia ser uma refinada ingênua encharcando-se com tímidos aromas de violetas, mas recusava-se a cheirar como o boudoir. Émilienne – a elegante e educada Émilienne, que podia transitar facilmente entre os reis e príncipes da Europa – cheirava para Coco Chanel como uma coisa só: limpeza. Ela era sensual e bela, mas perfumava-se levemente e estava sempre cercada pela fragrância de pele cálida e cabelos recém-lavados.

O cheiro de algo ao mesmo tempo limpo e sensual: essa era a combinação que Coco admirava. Afinal de contas, havia algo desagradável também na ideia de que uma mulher pudesse não ser sensual ou que a sexualidade em si fosse uma coisa suja. Embora, em 1905, não lhe passasse pela cabeça criar um perfume com a sua marca – nem ela imaginasse que se tornaria a famosa Coco Chanel no curto espaço de uma década – ela já sabia que estava procurando um jeito de capturar a essência de um novo e diferente tipo de sexualidade moderna. Era essencial para o que ela pensava de si mesma e das suas próprias decisões.

Havia algo de fresco e moderno no estilo particular de franca sensualidade de Coco Chanel, e, em parte, era isso que a tornava tão atraente. Ela estava longe de ser uma pudica de convento e personificava um novo tipo ousado de erotismo que os rapazes nos primeiros anos do século XX achavam muito excitante. Embora o auge da beleza ainda fossem as mulheres voluptuosas e curvilíneas como Émilienne, havia uma moda picante para mulheres com corpos infantis conhecidas como *fruits verts* – frutos verdes. Era uma moda alimentada pela ficção pornográfica da virada do século, com histórias sobre a lascívia secreta das estudantes órfãs católicas, e Coco Chanel encaixava-se exatamente nesta imagem.

Na juventude de Coco Chanel, este jeitinho de menino estava carregado de um tipo muito preciso de erotismo travesso que nenhuma mulher respeitável ousaria exibir. Segundo observa um historiador, o excitante não eram mulheres com aparência de homens, "mas, sim, de crianças". Era um escândalo na época, também, o fato de esses "frutos verdes" estarem muitas vezes associados a um lesbianismo liberado. Durante toda a sua vida, sempre houve histórias sobre Coco envolvendo-se com muitos tipos diferentes de amantes. Com a publicação do romance escandalosamente erótico de Victor Margueritte *La Garçonne* (1922), isso se tornou um estilo boêmio. No auge dos Exuberantes Anos Vinte, era a aparência a que todas as jovens melindrosas – como estas *garçonnes* ficaram conhecidas – aspiravam. Isso continua existindo hoje nas passarelas de Paris e Milão, graças em grande parte à celebridade de Coco Chanel.

Um dia, ela iria criar o aroma perfeito para essas melindrosas, também – um perfume que desmentiria todos os estereótipos convencionais sobre dois tipos de mulheres e as fragrâncias que elas poderiam usar. Seria um cheiro que pudesse definir o que significava ser moderno, elegante e sensual. Um dia, mas não ainda.

3
O ODOR DE TRAIÇÃO

O dia em que Coco Chanel começou a imaginar este perfume chegou muito mais cedo do que poderíamos esperar, talvez já em 1911. Na época, ela já era amante de outro homem. De fato, na época, Coco estava apaixonada. Já a caminho de se tornar uma das maiores estilistas de moda do seu século também. Essas situações foram dois pequenos milagres pelos quais ela podia agradecer a Étienne Balsan indiretamente.

Durante os anos em que viveu em Royallieu, ela ficou conhecida entre os homens e suas amantes simplesmente como a *petite amie* de Étienne, sua namoradinha, e passou os primeiros anos da sua segunda década de existência lendo romances na cama até o meio-dia e aprendendo a montar em cavalos velozes. No fim, baixou o tédio. Além do mais, Coco Chanel teve o bom-senso de perceber que não ficaria para sempre com aquela aparência jovem de adolescente. Ainda sonhando com uma vida glamourosa nos palcos de vaudeville parisienses, ela pensou em voltar ao teatro, mas Étienne não aprovou. Se o palco estava fora de questão, ela pediu em vez disso para aproveitar o seu talento para fazer chapéus bonitos, e ele não viu nenhum dano em deixar que ela se interessasse por um hobby mais feminino. Em 1909, com a bênção de Étienne, ela montou um ateliê de chapéus no primeiro andar do seu apartamento em perfumes – as suas fórmulas, a fabricação e outras coisas mais. Naturalmente, ela procurava os melhores conselhos".

Coco Chanel foi esperta em fazer um estudo sobre perfumaria moderna, porque, em 1920, quando ela estava mergulhando totalmente no mundo dos aromas, a indústria das fragrâncias e a ciência por trás dos cheiros estavam ambas passando por mudanças que transformariam a experiência olfativa do século XX.

Para muitos de nós, apreciar os pontos mais delicados de uma fragrância é algo misterioso, e isso era também verdade quando Coco Chanel se dispôs a aprender como produzir perfumes. Um perfumista – conhecido na indústria simplesmente como "nariz" – é encarregado da delicada e complexa tarefa de criar, a partir de todas as centenas de milhares de aromas possíveis, uma composição que ao mesmo tempo capte uma ideia precisa ou sentimento e seja capaz de evoluir com elegância e beleza no tempo enquanto lentamente desaparece da nossa percepção.

Como Coco Chanel logo aprendeu, os elementos essenciais para apreciar uma fragrância delicada começam com esta arte de misturar aromas. Quem faz perfumes fala desses aromas em termos de "acordes" e "famílias" de aromas, e esta linguagem é crucial para a compreensão da arte dos perfumes. Acordes são grupos de aromas que se misturam de um modo natural e provocante e, ao se misturarem, transformam um ao outro. Eles são fragrâncias dentro de uma fragrância, os blocos de construção de um perfume complexo, e esses acordes são como os especialistas definem as diferentes famílias de fragrâncias.

Hoje, existe pelo menos meia dúzia de rubricas diferentes para diagramar todas as possíveis categorias de perfume, e algumas delas são irremediavelmente, até às vezes comicamente, complexas, com estas famílias e subfamílias chegando às dúzias. Em termos leigos, entretanto, na década de 1920, havia cinco categorias tradicionais: aromas designados como orientais, fougère, couro, chipre e florais.

Alguns tinham origens e tradições antigas; alguns eram inovações do século XX.

Quando içou velas para se encontrar com Marco Antônio, Cleópatra se perfumou com sândalo e encheu o ar de incenso de canela, mirra e olíbano. Hoje, poderíamos classificar as fragrâncias de Cleópatra, baseadas em aromas "âmbar" de cascas e resinas de plantas, simplesmente como perfumes orientais. No fim do século XIX, os perfumistas acrescentaram ao aroma quente e condimentado desses âmbares orientais – substâncias como olíbano, sândalo e patchuli – outro conjunto de notas de fragrâncias, outro acorde, baseado em almíscar animal e os aromas de baunilha da orquídea.

Na época em que Coco Chanel estava aprendendo sobre perfumes e sobre as ousadas inovações ocorrendo na química das fragrâncias, o aroma Jicky, "ferozmente moderno", de Aimé Guerlain, era considerado o suprassumo dos orientais. De fato, para muitos admiradores ainda é. Inventado em 1889, Jicky foi a primeira fragrância a usar o então exótico aroma de patchuli, ao qual Guerlain acrescentou o aroma de baunilha. Segundo o folclore das fragrâncias, o perfume oriental clássico Shalimar – o único rival de Jicky como perfume oriental de "referência" – foi inventado na década de 1920 quando Jacques Guerlain, sobrinho de Aimé e o menino que inspirou o nome Jicky, ficou imaginando que cheiro o perfume teria se ele acrescentasse uma dose ainda maior de baunilha. O resultado foi pura magia.

Perfumes contemporâneos da família oriental são agora reconhecidos como tendo o seu aroma baseado na baunilha – ou, mais precisamente, baunilha junto com os efeitos da baunilha criados pela vanilina da seiva de pinheiro e o ingrediente aromático heliotropina com cheiro de amêndoas e baunilha, uma molécula sintética criada em meados da década de 1880 – e misturada num acorde com os aromas de âmbar de resinas vegetais e almíscar de animais.

À venda hoje, entre perfumes orientais familiares no mercado de massa estão Obsession, de Calvin Klein, Opium, de Yves Saint Laurent, e até a colônia Old Spice.

Perfumes orientais pretendem capturar os aromas do oriente, mas os perfumistas com quem Coco Chanel conversou também lhe contaram sobre uma profunda mudança na abordagem da fabricação de fragrâncias. Durante as últimas décadas do século XIX e primeiras do século XX, dúzias de novas substâncias aromáticas "sintéticas" estavam sendo descobertas em laboratórios no mundo inteiro, e isto mudaria a direção da fabricação de perfumes até hoje.

Desde os vários milênios da sua produção, a perfumaria tradicional dependia talvez de uma centena de substâncias aromáticas naturais, e agora novos cheiros e aromas, capazes de criar novos acordes e efeitos olfatórios, estavam sendo criados com a ajuda da ciência moderna. Inovações e abstrações modernas estavam entrando na perfumaria, e era uma nova e recente estética – exatamente o tipo de coisa que sempre havia fascinado e inspirado Coco Chanel como estilista.

Uma dessas novas fragrâncias abstratas era a família de aromas conhecida como fougère. A palavra significa simplesmente "samambaia" em francês, e estes novos aromas tinham a intenção de evocar copas verdes frondosas e bosques refrescantes – ou pelo menos a ideia deles. Em geral, samambaias não têm cheiro, e a categoria é de uma beleza conceitual. O nome *fougère* vem de uma excelente fragrância antiga de Houbigant, comercializada como Fougère Royale (1882), ou "samambaia-real". Ela foi um marco na história das fragrâncias modernas: o primeiro perfume a usar um aromático sintético, o composto cumarina, que cheira a feno cortado. A esse aroma, o perfumista Paul Parquet acrescentou as essências frescas familiares de lavanda e o aroma de líquen seco de musgo de carvalho numa surpreendente combinação. O resultado foi o refrescante acorde de cumarina-lavanda-musgo de carvalho, ainda hoje conhecido como fougère. Fragrâncias que captam a essência do acorde fougère incluem aromas bem conhecidos como Grey Flannel, de Geoffrey Beene, Cool Water, de Davidoff, ou aromas da Brut Cologne.

Os perfumes conhecidos como de couro foram também uma moderna inovação na produção de perfumes da época em que Coco Chanel estava visitando perfumistas e seus laboratórios. Os aromas, de fato, não têm nada de couro e dependiam da descoberta, no fim do século XIX, de substâncias aromáticas conhecidas como quinolinas. Estas moléculas foram sintetizadas pela primeira vez na década de 1880, e seus tons fumacentos de tabaco e carvão ajudam os perfumistas a evocar a essência aromática de couro macio, curtido. Os perfumes mais exclusivos desta família – que receberam nomes de couros de alcatrão de bétula premium do império oriental da Europa – foram os aromas conhecidos como *cuir de Russie*, ou "couro da Rússia". Era o cheiro dos couros raros usados nas cortes imperiais para envolver joias preciosas. Matérias-primas familiares hoje incluem perfumes como Fahrenheit, de Dior, e Cuir, de Lancôme.

Em seguida, há o aroma de chipre – o primeiro bestseller internacional da história, o único rival verdadeiro na longa história da produção de perfumes a se comparar com a fama do Chanel Nº 5. O Chanel Nº 5 vem sendo um fenômeno desde a maior parte do século XX. Só um perfume foi tão famoso e por mais tempo: chipre, essa antiga fragrância com tons quentes de madeira e cítricos do ládano, uma resina vegetal da esteva e da bergamota com perfume de laranja, que recebeu o nome da ilha no Mediterrâneo Chipre. A família de perfumes mais antiga do mundo e a sensação dos aromas de Afrodite foi popular até os meados do século XVIII, quando misteriosamente saiu de moda. Depois de 150 anos de relativa obscuridade, entretanto, perfumistas nas primeiras décadas do século XX foram cativados pela ideia de reimaginá-lo para a nova era. Em 1895, o gigante da indústria de fragrâncias Bourjois introduziu um chipre no seu catálogo e, em 1909, Jacques Guerlain criou o Chypre de Paris. Parfums d'Orsay produziu um chipre em 1912 e, em 1913, tornou-se o Chypre de Limassol, de Bichara Malhamne.

Mas Coco Chanel sabia muito bem que era com o lançamento do Chypre de François Coty, em 1917, que o perfume mais antigo e mais reconhecidamente erótico da história estava mais uma vez tomando conta da imaginação cultural. Não era a mesma fragrância do chipre original, que muito tempo atrás adoçara o ar fumacento dos templos de Afrodite. Essa receita já se perdera havia séculos. No processo de criação de uma nova versão do primeiro perfume do mundo, entretanto, François Coty também inventou outros acordes centrais na perfumaria moderna: uma mistura de bergamota cítrica e ládano lenhoso, à qual ele acrescentou como um delicado contraponto o aroma de líquen do musgo de carvalho.

Essas continuam sendo as notas essenciais da família de fragrâncias conhecidas dos perfumistas como um chipre. Hoje, a família inclui fragrâncias como Knowing, de Estée Lauder, e Miss Dior, de Dior. Mas esses perfumes chipres clássicos foram o fenômeno dos perfumes da segunda década do século XX – aquele momento em que Coco Chanel estava começando a pensar seriamente em aromas e sensualidade, e o que ela pretendia fazer com essa associação.

A família de fragrâncias que a fascinava, entretanto, não era chipre. Acompanhar as pegadas daquelas recentes inovações em Coty teria parecido previsível demais e muito modismo para um estilista pretendendo algo que falasse para um novo tipo de sexualidade feminina. Era a velha e familiar categoria de perfumes florais que ela queria reimaginar – fragrâncias baseadas nos intoxicantes aromas de flores desabrochando. Hoje, é uma vasta família de perfumes que inclui tudo desde L'Air du Temps, de Nina Ricci, e Joy, de Jean Patou, até o improvável fenômeno da década de 1970, Charlie.

A boa fragrância começa com a qualidade das substâncias, e isso é especialmente verdade quando se trata de perfumes florais, porque os aromas são muito fugazes. Em 1920, algumas das melhores substâncias naturais do mundo já vinham de Grasse. As rosas e jasmins que florescem ali são universalmente aceitos como nada menos do que refinados.

Rosas e jasmins, entretanto, são aromas que contam duas histórias olfativas muito diferentes sobre as mulheres que os usam. Aroma tradicional para o perfume de uma mulher, as rosas têm um encanto discreto e tranquilo. Mulheres respeitáveis, mulheres como Diana Lister Wyndahm, podiam usá-las sem hesitação, e, até a segunda década do século XX, perfumes florais tinham apenas um estilo, conhecido como soliflores.

Esses soliflores eram perfumes que capturavam o aroma de uma única flor e deviam ser representativos. Suas fórmulas podiam misturar diferentes essências florais, mas uma nota – reconhecível como o aroma de alguma flor natural – devia dominar os sentidos. Na virada do século, o grande sucesso era La Rose Jacqueminot (1903), de François Coty, o perfume que fez dele um milionário quase instantaneamente. Era baseado no aroma específico de uma variedade de rosas transmitida de geração em geração, a *rosa centifolia Jacqueminot*, que crescia nos campos de Grasse.

Uma mulher respeitável que não gostasse do perfume de rosas poderia escolher um perfume com uma nota diferente. Ela poderia usar algo com cheiro de gardênia, lilás ou lírios. Fragrâncias de violetas – especialmente as feitas de aromas sutis e poeirentos da violeta de Parma, cultivada em Grasse desde 1868 – eram modelos próprios para as damas. Uma formulação especial chamada Violetta de Parma (1870) era a fragrância típica da imperatriz Maria Luísa Bonaparte, a segunda mulher de Napoleão, e tornou-se uma potência comercial no século XIX. Quando dois químicos, em 1893, aperfeiçoaram a técnica de extrair da violeta de Parma o composto exato que dava origem ao seu delicado aroma – moléculas conhecidas como ionones –, o cheiro era comum até nos sabonetes das senhoras. Foi a descoberta similar feita antes, no século XIX, do geraniol e do álcool felinetil – os elementos essenciais do cheiro de "rosa" – que também tornou essa fragrância tão onipresente.

O que uma mulher respeitável não faria nos primeiros anos do século XX era usar os aromas fortes de "flores brancas", como jasmim, angélica ou ilangue-ilangue, conhecida como "jasmim de pobre". Os seus aromas doces e pesados eram muito sensuais, e, por mais esplêndidos que fossem, esses eram os cheiros das mulheres licenciosas, ilícitas e arrivistas.

Até a segunda década do século XX, ninguém usava as fragrâncias florais hoje conhecidas como multiflores – aromas florais misturados num buquê – simplesmente porque ainda não tinham sido inventadas. Só em 1912 é que o fabricante de perfumes Houbiquant lançou a primeira fragrância multiflores de verdade, um aroma conhecido simplesmente como Quelques Fleurs, ou "algumas flores". Era uma novidade no ramo de perfumes: um aroma que não tinha cheiro de nenhuma flor em particular que se pudesse reconhecer. Em vez disso, era a *ideia* de uma nova flor, uma que jamais existira. Era o aroma de uma criação floral inventada, imaginada e encantadora. Causou sensação de imediato, e a ideia por trás dela – a ideia da abstração essencial – Coco Chanel achou extremamente fascinante.

Afinal de contas, como o aroma de fragrâncias fougère, Quelques Fleurs e essas novas multiflores que se seguiram no decorrer da década seguinte foram maravilhosamente conceituais. Segundo o historiador dos perfumes Richard Stamelan, a maioria dos perfumistas experimentais do início do século XX não mais "sonhava em imitar a natureza, mas em transformar a realidade", com uma nova "perfumaria emotiva". A fim de criar esses efeitos, eles se voltaram para algo totalmente moderno: a ciência da criação dos cheiros. O perfumista por trás de Quelques Fleurs, Robert Bienaimé, fez experiências ousadas não só com a ideia de misturar notas florais mas também com os avanços pioneiros no campo das substâncias sintéticas aromáticas modernas, materiais capazes de dar ao perfumista apenas uma única nota dentro de uma flor. Ele usava especialmente os materiais revolucionários e em grande parte ignorados, conhecidos como aldeídos. A combinação permitia uma criação artística de um aroma que era muito original. O mundo estava à beira de uma nova era dourada na perfumaria, porque esta precisão molecular libertava os perfumistas dos grilhões da arte representativa, assim como Pablo Picasso e outros artistas a quem Coco Chanel chamava de amigos libertaram uma geração de pintores.

No verão de 1920, embora ela ainda tivesse de aprender muito sobre o mundo das fragrâncias, Coco Chanel sabia o bastante para compreender claramente a sua visão. Ela já estava imaginando uma integração revolucionária de moda feminina – a fundação de uma casa de alta-costura e uma noção de estilo que seria o símbolo da liberdade e da verve dessas jovens melindrosas. Da sua *maison*, ela lhes venderia tudo, desde vestidos a joias e fragrâncias. De fato, é impossível compreender o Chanel Nº 5 exceto como parte de um projeto maior de redefinir a feminilidade do século XX.

Ela também queria que esse perfume da marca fosse uma obra moderna de arte e uma abstração. "O perfume que muitas mulheres usam", ela se queixou, "não é misterioso... Mulheres não são flores. Por que desejariam cheirar como flores? Eu gosto de rosas, e o cheiro da rosa é muito bonito, mas eu não quero uma mulher cheirando como uma rosa." "Eu quero", ela havia decidido, "dar às mulheres um perfume artificial. Sim, estou dizendo artificial, como um vestido, algo que precisa ser feito. Não quero uma rosa ou lírio do vale, cia de L'Aimant de Coty, lançada naquele ano, era parecida demais para ter sido por acaso. A questão era: ela estivera nas mãos da Coty o tempo todo, e Chanel Nº 5 era a cópia?

Por mais deliciosamente escandalosa que possa ser esta ideia de uma fórmula roubada e um químico desgarrado, a associação jamais se confirmou de forma definitiva, e talvez seja apenas – como suspeita Chanel – uma dessas histórias sussurradas que se desenvolveram em torno da lenda do Chanel Nº 5. Existe uma razão bem simples para a Coty ter uma cópia da fórmula do Chanel Nº 5 em 1927. No ano anterior, a enorme companhia de perfumes da Coty havia engolido mais um dos seus concorrentes menores, a perfumaria de Chiris. De fato, a Coty estivera intimamente envolvida nas operações na Chiris havia já várias décadas. Ele havia feito um treinamento nos seus laboratórios na virada do século e tinha se tornado um dos sócios junto com vários proprietários dessa empresa familiar. De certo modo, ele tinha agido como se a Chiris fosse sua empresa – e os perfumes dela fossem "seus" bens – desde a época da Primeira Guerra Mundial. Era uma noção de propriedade que alimentaria um intenso e nem sempre amigável espírito de competição entre Coty e Coco Chanel. Agora, em 1926, Coty havia formalmente comprado o negócio e todos os seus valores – valores que incluíam essa pequena unidade de perfumes familiar chamada A. Rallet and Co. Todas as informações de que François Coty precisava para produzir a sua própria versão do Chanel Nº 5 estavam esperando bem ali nos arquivos.

Mas o nome no cabeçalho dessa fórmula nos arquivos Rallet não era Chanel Nº 5. O que a Coty adquiriu foi a receita para outro perfume, inventado em 1914. Ele cheirava inconfundivelmente como o Chanel Nº 5 por uma razão muito simples: era o aroma secreto por trás do perfume mais famoso do mundo. Desta vez, a história maluca era verdade.

Naquele dia histórico no seu laboratório, Ernest Beaux ofereceu a Coco Chanel dez amostras de uma fragrância que ele havia inventado, variações sobre dois temas ligeiramente diferentes, mas comuns. Em cada frasco, estava uma nova amostra do tipo de aroma que ambos queriam revelar ao mundo como uma ousada composição moderna. Mas os aromas naqueles frascos tinham a sua própria história. Eles eram baseados numa fórmula anterior. Na verdade, eles eram baseados num perfume anterior.

Quando Coco Chanel pediu a Ernest para produzir um aroma da marca e descreveu o que ela imaginara durante o verão de 1920, ele soube que já tinha o perfume que ela queria. Ele não precisava inventá-lo. Ou, pelo menos, ele tinha a estrutura básica. Ele certamente não precisava furtá-lo do laboratório de outro perfumista.

A sua proposta era simples: antes da guerra, ele havia criado um perfume belo, mas que não teve sorte, inspirado nas suas pesquisas na revolucionária fragrância multiflores aldeídica de 1912, Quelques Fleurs, de Robert Bienaimé. Ele havia sido o perfume preferido de certa infeliz czarina. O amante aristocrata de Coco Chanel, Dmitri Pavlovich, conhecia-o bem e o admirava. Afinal de contas, era por isso que estavam todos eles ali, não é mesmo?

Ernest lhe daria o Rallet Nº 1 – o perfume que começou a sua vida em 1914 como Le Bouquet de Catherine e que evocava tantas lembranças em Dmitri. Coco Chanel se apossaria dele. Talvez, naquele verão, ela lhe tivesse explicitamente pedido um aroma como o de Rallet Nº 1. É difícil imaginar que Dmitri apresentasse Coco a Ernest sem primeiro lhe apresentar a sua criação. Ou talvez foi Ernest Beaux quem viu primeiro o elo entre o aroma que Coco Chanel queria dar ao mundo e a sua obra-prima inédita, e o sugerisse a ela. Sobre essas sutis negociações, a história se cala.

O que a história não deixa em dúvida é que o aroma que conhecemos como Chanel Nº 5 foi aperfeiçoado ao longo de vários meses no fim do verão e outono de 1920. Isso é o que Ernest quis dizer ao falar "1920 precisamente". Mas não foi nessa ocasião que este aroma foi inventado, não essencialmente. Coco Chanel, é claro, sabia disso, mas só em 2007 é que a análise molecular foi capaz de desvendar sem equívoco a linhagem secreta do Chanel Nº 5.

Trabalhando a partir da essência de rosas e jasmins do Rallet Nº 1, o acordo foi que Ernest mudaria o Rallet Nº 1 para torná-lo mais limpo e mais audaz. Nas novas fórmulas, ele experimentou, com mais ousadia ainda, meios de equilibrar essas ricas essências naturais com substâncias sintéticas modernas, acrescentando à mistura, por exemplo, a sua própria invenção com aroma de rosas, "Rose E. B.", e as notas variadas de um campo de jasmim que vinha de um novo ingrediente comercial chamado Jasmophore. Ele acrescentou mais notas poeirentas de lírio florentino e contrastou almíscares naturais com elaborações de ponta. O resultado foi um aroma, tão intenso com rosas e jasmins quanto era, que, na verdade, era menos escandalosamente caro do que a criação russa original de Ernest – e o Chanel Nº 5 ainda estava a ponto de ser a fragrância mais cara do mundo.

O que ele concordou em criar nesse verão seria um novo perfume, mas também seria uma continuação do passado e das suas perdas. Ele capturava os aromas de Moscou, de São Petersburgo e da infância dourada de Dmitri. Era o delicado frescor do Ártico relembrado durante os últimos dias de um império em desaparecimento. Acima de tudo, para Coco Chanel, aqui estava um catálogo inteiro dos sentidos – os aromas de roupa de cama limpa e passada e pele quente, os odores de Aubazine e Royallieu, e todas aquelas lembranças de Boy e Émilienne. Era verdadeiramente o perfume com sua marca. Como ela, ele até possuía um passado obscuro e complicado.

Mas, tanto para Coco Chanel como para o perfume que ela estava prestes a lançar ao mundo, o passado tinha ficado para trás. Agora que tinha sido criado, ela estava decidida a fazer dele um sucesso. Seria um futuro que nenhum deles poderia ter imaginado.

PARTE II
AMOR E GUERRA

7
LANÇANDO CHANEL Nº 5

Depois que Coco Chanel e Ernest Beaux concordaram quanto ao aroma, só restava se preparar para mostrá-lo ao mundo da moda. Coco originalmente planejava testar o mercado, distribuindo amostras da sua nova fragrância assinada aos seus melhores clientes como brinde no fim de 1920, mas ela percebeu logo que este era um perfume destinado a grandes coisas. Ela teve a ideia, então, de começar apresentando-o a alguns de seus amigos mais glamourosos, que definiam tendências no mundo da alta sociedade.

Que melhor maneira de mostrar a todos esses definidores de tendências o seu perfume, Coco se perguntou, do que celebrar a invenção da sua fragrância de marca num restaurante exclusivo em Cannes? Ela pediu a Ernest para juntar-se ao grupo. Ela sabia que, no auge da estação neste balneário elegante, algumas das mulheres mais elegantes do mundo passariam necessariamente pela sua mesa. Afinal de contas, a *couturière* Coco Chanel já era famosa.

Coco Chanel queria muito saber se todo mundo concordaria que o aroma era tão fabuloso como ela suspeitava, portanto não conseguiu resistir a uma pequena exibição particular naquela noite. Ali, na sua mesa, ela perfumou furtivamente o ar com amostras e – quando o mundo teve o seu primeiro bafejo do Chanel Nº 5 naquela noite na Riviera Francesa – o resultado a deixou encantada. Aqueles felizardos comensais paravam no meio do caminho e se perguntavam em voz alta: "Que fragrância é esta?" "O efeito", ela mais tarde disse, "foi incrível, todas as mulheres que passavam pela nossa mesa paravam e cheiravam o ar. Nós fingíamos não notar." Como Coco havia previsto, foi diferente de qualquer coisa que já tivesse experimentado. Foi espetacular e, acima de tudo, muito sexy.

O que foi, exatamente, que deixou esses amigos influentes – os homens e mulheres que ficaram sendo os primeiros a experimentar o que seria o perfume mais famoso do mundo – tão fascinados? Parte da resposta, claro, era que o buquê de aldeídos era literalmente diferente de tudo o que a grande maioria das pessoas jamais experimentara. Somente aquelas que trabalhavam nos laboratórios mais inovadores da década de 1920 tinham alguma ideia de como o cheiro de aldeídos em breve mudaria a indústria de fragrâncias.

Mas aldeídos são apenas uma parte do que torna especial o Chanel Nº 5, apesar da importância que a lenda lhes dá. Muito depois de desaparecerem – pois aldeídos desaparecem rapidamente – fica uma rica intensidade de almíscares e florais no perfume, que é surpreendentemente sensual. Isso foi verdade também no verão de 1920.

Almíscares e flores brancas, em especial, eram a fragrância de algo picante e um tantinho ilícito na década de 1920. Mas a ideia de que este era um perfume erótico não era apenas por uma associação cultural. O fascínio sensual de alguns perfumes é muito menos uma questão de preferência pessoal do que podemos imaginar. Aqueles que passavam pela mesa de Coco Chanel naquela noite estavam reagindo a algo elementar. Como aquelas mulheres que votaram no Chanel Nº 5 como o "perfume mais sedutor do mundo" em 2009 sabiam intuitivamente, algumas fragrâncias *são* mais fascinantes do que outras. Existem boas razões para cheiros como jasmim e angélica, incensos como patchuli e sândalo e os fortes aromas de almíscares serem considerados eróticos há séculos, motivo pelo qual algumas fragrâncias têm sido chamadas de poderosos afrodisíacos. Pense em todos os cheiros possíveis no mundo. Existem mais de cem mil. Até uma pessoa comum, não especializada, pode reconhecer mais de dez mil. Depois, considere este fato básico: durante milênios, nós temos nos perfumado com um número extraordinariamente pequeno e consistente de aromas, talvez apenas uma centena. Somos fascinados por uma fração mínima do vasto espetáculo olfativo com que a natureza nos presenteou e "somos tão atraídos por rosas e violetas como qualquer abelha". Quando começamos a investigar as estruturas químicas dos odores que têm nos estimulado na longa história da produção de perfumes, revela-se a existência de algumas claras associações entre aroma e cheiros íntimos de corpos.

Coco Chanel certamente compreendeu – e sentiu – esta relação. O olfato sempre foi o mais aguçado dos seus sentidos e, para explicar a intensidade com a qual ela vivia com os cheiros, ela diria: "No lírio do vale que vendem no dia 1º de maio, posso sentir o cheiro das mãos da criança que o colheu." Ou talvez ela percebesse as notas de pele quente nos aromas das flores porque o seu olfato era excepcional. Segundo os cientistas, existe uma razão simples para os humanos serem tão atraídos pelos cheiros de certas flores: quer saibamos disso ou não, flores cheiram a corpos. E os corpos dos outros são excitantes. Quando Coco Chanel captava sugestões de carne em suas flores, não havia nada de excêntrico na sua percepção. Não havia nada de excêntrico na ideia de o Chanel Nº 5 ter o cheiro de uma mulher também.

A ideia de que flores cheiram como corpos, é claro, parece uma proposta estranha. Mas o cheiro é uma coisa curiosa, e a ciência é inequívoca. Examine de perto a centena de ingredientes que formaram a essência da perfumaria tradicional desde os tempos do primeiro bestseller internacional de Afrodite, e a conexão entre aroma, sexo e pele está sempre ali assim que olhamos sob a superfície. Vistos pela perspectiva do químico, muitos dos cheiros de que os humanos gostam têm algo surpreendente em comum: eles "compartilham a mesma arquitetura química peculiar, com dez átomos de carbono e dezesseis de hidrogênio em todas as moléculas". Simplificando, isso quer dizer que os cheiros que nos atraem encaixam-se em categorias claramente delimitadas.

As fragrâncias que temos usado para nos adornar há milênios em geral podem ser divididas em quatro subgrupos definidos de compostos – álcoois, ésteres, cetonas e, celebrizados pelo Chanel Nº 5, aldeídos. São moléculas aromáticas com elementos em comum nas suas estruturas. Como escreve Lyall Watson no seu livro *Jacobson's Organ*, entretanto, "não favorece em nada a estas fragrâncias mágicas reduzi-las a ésteres e aldeídos". O importante é que elas nos atraem e atraem os outros.

Quando os especialistas falam sobre a estrutura de um perfume, estão falando da sua percepção no tempo, e às vezes eles usam a metáfora do corpo – notas de cabeça (de saída) e notas de coração, e do que é eufemisticamente conhecido como as notas de fundo, ou às vezes apenas de base. As notas de saída são as mais fugazes de todas as notas aromáticas, e caracterizam a experiência de um perfume durante a primeira meia hora da sua aplicação. Estes costumam ser os aromas das fragrâncias cítricas e florais mais delicadas. As notas de coração são aqueles cheiros que persistem por mais tempo, durante as várias horas seguintes, tipicamente os florais mais fortes e resinas de plantas sensuais e robustas. Os cheiros que duram mais – aqueles de fundo – quase sempre incluem almíscares de um perfume, que vêm, apropriadamente, de lugares subterrâneos. Há muito são reconhecidos como alguns dos fixadores mais poderosos da natureza.

Em geral, existem três tipos de material usados para fazer perfume: aromas inspirados por flores; aromas inspirados por outras partes de plantas, tais como suas raízes, cascas e resinas, e aromas inspirados pelos cheiros de animais. O Chanel Nº 5 – um dos perfumes mais reconhecidamente sensuais da história – usa-os todos em doses generosas. Mas o Chanel Nº 5 é especialmente floral – os ingredientes da perfumaria tradicional que nem de longe pareceriam ter algo em comum com o cheiro de corpo. Mas reconsidere. As flores são, afinal de contas, o mecanismo essencial dos órgãos reprodutores de uma planta, e perfumes com frequência são feitos a partir de suas secreções sexuais. A diferença entre estrogênios de plantas e estrogênios animais é leve.

Os cheiros de rosas e jasmins talvez não se pareçam nada com o de suor e de corpos, mas seria errado pensar que não. Conforme explicam os cientistas que estudam a sexualidade de perfumes, "muitos ingredientes clássicos de origens naturais [na produção de perfumes] lembram odores do corpo humano". Nem foi preciso que a ciência moderna descobrisse isso. Desde o século XVII, o poeta John Donne escreveu sobre o "doce suor de rosas". Entre os mais inerentemente sensuais sempre estiveram os aromas de jasmim, flor de laranjeira, madressilva, angélica e ilangue-ilangue, flores que, quimicamente falando, têm proporções muito altas da molécula de aroma conhecida como indol. Esses indóis têm o cheiro de algo doce e carnoso e um pouquinho sujo.

O mesmo é verdade a respeito daquelas deliciosas resinas de plantas: "muitos ingredientes de incensos se assemelham a aromas do corpo humano", um especialista nos lembra. Quando o perfumista Paul Jellinek estava escrevendo o que ainda é o manual padrão sobre a ciência da química das fragrâncias, os seus testes com incensos tradicionais mostraram que mirra e olíbano tinham notas identificáveis de odor de axila; uma fonte vegetal comum conhecida como estoraque era o cheiro de pele; e a cobiçada goma resinosa conhecida como ládano tinha "o cheiro de cabelos da cabeça". Quando a alguns deles era acrescentada uma simples *eau de cologne* frutosa, as pessoas consistentemente classificavam o perfume como mais sexy. Com as suas notas centrais fragrantes de ládano e estoraque, o perfume de Afrodite foi um bestseller erótico com razão.

Os materiais na fabricação de perfumes com relação mais direta com o cheiro de sexo, entretanto, são os almíscares tradicionais. Sozinho, o cheiro costuma ser excessivo e até repugnante. Mas, usado em pequenas proporções e misturado com outras fragrâncias, esses materiais, com suas estranhas e malcheirosas origens, têm constado entre os ingredientes mais valorizados na história dos perfumes. Eles vêm basicamente das partes íntimas de algumas criaturas muito infelizes, cujas glândulas e excreções sexuais foram colhidas.

O almíscar natural – almíscar propriamente dito – vem do cervo almiscareiro macho, um animal nativo da China e do sudeste da Ásia, e o fluido armazenado num pequeno saco nas regiões baixas na época do cio tem sido objeto de um lucrativo comércio internacional há séculos. A palavra *almíscar* vem do sânscrito *muska*, que se traduz simplesmente como *testículo*.

Também classificada na família de aromas de almíscares está a civeta, que tem um aroma inconfundivelmente fecal e que vem, como de se esperar, das glândulas anais de gatos selvagens. Castóreo, outro material comum, vem das glândulas odorantes usadas pelos castores para marcar seus territórios. Como esses ingredientes – ou as suas réplicas sintéticas usadas quase exclusivamente hoje em dia – são capazes de fazer um perfume perdurar, eles são usados em quase todas as fragrâncias, antigas e modernas. Que eles cheiram a sexo nem é preciso dizer.

Se existe uma centena de aromas sexuais na história do perfume – aromas que nos atraem cultural e biologicamente –, o Chanel Nº 5 usa muitos deles. Este é, de fato, o princípio estrutural da sua composição: o radiante frescor de aldeídos e os cheiros de pele e suor, tudo isso significa que *existe* algo inerentemente sensual no Chanel Nº 5. Havia uma razão para o seu cheiro evocar em Coco Chanel a lembrança de lençóis limpos e corpos quentes.

Não é de se admirar que aqueles comensais, ao passar pela mesa de Coco Chanel certa noite, no início de uma era decadente, parassem no meio do caminho. Eles tinham acabado de experimentar algo tão fascinante que, quase um século depois, permanece misterioso e sensual, e ainda moderno. Era o aroma de uma sexualidade autoconfiante, e, em poucos anos, ele seria conhecido no mundo inteiro.

O Chanel Nº 5 tornou-se uma sensação nos círculos elegantes em poucos meses, e foi esta noite num restaurante em Cannes que deu início à sua estonteante ascensão à fama. Mas usar táticas furtivas para introduzir o perfume foi uma ideia que Coco havia copiado. Durante anos, ela estivera observando alguns dos maiores homens de negócios da época fazendo fortuna na indústria de perfumes e anotara como eles conseguiam isso.

Coco Chanel teve a ideia para este lançamento inovador e de baixo custo do Chanel Nº 5 a partir de um famoso truque de publicidade que havia colocado o seu velho conhecido François Coty no caminho para a sua surpreendente fortuna. Quando Coty estava tentando convencer um certo Henri de Villemessant, o homem encarregado da loja de departamento chique de Paris Les Grands Magasins, a colocar o seu La Rose Jacqueminot à venda nas suas prateleiras, no início do século XX, ele fez questão que o relutante gerente provasse a sua fragrância, quebrando desajeitadamente um frasco no chão da sua loja. Os clientes ficaram encantados e começaram a exigir vidros da fragrância, e Coty teve o seu primeiro distribuidor. Coco Chanel estava simplesmente copiando uma página do livro do magnata dos perfumes de maior sucesso no mundo – um homem que, por causa disso, já era uma das pessoas mais ricas do mundo.

A entusiástica reação ao Chanel Nº 5 naquela noite, no restaurante, também a convenceu de que a sua intuição estava certa a respeito da sua outra ideia para marketing naquele outono. Ernest Beaux concordara em fazer para ela cem vidros. Tendo estabelecido a atração do Nº 5, ela retornou à ideia de dar estas amostras do perfume aos seus clientes mais fiéis como brinde de fim de ano. Era generoso – mas não totalmente sem motivação. Foi, sim, uma atitude inteligente com a intenção de instigar uma campanha de rumores e testar o mercado. Coco Chanel sabia bem que ninguém deixaria de reconhecer a exclusividade da sua fragrância, nem mesmo os definidores de tendências sociais da elite. Ela compreendeu instintivamente a poderosa equação entre inveja e o auge do luxo.

Quando essas mulheres elegantes chegavam à sua butique e pediam mais daquele maravilhoso aroma, ela respondia timidamente que jamais lhe ocorrera que fosse uma fragrância que ela poderia vender e insinuava que era apenas uma lembrancinha que havia descoberto numa perfumaria afastada em Grasse. Ela dizia que nem se lembrava de onde o havia encontrado e, aparentando surpresa diante da ansiosa reação, alimentava o fogo do interesse delas, fingindo pedir conselho: elas realmente achavam que ela deveria tentar conseguir um pouco mais? Talvez fosse possível.

O tempo todo, ela ia criando alvoroço para o seu lançamento – e escrevia a Ernest, suplicando para que ele aumentasse o ritmo de produção. Ela planejava vendê-lo na primavera seguinte nas suas butiques em Paris, Deauville e Biarritz, como parte da sua coleção. A lenda de que ela oficialmente o lançou no dia 5 de maio de 1921, o quinto dia do quinto mês, em homenagem ao seu número mágico é, entretanto, infundada. De fato, o Chanel Nº 5 apareceu tranquilamente nas prateleiras das suas butiques em 1921, onde vendeu de imediato – e fabulosamente – sem nenhuma propaganda. Publicidade não faria parte do segredo do seu sucesso por muitas décadas ainda.

8
O AROMA COM UMA REPUTAÇÃO

O Chanel Nº 5 talvez não tenha sido o único perfume lançado com o mesmo nome do número favorito de Coco em 1921. Esta história tem tanto a ver com a fé de Coco Chanel na sua boa sorte quanto no prazer que ela sentia em jogar um pouco. Era uma competição amigável que ela venceu fácil. Mais tarde, entretanto, houve momentos de arrependimento e perda com isso. A sua aposta deveria ter feito Coco Chanel perceber como era íntima a sua conexão com este novo perfume da marca.

Um de seus amigos na indústria da moda era um costureiro e ex-oficial chamado Edward Molyneux, que acabara de abrir o seu ateliê em Paris, primeiro no número 14 e, depois, no número 5 da rua Royale. Coco Chanel já estava acostumada com homens com a sua experiência – eles tinham sido, afinal de contas, seus primeiros admiradores e amantes nos salões de baile na França provinciana. Ela e Molyneux também compartilhavam certo senso de casto minimalismo que o tornaria um dos mais famosos estilistas de moda das décadas de 1920 e 1930.

Naquele inverno, eles inventaram uma pequena competição amigável. Cada um lançaria, exatamente no mesmo dia, um perfume com o mesmo nome e eles veriam qual ia ter mais sucesso. Ela estava sendo sonsa e mais do que um pouquinho supersticiosa ao sugerir o número cinco – o seu número de sorte. Não havia mal nenhum em apostar as suas fichas na boa sorte.

Edward Molyneux, de fato, lançou um perfume chamado Numéro Cinq – "número cinco". Raros vidros ainda sobrevivem e, dependendo da data da sua primeira produção, talvez seja o primeiro oriental moderno na história dos perfumes. Como escreve Luca Turin:

Numéro Cinq [de Edward Molyneux] é incomparavelmente belo e estranho, o único exemplo que eu conheço de um íris oriental. Supondo que a fragrância não tenha mudado, a incerteza sobre a sua idade então se torna tão excitante quanto a descoberta de uma múmia egípcia segurando um iPod. O ano de 1921 é quando o primeiro oriental, Emeraude de Coty, veio a público. 1925 é a data de nascimento do seu famoso sucessor, Shalimar. Se o [Número] 5 de Molyneux data de 1921, a história do perfume precisa ser reescrita.

De fato, os arquivos revelam que o Shalimar foi inventado e lançado imediatamente em 1921 também, apenas tornando o enigma mais misterioso. A respeito do Numéro Cinq, nada é certo. Alguns acreditam que ele foi colocado no mercado, conforme os planos, ao mesmo tempo que o Nº 5 de Coco Chanel, em 1921. Outros acreditam que Molyneux só lançou a sua fragrância – junto com perfumes Número 3 e Número 14 – anos depois. Está tudo envolto em muito mistério, e quem sabia o que estava acontecendo não deixou isso registrado.

Duas coisas são certas. Primeiro, não há dúvidas quanto a quem venceu esta pequena competição empresarial. Segundo, a mudança de atitude de Chanel com relação ao perfume Numéro Cinq, de Molyneux, expressa bem a instantânea fama de Chanel Nº 5 – e a sua apaixonada identificação com ele. No início, apostar em dois perfumes número cinco parecia uma competição inocente. Não demorou muito, entretanto, para Coco perder o seu senso de humor.

O que aconteceu, é claro, foi que, no espaço de poucos anos, o Chanel Nº 5 teve um sucesso como ninguém podia imaginar. De repente, ela não queria ninguém se beneficiando com o seu sucesso. Coco Chanel agora insistia para que Molyneux mudasse o nome do seu perfume. Todos no mundo da moda sabiam que o perfume de assinatura Chanel já tinha adeptos fiéis, especialmente entre as coisinhas bonitas e definidoras de tendência que já se chamavam de melindrosas, e essas definidoras de tendência elegantes não estavam exatamente correndo para comprar o perfume Numéro Cinq, de Molyneux. Era o Chanel Nº 5 que todos cobiçavam, e ela nem precisava se preocupar. Entretanto, o caráter possessivo de Chanel também era lendário. No final, esta mudança de sentimentos seria o início de um hábito de avaliar melhor acordos de negócios e jogos empresariais – um padrão de comportamento que lhe causaria – especialmente no caso do Chanel Nº 5 – problemas sem fim.

Molyneux achou engraçada a raiva dela. De fato, ele não perdia oportunidade de alfinetar a sua geniosa concorrente. Mademoiselle Chanel estava aborrecida por ele ter chamado o seu perfume de Numéro Cinq, ele contava aos seus clientes. Com uma leve e tímida ironia, ele começou, em vez disso, a anunciá-lo a quem quisesse ouvir como Le Parfum Connu: o perfume conhecido, o perfume com uma reputação. O que ele queria dizer, é claro, era o perfume com aquele número familiar. Por outro lado, Coco também tinha ela mesma certa reputação.

Quando Coco Chanel começou a vender a sua fragrância assinada na movimentada sede da sua *maison* em Paris, o resultado foi, como diz Misia Sert, "sucesso além de qualquer coisa que podíamos ter imaginado... como um bilhete de loteria premiado". "Eau Chanel", como Misia ainda teimosa, mas erroneamente, insistia em chamá-lo, era "a galinha dos ovos de ouro". Durante os seus primeiros quatro anos de existência, desde o seu lançamento comercial em 1921 até 1924, o Chanel Nº 5 era vendido apenas nas suas lojas e por meio de recomendações verbais. A estratégia da butique de Coco Chanel tinha sido um espantoso sucesso, e, entre a elite elegante da Europa, ele foi quase de imediato – como atesta a brincadeira de Molyneux – o perfume que todos conheciam.

Uma das coisas mais incríveis é o simples fato de que publicidade nada teve a ver com isso. Chanel sempre insistiu em dizer com orgulho que, durante aqueles primeiros anos, ela jamais pagou por qualquer tipo de promoção – apesar do fato de que o que é enaltecido como o primeiro anúncio do Chanel Nº 5 apareceu em 1921. Espantosamente, veio de um homem que tinha o hábito de ridicularizá-la em público durante anos e fazer dela e do resto da alta sociedade francesa o alvo de algumas das suas sátiras engraçadíssimas.

O artista deste primeiro tributo ao Chanel Nº 5 foi nada menos do que George Goursat, que a criticara junto com Boy Capel na sua caricatura de 1914 "Tangoville sur Mer". Coco Chanel jamais lhe pagou qualquer das suas promoções, e, quanto a isso, ele era a última pessoa que ela teria contratado se estivesse interessada nisso. Sem – como Goursat era mais conhecido – não perdera de vista Coco Chanel desde a sua primeira sátira retratando-a com Boy num abraço sensual. Ele a havia ridicularizado de novo em 1919, com um cartoon ainda mais desagradável chamado "Mam'selle Coco", publicado no seu álbum *Le Grand Monde à l'Envers*. Esse título se traduz grosseiramente como algo parecido com "alta sociedade de cabeça para baixo", e nele Coco Chanel é uma mulher de seios caídos com uma distinta postura relaxada, que aparece vendendo seus chapéus de verão em uma das suas butiques de balneário. Não é um retrato lisonjeiro.

Ele sempre a considerou, pelo menos, uma autêntica árbitra de moda, entretanto, e, em 1921, até Sem não podia deixar de ficar impressionado com o que esta jovem e arrogante chapeleira-que-virou-estilista tinha conquistado. O resultado foi uma das primeiras e mais persistentes imagens de Chanel Nº 5 nesta longa história

Tributo ao perfume Chanel N° 5 pelo cartunista Sem em 1921.

do perfume, uma graciosa melindrosa olhando langorosa e muda para um vidro flutuante da fragrância com a marca de Coco Chanel. Era encantador e elegante e captava perfeitamente o tipo de reverência que este perfume inspirava de imediato.

    Aquele primeiro desenho de 1921 havia sido erroneamente enaltecido e reproduzido como o primeiro anúncio de Chanel Nº 5, e é opinião geral que a jovem e encantadora melindrosa na imagem é Coco Chanel. Isso é excesso de otimismo, também; Sem estava aplaudindo o sucesso do Chanel Nº 5, não o endossando. Ele reconhecia o fenômeno instantâneo que era o perfume de Coco e nada mais. De fato, ele estava até impressionado o bastante para se dar o trabalho de visitar Ernest Beaux em janeiro de 1922 no seu laboratório. O Chanel Nº 5, Beaux lembrou, "já era um sucesso extraordinário... e foi a época da Conférence de Cannes, e a fábrica em La Bocca era o tipo de coisa que atraía visitantes distintos". Um dia, Sem estava entre eles. O caricaturista ficou bastante impressionado com a beleza do perfume, declarando numa espirituosa piada que Ernest Beaux era o novo "Ministre de la Narine" – o "ministro da narina" da França. Ele estava disposto a dar algum crédito a Coco Chanel também. Mas recusou-se a elogiá-la pessoalmente.

    A razão para a melindrosa não poder ser Coco é simples. A caricatura não se parece com ela, e, sem dúvida, Sem a conhecia bem o suficiente para que ela fosse reconhecida de imediato por quem visse as suas sátiras. Ele vinha fazendo isso havia anos. De fato, dois anos antes apenas, em 1923, quando estava claro que o Chanel Nº 5 já estava a caminho de se tornar uma instituição cultural, ele publicou um cartum maldoso que foi diretíssimo na sua mensagem. Foi o seu segundo tributo ao Chanel Nº 5. Desta vez, ninguém confundiu isso com promoção paga.

    Esta outra imagem de Sem era uma mensagem sobre o Chanel Nº 5 e a sexualidade ilegítima de Coco Chanel – e sobre o tipo de reputação que ambos tinham na década de 1920. É apenas a segun-

O ateliê de Coco Chanel pelo cartunista Sem em 1923.

da vez na história que o perfume apareceu no mundo da imprensa. Por essa razão, pelo menos, é um marco na história desta fragrância. Era também uma imagem que teria inevitáveis consequências para o que Coco Chanel pensaria sobre o seu aroma característico.

O desenho nesta caricatura é uma cena no ateliê de Coco Chanel e era um lembrete rude para o público francês de fatos que Coco queria muito esquecer: que ela havia começado a sua carreira como cantora de cabaré e era obviamente uma *nouveau riche*. Nele, a estilista – desta vez claramente reconhecível – está reclinada num divã enquanto uma costureira de joelhos prova um vestido de noite no corpo de uma cliente elegante. É uma costureira que provavelmente, neste estranho mundo novo, já tinha sido uma princesa. Todos sabiam que, na década de 1920, Coco Chanel – que começou a vida como uma camponesa – estava empregando essas infelizes aristocratas exiladas como costureiras nos seus ateliês. Tudo acontece dentro da silhueta desse vidro modernista quadrado.

Se a imagem já não fosse uma boa estocada, as palavras escritas sob a caricatura são uma piadinha ainda mais mordaz. É a letra de uma canção, escrita imitando a antiga melodia coquete "Ko Ko Ri Ko" que deu à jovem Coco Chanel o seu apelido. Ela dizia:

Eu declaro sem nenhum pudor,
Não há nada menos Coco,
Do que um desenho de Coco
Perfumado com eau de Coco
De Coco, de Cocologne.

As suas origens sociais de classe baixa e a história como corista já não eram algo que Coco Chanel quisesse tornar público. O ataque da caricatura, entretanto, era à custa da sua criação camponesa. De fato, o último verso – uma referência à famosa *Cocologne*, de Coco – tem outra piada escondida nele: uma referência à lendária terra da Cocanha (em francês, o *pays de Cocagne*), a mítica terra de luxos e ócio, o sonho do operário ou da operária, onde tudo no mundo virou de pernas para o ar. Aqui, camponeses são reis e freiras têm amantes. Neste assombroso "Novo Mundo" – o título da coleção onde esta caricatura foi publicada –, moças pobres que estudaram em conventos e que tinham virado amantes *demi-mondaine* deleitam-se na riqueza e no esplendor, enquanto uma princesa trabalha de joelhos.

Para Coco Chanel, esta imagem só pode ter sido dolorosa. Embora ser caricaturada fosse sinal de que ela havia chegado à alta sociedade e alcançado uma espécie de fama chique, o objetivo da sátira ainda era o de ridicularizá-la – e ela era uma mulher orgulhosa. Mais difícil de tudo era como Sem havia escolhido infalivelmente o seu perfume como o jeito de ridicularizar o seu passado – um perfume que capturava em particular algo essencial sobre a sua sensualidade. Ele tocava numa área sensível.

Ela havia se identificado com o Chanel N° 5 intimamente desde o início. Unindo o ascetismo escovado de Aubazine e o opulento convite de almíscar e jasmim, era o aroma do seu passado. O problema foi que Sem reconheceu isso, e agora aquelas complicadas aventuras amorosas estavam sendo satirizadas em público. Como as associações entre Coco Chanel e o seu aroma de assinatura pareciam tão obviamente íntimas, o cartum tinha sido uma ocasião para provocá-la em público como nunca acontecera antes com seus vestidos ousadamente simples. Esse tipo de zombaria e a dor que ela causou devem ter sido consideráveis.

Parte do que torna qualquer aroma potencialmente penoso é como ele pode servir, para qualquer um de nós, como repositório emocional íntimo. Como Coco Chanel expressou, pensando na perda de Boy Capel e nas suas memórias aromáticas: "O sofrimento torna as pessoas melhores, não o prazer. A coisa mais misteriosa, mais humana, é o cheiro. Isso significa que o seu físico corresponde ao do outro."

Seja qual for a nossa ideia sobre o valor do sofrimento, Coco Chanel estava certa quanto ao aroma. Significa, sim, que nossos corpos de algum modo se correspondem. No circuito do cérebro humano, o aroma e nossos sentimentos mútuos estão também irremediavelmente emaranhados porque existe uma parte específica do cérebro humano – "antiga", se pensarmos em termos evolucionários – conhecida como o *rinencéfalo*. Esta parte do cérebro processa duas coisas: cheiros e emoções. De fato, *rinencéfalo* em latim significa "cérebro nasal". Como a neurocientista Rachel Herz escreve no seu livro *The Scent of Desire* ["o cheiro do desejo"], "as áreas do cérebro que processam o cheiro e a emoção estão de tal forma interligadas e codependentes como nenhuma outra... poderia estar". É por isso que o cheiro da camisa de um amante ausente ou o perfume preferido da mãe podem nos emocionar tanto.

A estrutura básica do cérebro humano significa que cheiro e sensualidade estão irremediável e maravilhosamente unidos numa rede de contatos de desejo. Isso estava no cerne do relacionamento de Coco Chanel com seu perfume Nº 5. Quando um jornalista, poucos anos depois, sugeriu que ela inventara o pretinho básico a fim de colocar o mundo inteiro de luto por Boy Capel, Chanel ficou furiosa. A ideia foi de mau gosto. Ela ficou igualmente na defensiva a respeito da sua identificação com Nº 5; ele sempre fora um aroma do seu terreno emocional mais íntimo.

Essas sátiras de Sem – as primeiras imagens públicas do Chanel Nº 5 na sua história – tiveram um forte impacto. Elas foram um testemunho eloquente e silencioso do surpreendente desejo que esta fragrância inspirava de imediato, mas é provável que tenham sido também a razão para Coco Chanel se dispor a criar certa distância pública entre ela mesma e o seu perfume. Foi o início de um relacionamento ambivalente com a sua criação que causaria uma devastação profissional e emocional nas décadas seguintes. Coco Chanel não apareceria de bom grado num anúncio da fragrância por quase vinte anos – só em 1937 – e, mesmo então, é provável que não soubesse que estava posando.

Então é fácil compreender por que, se esta foi a primeira "publicidade" que ela estava obtendo para o Chanel Nº 5, Coco decidiu colocar o produto nas mãos de talentosos profissionais do marketing, cuja função seria administrar não apenas a sua distribuição, mas a sua imagem. Logo depois, ela faria exatamente isso. E se arrependeria para sempre.

O que ela fez em seguida foi uma coisa espantosa. No exato momento em que o Chanel Nº 5 estava se tornando um estonteante sucesso, Coco Chanel abdicou dos seus direitos a ele.

A decisão moldaria o rumo da sua vida e estaria no cerne do seu relacionamento cada vez mais emaranhado com este lendário produto. Mas Chanel era também uma mulher de negócios perspicaz, e a decisão foi pragmática.

Ernest Beaux tinha um laboratório de pesquisas em Grasse, mas ele não era, afinal de contas, um fabricante. Rallet era uma perfumaria relativamente pequena, com a sua própria linha de fragrâncias para vender e colocar no mercado. Criar perfumes para uma estilista de moda ainda era um empreendimento pioneiro. Naquele primeiro outono de 1920, depois da sua invenção de Chanel Nº 5, Ernest Beaux havia produzido para Coco Chanel só uma centena de vidros, e o tributo de Sem em 1921 é testemunho de como o seu aroma assinado tinha se tornado popular e a rapidez como isso tinha acontecido. Agora, manter o passo com a demanda era um imenso desafio.

No sul da França, o laboratório em A. Rallet aumentou a produção, mas havia limites. Coco Chanel nunca foi boa em aceitar limites, entretanto, e ela estava de olho em algo mais ambicioso. Mais uma vez, o seu modelo foi o seu amigo François Coty, a quem ela já conhecia havia mais de uma década.

Enquanto Coty lançava o seu negócio de fragrâncias na Les Grands Magasins, Chanel vinha fazendo negócios no segmento de chapelaria da sua *maison* de alta-costura havia anos, com Théophile Bader, o dono da melhor loja de departamentos de Paris, Les Galeries Lafayette. Convencida de que o Chanel Nº 5 estava destinado ao palco internacional, ela perguntou se ele venderia ali a sua fragrância. Bader reconhecia um grande sucesso comercial em formação. O único problema, eles concordavam, era o fornecimento: eles precisariam de uma quantidade de perfume suficiente para satisfazer a insaciável demanda que ambos imaginavam.

Ela precisava, ele lhe disse bem claramente, de um sócio capaz de administrar uma produção e distribuição em grande escala do seu perfume. Ela já podia ver também a óbvia vantagem de alguém para administrar a promoção e a publicidade. Assim, na primavera de 1923, na elegante pista de corridas em Deauville, Théophile Bader fez uma das grandes apresentações entre empresários da história do século XX. Ali, Coco Chanel conheceu os industriais Pierre e Paul Wertheimer, os irmãos donos de uma das maiores companhias de manufatura e distribuição de perfumes do mundo.

A firma dos Wertheimers, Bourjois, havia sido fundada originalmente por um ator e comprada por uma geração anterior de Wertheimers, em 1898, quando já era famosa pela produção de perfumes, de maquiagem para teatro e um pó facial de grande sucesso no mercado. Coco Chanel tinha começado a sua carreira como corista, cantando nos salões de dança na França provinciana. Os Wertheimers tinham feito as suas fortunas na Bourjois vendendo perfumes e cosméticos fabricados para o teatro e palcos de vaudeville. Havia uma deliciosa ironia nisso, e eles estavam dispostos a fazer um acordo com ela. Ela despertara o interesse deles.

Quando Paul e Pierre Wertheimer assumiram a direção da Bourjois, em 1917, o novo foco estava num estilo mais contemporâneo de perfumes, um afastamento das fragrâncias florais tradicionais que haviam estabelecido a Bourjois como ator importante no mercado e na aproximação dos novos aromas mais modernos que a levaria para o futuro. A sua fragrância Mon Parfum era comercializada desde 1919 com a ideia de que "meu perfume reflete a minha personalidade", e era o início de uma tendência que transformaria tanto a indústria das fragrâncias como o mundo da moda. Dentro de poucos anos, as revistas começariam a incentivar as mulheres a "analisarem suas próprias personalidades para descobrirem o estilo do 'it'", e em breve surgiu a ideia de que toda mulher precisava de um aroma característico. Quando Coco Chanel ofereceu a sua fragrância, apoiada por toda a sua considerável fama, foi de novo uma combinação perfeita. Ou assim lhes pareceu a todos no início.

No começo, alguém mais tarde lembrou, havia somente um advogado.

Quando eles entraram em negociação, era muito simples chegar a um acordo. Coco Chanel precisava de alguém para fabricar e comercializar a sua fragrância para o mundo, e ela estava pronta para desistir do controle sobre a sua distribuição. Isso era um rompimento com o passado e com o complexo emocional que o aroma do Chanel Nº 5 havia representado. Era preciso sensibilidade e tino empresarial. Ela fazia questão absoluta, entretanto, de que o controle da casa de moda, que representava o seu futuro, permanecesse totalmente nas suas mãos. Uma parceria que infringisse a sua autonomia como uma *couturière* era o seu maior temor, e isso moldou o plano que ela sugeriu. Era uma ansiedade acentuada pelo que ela havia visto acontecer com as pessoas que faziam negócios com François Coty. A sua reputação de incansável competidor que se comprazia em engolir as empresas menores com as quais entrava em sociedade já era bem conhecida.

Chanel não estava disposta a arriscar o seu negócio de moda por nada. Portanto, quando se tratou do perfume, ela lavou as mãos. Ela queria manter a "sua associação com os Wertheimers... a distância", um amigo mais tarde sugeriu. Outros que conheciam os termos do acordo acreditavam que "o seu medo de perder o controle sobre a sua casa de moda fez com que ela cedesse os seus direitos ao perfume por 10% da empresa". Os irmãos Wertheimer, Paul e Pierre, que enfrentariam os custos de produção, marketing e distribuição do Chanel Nº 5, sugeriram que ela mantivesse o controle total da casa de alta-costura concordando simplesmente em criar uma segunda empresa, Les Parfums Chanel. Cada um dos sócios ficaria com uma parte. Coco Chanel lhes disse: "Forme uma empresa se quiser, mas não estou interessada em me envolver nos seus negócios. Eu lhe darei o meu cartão de visitas e me contentarei com 10% das ações. Quanto ao resto, espero ser a chefe absoluta de tudo." Essa foi a barganha, e ela foi a agente.

Perfumes eram assunto *deles*, e, a partir de agora, o lado comercial do Chanel Nº 5 era preocupação deles, o produto deles. Ela lhes daria o direito de usar o seu nome nele, e, em troca, teria uma participação nos lucros. Era muito simples. O contrato dizia:

> Mademoiselle Chanel, estilista de moda – fundadora da empresa, traz à companhia a propriedade de todas as marcas de perfumes vendidas na época sob o nome de Chanel, assim como as fórmulas e processos de produtos de perfumaria vendidos com o seu nome, os processos de fabricação e desenhos registrados por ela, assim como o direito exclusivo da dita companhia para fabricar e colocar à venda, sob o nome de Chanel, todos os produtos de perfumaria, maquiagem, sabonetes etc.

Eles concordaram que, para proteger o status do seu nome como estilista, venderiam como Chanel "apenas produtos de primeira classe" que ela considerasse suficientemente luxuosos. Ela conservou o direito de vender perfumes – que poderia mandar fabricar em outros lugares se quisesse – nas suas casas de moda em Paris, Deauville, Cannes e Biarritz, mas, em outros aspectos, ela estava fora do negócio de perfumes. Coco Chanel receberia 10% dos lucros da empresa e não contribuiria em nada para o capital; Théophile Bader recebeu 20% das ações de Les Parfums Chanel como remuneração de inventor e sócio na distribuição; e os Wertheimers controlariam o resto da empresa. Em troca pelo desenvolvimento da marca, eles ficariam com 70% dos lucros – e assumiriam todos os riscos. Naquela primavera de 1924, Coco Chanel tinha sido dona do Chanel Nº 5 por apenas quatro anos. Era uma decisão extraordinária do ponto de vista emocional. Ela fora levada a criar não apenas um aroma assinado, mas também uma fragrância que resumia toda a sua sensação de perda e a história de sua vida e amores. Ela lhe dera o nome do seu número de sorte e considerava a sorte como seu segundo nome. Ela quisera que ele fosse um sucesso e havia se identificado profundamente com ele. De fato, ela o consideraria a "sua" fragrância durante décadas. Com ele, ela perfumava a sua casa assim como o seu corpo. Apesar desses intensos vínculos pessoais com o perfume, entretanto, ela o licenciou aos sócios em Les Parfums Chanel na hora em que estava para se tornar um sucesso comercial.

    Se a decisão foi complicada do ponto de vista emocional, como uma manobra empresarial, foi nitidamente brilhante. Aqui estava um produto com um incrível potencial, e quem tivesse acompanhado a sua meteórica ascensão naqueles poucos anos sabia disso. Para o Chanel N-º 5 alcançar um mercado ainda maior, entretanto, ela precisaria da ajuda de especialistas na indústria de fragrâncias, e isso era exatamente o que ela agora tinha negociado. Tendo trabalhado para desenvolver a fragrância, ela naturalmente havia sempre planejado que fosse um grande sucesso.

Entretanto, ela jamais imaginara o que ele se tornaria e como seria difícil para ela se desemaranhar emocionalmente dele. Afinal de contas, seu medo inicial – de que o aroma que capturasse algo essencial sobre o seu estilo não atingisse uma plateia ampla o suficiente – havia provado não ter fundamento. Na verdade, o sucesso foi imediato. Ela deveria ter ficado emocionada. Em vez disso, houve espetadelas desagradáveis nos jornais da sociedade como a caricatura de 1923 para irritá-la.

Naquele momento, foi a face pública da sua casa de moda que ela associou com a sua persona, e a sua maior ansiedade era que ninguém, ou nada, fosse capaz de cooptá-lo. Mas ela era, acima de tudo, na sua própria opinião, uma mulher de negócios teimosa. Em 1924, o Chanel Nº 5 ainda parecia algo que poderia – com um certo distanciamento e um marketing inteligente – transformar-se em uma coisa lucrativa e administrável.

Nos anos seguintes, a dificuldade era que o produto teria de seguir em frente com uma vida e uma lenda próprias, sobre as quais ela não teria controle. Era também um perfume que faria todos eles ricos, quase além da imaginação. Mas o dinheiro que estava entrando não satisfaria Coco Chanel para sempre. Cada vez mais ela também sentiria não estar mais no centro da história do Chanel Nº 5.

A Les Parfums Chanel foi fundada no dia 4 de abril de 1924 e – apesar da conclusiva evidência de que o Chanel Nº 5 estava baseado num perfume Rallet – não existem registros de qualquer acordo formal com a perfumaria A. Rallet, ainda naquela época uma subsidiária da Chiris. As pessoas na indústria de perfumes em Grasse lembrariam, mais tarde, que a firma havia oferecido a Coco Chanel a fórmula de Rallet Nº 1 quando ela procurou Ernest Beaux pela primeira vez, e talvez tivessem todos negociado os direitos sem reservas desde o início. Talvez não tivessem, e a companhia agora torcia o nariz. Certamente, em 1920, Ernest Beaux estava procurando oportunidades para uma nova carreira, sabendo que o lendário perfumista Joseph Robert já ocupava o posto de "nariz" chefe na Chiris, e existe uma chance de que Ernest o tenha aceitado como uma encomenda particular. De qualquer maneira, em 1922, ele havia rompido os laços com a companhia e se transferido para Charabot, uma empresa que se especializava em materiais para perfumes. Quando ele saiu, é de se compreender que tenha levado consigo o seu trabalho.

Mesmo que Coco Chanel e os sócios na Les Parfums Chanel não tenham feito um acordo formal com Chiris para usar a fórmula do Chanel Nº 5, isso não teria tido muita importância. Ernest Beaux havia inventado o perfume, e ele conhecia a fórmula. Fórmulas de perfume ainda hoje, como outras receitas, não são protegidas como propriedades intelectuais. Isso sempre foi em parte a razão para o extremo sigilo da indústria de fragrâncias. A perda da fórmula seria ocasião para considerável choro e ranger de dentes na divisão de Rallet, onde o perfume tinha sido inventado, mas ninguém podia fazer nada.

Ernest Beaux havia criado o Chanel Nº 5 e desvendado o segredo das suas inovações, e ele foi bem pago por isso. Sozinho entre os principais jogadores, entretanto, ele não tinha participação no negócio nem nas vastas riquezas que assomavam no horizonte. Prestes a assumir um papel maior no sucesso do perfume, em 1924, Ernest foi contratado como diretor técnico e perfumista para as fragrâncias na Bourjois e na Les Parfums Chanel.

O Chanel Nº 5, criado no auge da primeira onda de fama de Coco Chanel, estava destinado a coisas grandiosas, e isso estava claro quase que desde o primeiro momento. Durante os primeiros quatro anos da sua existência, o aroma estivera disponível apenas para a clientela das suas butiques de moda, e mesmo assim teve um sucesso enorme. Em breve haveria a distribuição internacional. Só restava os clientes terem conhecimento do perfume e isso gerar neles o desejo. A tarefa coube não a Coco Chanel, mas aos sócios em Les Parfums Chanel, que tinham agora – Coco deixou claro – transformado o perfume num negócio *deles*.

9
MINIMALISMO NO MARKETING

Com a criação de Les Parfums Chanel em 1924, os irmãos Wertheimer, com Théophile Bader e Coco Chanel como sócios minoritários, se dispuseram a fazer do Chanel Nº 5 um perfume distribuído globalmente e, com isso, conquistar fama internacional para o produto. Esses esforços foram as primeiras tentativas sérias de colocar no mercado a fragrância da forma tradicional – uma fragrância que havia se tornado uma preferência entre mulheres elegantes que compravam em Paris, apesar da estratégica recusa de Coco Chanel em pagar qualquer tipo de publicidade. Na verdade, ela havia se tornado uma sensação entre essa elite social – mulheres que podiam pagar para terem suas roupas feitas sob medida pela famosa Coco Chanel – com base apenas no boca a boca.

Quem comprava as suas roupas nas prateleiras das grandes lojas de departamentos do mundo ainda não podia pegar um vidro do Chanel Nº 5 no balcão de cosméticos, a não ser que estivessem fazendo as suas compras nas Galeries Lafayette depois de 1923.

Isso iria mudar rapidamente. A transformação do Chanel Nº 5 no perfume mais famoso do mundo aconteceria com a abertura do vasto mercado americano. Na década de 1920, as mulheres americanas tinham, nas palavras de um historiador, "o maior valor de excedente [dinheiro] jamais dado às mulheres para gastar em toda a história". Os anos do pós-guerra viram a ascensão de um novo tipo de mercado de luxo que incluía o consumidor de classe média.

O SEGREDO DO CHANEL Nº 5

O objetivo na Les Parfums Chanel, agora com Ernest Beaux contratado como chefe das fragrâncias, era colocar o Chanel Nº 5 no mercado cultural, onde alcançaria mulheres que liam revistas de moda como a *Vogue* e subiam e desciam as bainhas das suas saias segundo as novidades que chegavam de Paris.

Ironicamente, Coco Chanel imaginara o seu perfume minimalista em oposição ao mundo preocupado com a arte de vender, e, mesmo depois que os sócios da Les Parfums Chanel assumiram o marketing e a distribuição do Chanel Nº 5, a publicidade foi decididamente discreta – não apenas nos primeiros anos, mas na maior parte das duas décadas seguintes. A ideia persistente, então, de que o sucesso original do Chanel Nº 5 era resultado de pesada publicidade e campanhas engenhosas de marketing não poderia estar mais longe da realidade. A verdadeira surpresa, aliás, é o marketing inicial não ter conseguido arruiná-lo totalmente. Esses primeiros anúncios são constrangedores.

Os sócios na Les Parfums Chanel traçaram a sua estratégia sucintamente no primeiro catálogo de vendas, enviado aos varejistas na França logo após a criação da parceria em 1924. Era uma coisa extraordinariamente simples, em preto e branco, com uma capa de papel comum marrom, bordas pretas e uma fita branca: as cores características de Chanel. Ele nos diz tudo que precisamos saber sobre como Coco Chanel imaginou o seu aroma especial – e como os sócios na Les Parfums Chanel, mais precisamente, o imaginaram para ela – e explica por que houve, no início, tão pouco marketing. "Perfume de luxo", diz a brochura,

"esse termo perdeu muito do seu valor pelo uso indevido. A publicidade moderna atinge tudo, mas é só questão de um vidro atraente ou embalagem elegante. Os perfumes Chanel, criados exclusivamente para *connoisseurs*, ocupam um lugar único e sem paralelos no reino dos perfumes. Comprometida com a criação de um perfume original, diferente de tudo disponível no mercado, Mademoiselle Chanel conseguiu encontrar alguns extratos de excepcional qualidade e tão evocativos do estilo Chanel, que eles assumem o seu lugar entre as suas primeiras criações... A perfeição do produto proíbe vesti-lo com os costumeiros artifícios. Por que confiar na arte do vidraceiro ou do fabricante de caixas de papelão? É muito comum isso dar um ar de prestígio a um produto duvidoso e atrair o aplauso mercenário da imprensa para influenciar um público ingênuo. Mademoiselle Chanel se orgulha de apresentar vidros simples adornados apenas com a sua brancura, preciosas lágrimas de perfume de incomparável qualidade, único na composição, revelando a personalidade artística da sua criadora. Vendido no início apenas por Mademoiselle Chanel em suas lojas em Paris, Deauville, Cannes e Biarritz, estes perfumes tornaram-se altamente valorizados em círculos elegantes na França e no exterior. A grande demanda convenceu Mademoiselle Chanel a consentir em vender seus produtos em diferentes países no mundo inteiro, em algumas poucas casas renomadas e seletas."

Ao rejeitarem a ideia de exageros de publicidade, era a qualidade da sua fragrância que eles queriam colocar na vitrine, e a clara mensagem para o consumidor era que, no mundo do luxo, o marketing ostentoso era parte do problema. Diferentemente dos frascos de perfume enfeitados e rebuscados que estavam sendo criados pela casa especializada em vidros de luxo da Cristal Baccarat na década de 1920, a Les Parfums Chanel faria do simples vidro de farmácia a sua característica.

mediatamente após esse encontro com Ernest Beaux, em 1920, quando ela escolheu a sua famosa quinta amostra, Coco Chanel havia começado a planejar o lançamento em Paris da sua nova fragrância. Mas ela havia escolhido o frasco bem antes disso. A decisão sobre o vidro tinha sido longa e fascinante. "Elegância", ela disse certa vez, "é recusa", e o frasco para o Chanel Nº 5 foi um ato tanto de memória como de desafio. O que o vidro *não* ia sugerir era uma consideração importante. Em geral, os vidros de perfume antes de Coco Chanel eram tão enfeitados e floridos quanto as fragrâncias dentro deles, decorados com requintes espalhafatosos de cor e desenho. Ela queria algo com linhas claras, algo que fosse distinto e simples. Teria linhas tão claras como aquelas notas dos aldeídos na fragrância. Como o perfume, ele teria também de ser sensual. A escolha do seu perfume assinado sempre estivera envolta intimamente com Boy Capel, e o vidro – esta forma de vidro simples – era nada menos do que uma lembrança íntima. A história que se costuma contar sobre a sua inspiração, entretanto, não é exata. Boy levava na sua maleta de viagem um jogo de frascos de toucador, e estojos de couro com recipientes de vidro e escovas eram comuns. O jogo de Boy era, dizem alguns, da loja do seu camiseiro, Sulka; outros dizem que era dos alfaiates em Charvet, já na década de 1920, a casa de alta-costura mais exclusiva de moda masculina, onde quase todos os homens das relações de Coco Chanel compravam suas camisas feitas à mão. A própria Coco Chanel às vezes comprava lá: a companhia também produzia as sedas com estampados magníficos que nem mesmo ela conseguia encontrar em mais nenhum outro lugar.

Ambos os frascos de toalete tinham a mesma economia de linhas que ela admirava na arquitetura romanesca de Aubazine e no caimento de um vestido, e, quando lhe perguntaram mais tarde de onde tinha vindo o desenho, o diretor artístico da Chanel, o falecido Jacques Helleu, lembrou ter escutado do seu pai, Jean, que o frasco Charvet tinha sido a inspiração. Mas não foi nele que Coco se inspirou. O seu verdadeiro modelo foi uma das garrafas de uísque de Boy Capel.

A amiga Misia Sert descreveu o desenho original do vidro da Eau Chanel – como ela insistia em chamá-lo – como "solene, ultrassimples, quase farmacêutico", e Coco encomendou exemplares de um vidro assim – adaptado ao "gosto de Chanel" – feito de vidro caro e delicado e às vezes, para clientes especiais, de cristal dos fabricantes de elite na firma de Brosse. Tudo nele era pura transparência. O que Coco Chanel queria era um vidro invisível – um frasco invisível que, ironicamente, um dia seria um dos ícones mais reconhecidos do mundo.

Ernest Beaux havia criado um perfume floral abstrato no aroma do Chanel Nº 5, uma fragrância que Coco Chanel celebraria como uma composição não diferente de um vestido. O frasco seria o seu complemento: a abstração de um vidro, de onde tudo fora apagado menos os elementos essenciais da linha.

Foi uma decisão surpreendente, talvez até ousada. De certa forma, entretanto, o frasco não era tão radical quanto parece. A história dos vidros de perfume do início do século XX revela algo totalmente inesperado: este estilo de frasco já estava sendo usado na indústria de fragrâncias. A sociedade talvez tivesse preferido aquelas criações enfeitadas de cristal, mas, no início da década de 1920, estava surgindo um movimento no design no sentido de uma nova arte expressa nos vidros de perfume. São as formas elaboradas de René Lalique que todos lembram – e colecionam hoje –, é claro. "A arte do vidro tendendo... para a simplicidade de linhas e estilo" estava ganhando impulso, entretanto. Até Lalique estava produzindo frascos modernistas enxutos e elegantes.

Alguns deles se parecem muito com o primeiro desenho do Chanel Nº 5. O vidro de Lalique, de 1907, para La Rose Jacqueminot de François Coty (1903) – um perfume que foi um enorme sucesso comercial – é muito semelhante. É o mesmo estilo farmacêutico delicado, com uma etiqueta discreta e tampa quadrada. As únicas diferenças notáveis são alguns floreios art nouveau irrelevantes. O próprio Coty fora apresentado ao mundo da produção de perfumes na farmácia de um amigo, onde tinha visto dezenas de elegantes frascos de vidro discretos – frascos, vale notar, não totalmente diversos do que Coco Chanel tinha desenhado para o aroma que levaria a sua assinatura.

Durante quase toda a primeira parte do século XX, Coty foi a maior casa de fragrâncias do mundo, mas uma das outras potências internacionais era a Bourjois, a companhia especializada em perfumes que deu origem às outras e fez a fortuna dos irmãos Wertheimer. Pelo menos desde 1920, o vidro de Bourjois para Ashes of Roses (1909) também usava linhas que ecoavam muito de perto as do vidro de Chanel Nº 5: simples, claro, quadrado, com apenas uma pequena etiqueta marrom.

Coco era uma mulher de negócios cuidadosa e fez fama prestando atenção a detalhes. Quando iniciou os seus estudos das fragrâncias em 1919, ela avaliou seus futuros concorrentes e, com o seu dom para perceber o momento certo, escolheu um frasco que refletia uma nova e elegante direção na indústria. Do ponto de vista do marketing, o sucesso do Chanel Nº 5 não foi porque a sua embalagem tivesse sido totalmente revolucionária, mas porque ele sempre forçou o que algumas pessoas chamaram de delicada fronteira da avant garde. Este é exatamente o caso do famoso frasco.

Ou, melhor, do frasco que se *tornaria* famoso na sua evolução ao longo dos anos. Porque o primeiro vidro usado por Chanel não é exatamente o mesmo que hoje está entre os ícones de luxo mais reconhecidos do mundo. No início, o perfume não era vendido no vidro quadrado que se vê hoje por toda parte, com seus ombros nítidos e chanfrados. O vidro original – o que aparece naquele tributo de Sem a Chanel Nº 5 em 1921 – era delicadamente curvo nas bordas. Sua forma era esguia, um tantinho masculina, e espetacularmente discreta.

As inovações que conduziram diretamente ao frasco que hoje conhecemos aconteceram em 1924, quando a peça de vidro arredondada e etereamente fina estava se mostrando delicada demais para a distribuição e os sócios na Les Parfums Chanel encomendaram um novo desenho, produzido na célebre Cristallerie de Saint-Louis, em vidro e só raramente em cristal. Mais tarde, depois de quase um século, houve apenas uma única modificação substancial na forma do frasco. Em 1924, os cantos se tornaram pela primeira vez facetados e quadrados. Ao longo dos anos, a tampa, entretanto, mudou mais radicalmente. De fato, são as variações nas tampas que os especialistas usam para datar as safras dos vidros de Chanel Nº 5. Em 1921, quando Coco Chanel lançou o Chanel Nº 5 nas suas butiques para suas clientes admiradoras, a tampa nada mais era do que um pequeno tampão de vidro quadrado utilitário. Embora a butique de Charvet estivesse a um passo da grã-fina Place Vendôme, o frasco original ainda não tinha essa tampa grande facetada que algumas pessoas insistem em que foi inspirada no monumento no centro daquela famosa e chique praça. A tampa octogonal característica também foi acrescentada em 1924, quando a Les Parfums Chanel redesenhou o frasco. Desde então, houve apenas mais três alterações. Na década de 1950, a tampa chanfrada ficou mais grossa e maior. Na década de 1970, ela ficou ainda maior. A última mudança foi em 1986, quando o tamanho da tampa foi reduzido para equilibrar as proporções.

Existe outra pequena controvérsia sobre as origens do famoso frasco de Chanel Nº 5, entretanto, e é uma história que sugere que o frasco atualizado em 1924 tenha trazido alguns ressentimentos. O frasco original de Chanel Nº 5 nunca tinha sido totalmente original. Mas alguns historiadores das fragrâncias suspeitam de que as mudanças no vidro em 1924 talvez tenham se inspirado no vidro de outro perfume – um perfume que já estava intimamente emaranhado com a história do Chanel Nº 5.

Na Chiris, Ernest Beaux tinha um ex-colega chamado Jean Helleu. Era um excelente pintor que, devido ao seu aguçado senso estético, era muito procurado como desenhista de embalagens para fragrâncias. Alguns dos seus primeiros desenhos foram para a Coty. Mas ele também trabalhara para a Chiris, desenhando frascos em 1923, quando – depois do sucesso do Chanel N° 5 e a saída de Ernest Beaux – o Rallet N° 1 estava sendo relançado no mercado francês. É aqui que entra a controvérsia: especialistas descobriram pelo menos um raro exemplo de Rallet N° 1 num frasco que é reconhecido de imediato. De fato, é icônico. É o mesmo frasco do Chanel N° 5 de 1924. Exatamente.

Quem desenhou o frasco do Rallet N° 1? E qual era a direção da influência? É tudo um mistério de cronologia. Jean Helleu – e seu filho Jacques depois dele – tiveram carreiras distintas trabalhando para a Chanel, mas, segundo os arquivos da empresa, não há evidências de que Jean Helleu tenha trabalhado para a casa antes de 1930. Enquanto isso, o vidro de Rallet N° 1 ainda existente, produzido para ser exportado para o mercado americano, é impossível de datar com precisão. De um modo ou de outro, entretanto, a corrente oculta era elétrica. Se as atualizações do vidro de Chanel N° 5 em 1924 foram copiadas do desenho para o relançamento de Rallet N° 1 de 1923, então é difícil imaginar que os homens de negócios na Chiris – François Coty já entre eles – não estivessem furiosos. Usar uma fórmula desenvolvida na Rallet era uma coisa. Embalar o novo perfume no mesmo vidro do predecessor deve ter parecido um insulto.

É mais provável que tenha acontecido o inverso e que o Rallet N° 1 fosse embalado no frasco "Chanel N° 5" depois de 1924, a fim de capitalizar com o seu óbvio sucesso. Mas desenhar a embalagem do Rallet N° 1 para imitar intencionalmente o frasco de Chanel N° 5 continuava sendo uma espécie de mordaz ironia. Apenas um pequeno grupo de pessoas sabia ou suspeitava das associações entre esses dois aromas até a década de 1990, e, se for esse o caso, então alguém teve um aguçado senso de humor – alguém que também conhecia a história emaranhada dessas duas fragrâncias e não se importou em anunciá-la.

De um modo ou de outro, o frasco de Chanel Nº 5 de 1924, é claro, acabou se tornando icônico. O mesmo aconteceu com a pequena etiqueta branca característica que a companhia ainda usa, com o seu famoso tipo. Para o relançamento do frasco de Chanel Nº 5, a etiqueta dizia simplesmente "Nº 5 – Chanel – Paris", e, quando não na concentração padrão de *parfum*, incluía a potência em *eau de toilette* ou *eau de cologne* – as duas outras versões iniciais da fragrância. A fonte sem serifa foi retirada de desenhos contemporâneos *avant-garde*. Desde o início, entretanto, ainda em 1921, no topo de cada tampa Coco Chanel colocava o seu símbolo, também formalmente com marca registrada em 1924: aqueles Cs duplos reconhecidos instantaneamente. Está ali desde sempre, e foi a contribuição original de Coco Chanel.

Existem narrativas conflitantes sobre de onde vieram aqueles Cs duplos. A primeira é uma história romântica sobre o mundo fulgurante dos Exuberantes Anos Vinte ao longo da Riviera. No sul da França, os amigos de Coco Chanel eram ricos socialites e alguns dos maiores artistas do século XX, inclusive Igor Stravinsky, com fama de ser apaixonado por ela. Visto que ela só conheceu Stravinsky no verão de 1921, qualquer ideia de que ele tenha inspirado o aroma de Chanel Nº 5 é mera fantasia romântica. Uma de suas outras amigas, entretanto, era a herdeira americana Irène Bretz – conhecida durante a década de 1920 simplesmente como *la belle Irène* – proprietária de uma villa imponente revestida de gesso branco, como um bolo de noiva nas montanhas sobre Nice, chamada Château Crémat. Segundo a lenda, certa noite de verão, Coco Chanel ergueu os olhos para um arco abobadado em uma das famosas festas de Irène e encontrou a sua inspiração num medalhão renascentista: duas letras Cs entrelaçadas. Esses duplos Cs a partir daquele momento passaram a ser a sua assinatura.

Existem, entretanto, outras histórias sobre a origem do símbolo, e, segundo os funcionários da Chanel, este relato sobre o medalhão no Château Crémat também nada mais é do que uma lenda persistentemente fantasiosa. Afinal de contas, Coco também conhecia bem o Château Chaumont, onde se podia encontrar exatamente o mesmo motivo, um símbolo famoso que datava do século XVI e da época das rainhas Médici. No *château* real em Blois, o símbolo estava esculpido em branco nos apartamentos particulares da rainha Cláudia de França, que encontrou na inicial "C" um inspirador lema pessoal: *cadidior candidis* – a mais pura de todas. Por toda parte na corte real e nos campos de justas, Cs eram exibidos em sua homenagem. Uma geração depois, Catarina de Médici foi a rainha seguinte a viver naqueles aposentos e, numa atitude sensata – e mais famosa –, adotou o símbolo e o lema como sua assinatura também.

Para Coco Chanel, nada poderia ter sido mais adequado. Uma antiga receita de perfume da Renascença usado pelas rainhas Médici obcecadas por aromas colocaram-na no caminho que levou ao Chanel Nº 5. A coincidência parecia quase obra do destino. Porque as iniciais de "Coco Chanel" não foram a única inspiração que ela encontrou na iconografia dos dois Cs, abraçando-se eternamente. Era também o símbolo daqueles dois últimos nomes que nunca se uniram: Chanel e Capel.

Quando pensamos no Chanel Nº 5 hoje, o que vem à lembrança acima de tudo é o frasco. É a parte do produto que, para a maioria de nós, é imediatamente icônica. De fato, uma das curiosidades da sua história é que muito menos pessoas são capazes de identificar o perfume pelo seu aroma apenas – um estranho estado de coisas para uma fragrância lendária. A nossa familiaridade com o frasco de Chanel Nº 5 certamente não prejudica aqueles assombrosos números nas vendas, mas nunca foi a razão para este perfume se tornar famoso. Se estamos procurando a resposta para o mítico sucesso do Chanel Nº 5 no mercado, teremos de olhar mais fundo.

O que causa perplexidade, considerando o marketing do perfume na década de 1920 e a escolha do seu frasco original, é o fato em si de o Chanel Nº 5 tornar-se icônico. Aquele primeiro catálogo de vendas em 1924 expunha a estratégia de marketing da Les Parfums Chanel com precisão, e, embora a simplicidade do vidro tenha sido sempre parte da concepção, o foco estava na luxuosa singularidade dos perfumes.

Perfumes no plural.

Porque existe algo desconcertante no primeiro catálogo de vendas: em nenhum lugar ele chama a atenção de forma isolada para o Chanel Nº 5. De fato, o aroma que Coco Chanel havia transformado num sucesso de vendas na butique estava misturado com toda uma nova linha de perfumes com rótulos Chanel, todos vendidos em frascos exatamente iguais – quase todos tinham números.

Em 1924, com a criação da Les Parfums Chanel, o Chanel Nº 5 passou de *o* perfume Chanel para um perfume entre muitos. No primeiro catálogo de vendas, havia quase uma dúzia de perfumes à venda. Algumas dessas novas fragrâncias, curiosamente, eram aromas muito tradicionais, antiquados, por exemplo o Rose. Eram exatamente o tipo de soliflores juvenil a que Coco Chanel havia renunciado. Essa mistura de velho e novo não era a coisa mais surpreendente, entretanto. E sim que o Chanel Nº 5 de repente estava com muitos concorrentes – e produzidos pelos sócios.

Se a Les Parfums Chanel estava procurando criar uma marca de identidade internacional para o Chanel Nº 5, é difícil imaginar uma estratégia de marketing mais estranha. Naquele ano, eles colocaram à venda uma série de fragrâncias, inclusive extratos Chanel Nº 1, Chanel Nº 2, Chanel Nº 5, Chanel Nº 7, Chanel Nº 11, Chanel Nº 14, Chanel Nº 20, Chanel Nº 21, Chanel Nº 22 e Chanel Nº 27, junto com Rose, Chypre e Ambre. Todos embalados do mesmo modo. Nas décadas seguintes, eles somariam à ladainha os perfumes Chanel Nº 9, Chanel Nº 18, Chanel Nº 19, Chanel Nº 46 e Chanel Nº 55.

Havia tantos perfumes Chanel numerados que, na década de 1930, o cronista americano da Era do Jazz, o romancista F. Scott Fitzgerald, pôde escrever a respeito do personagem de Nicole, na sua obra-prima *Suave é a noite* (1934), que

ela se banhou, ungiu e cobriu o corpo com uma camada de pó, enquanto os dedões dos pés trituravam outra pilha sobre a toalha de banho. Ela olhava microscopicamente as linhas de seus quadris, se perguntando quando o admirável e esguio edifício começaria a ruir disforme... Ela vestiu o primeiro vestido esporte na altura do tornozelo que possuíra durante muitos anos e se benzeu reverentemente com Chanel Dezesseis.

Ele podia confiar nos seus leitores para entenderem a piada. Chanel Nº 16 era quase o único que jamais existiu realmente.

Parte do grande enigma do Chanel Nº 5 é: por que, entre todos esses números, ele é o único perfume de que todos se lembram? Alguns daqueles perfumes numerados antes eram fragrâncias deliciosas por seus próprios méritos – um ou dois até rivalizaram por um breve tempo com o sucesso do original de Coco Chanel. No entanto, a maioria dos primeiros desde então desapareceu totalmente, e ninguém nem sabe mais como seria o cheiro deles – especialmente o misterioso e muito popular Chanel Nº 55. Não obstante, já parecia que o Chanel Nº 5 estava marcado para algum futuro especial. Os consumidores estavam prestes a fazer do Chanel Nº 5 o perfume mais famoso do mundo. E isso aconteceu apesar de uma década do que deveria ter sido um desastre de marketing moderno.

10
CHANEL Nº 5
E O ESTILO MODERNO

Quando Coco Chanel licenciou o perfume assinado por ela, em 1924, o Chanel Nº 5 já era um cobiçado artigo de luxo. Nos círculos elegantes de Paris, era o aroma que todos queriam – e apenas uns poucos felizardos podiam obtê-lo. Esse tinha sido o objetivo da sociedade com a Les Parfums Chanel: tirar o Chanel Nº 5 da butique e introduzi-lo nos mercados maiores dos dois lados do Atlântico.

Para os sócios da Les Parfums Chanel, os Estados Unidos sempre foram um mercado alvo, e a cidade de Nova York – já com quase seis milhões de habitantes – era o epicentro comercial e cultural desse mercado nesta década notoriamente vertiginosa. Os transatlânticos de luxo transportavam milhares de turistas ricos todas as semanas entre Nova York e o porto francês de Le Havre, e perfume ainda era o melhor suvenir de Paris. Nas grandes lojas de departamentos de Manhattan, as vendas de artigos de luxo estavam subindo muito rapidamente no pós-guerra em franco desenvolvimento, porque a economia dos Estados Unidos crescia num ritmo estupendo, enquanto boa parte da Europa, por outro lado, definhava em recessão. As vendas de perfumes franceses nos Estados Unidos aumentaram mais de 700% na década de 1919 a 1929, e, no início da década de 1920, todas as principais casas de fragrâncias – Bourjois uma líder entre elas – estavam abrindo ou expandindo escritórios em Nova York para capitalizar com as crescentes vendas. Até que ponto o mercado e os contextos culturais americanos criaram a lenda do Chanel Nº 5 é também parte da história não contada desse perfume. Na realidade, a história do sucesso de Chanel Nº 5 não pode se desemaranhar das dimensões do século americano – ou dos consumidores que ajudaram a criá-las. A publicidade das fragrâncias Chanel, entretanto, foi extraordinariamente modesta e confinada apenas ao mercado americano. O primeiro anúncio conhecido da Les Parfums Chanel saiu no *New York Times* de 16 de dezembro de 1924. Era um pequeno anúncio de canto na página cinco, publicado pela sofisticada loja de departamentos Bonwitt Teller, localizada, nos Exuberantes Anos Vinte, na rua 38 com a Quinta Avenida.

A Bonwitt Teller era especializada em trazer para as mulheres da cidade de Nova York as últimas modas de Paris, e o anúncio alertava os leitores para os "Novos Perfumes de Chanel", incentivando os homens bem-educados da cidade a "escolher uma destas requintadas fragrâncias que será um sutil elogio ao gosto dela". Mais uma vez, a ênfase era em muitos perfumes, e entre eles estava o Chanel Nº 5. Mas era apenas um entre vários. Também à venda, estavam os perfumes Chanel Nº 7, Chanel Nº 9, Chanel Nº 11 e Chanel Nº 22. Os preços variavam segundo o tamanho, de modestos 4,50 dólares a estonteantes 175 dólares por um vidro enorme, o equivalente moderno a uma diferença entre cinquenta dólares e quase dois mil dólares. Tudo que o leitor via no anúncio era uma fileira de frascos. Nela, cada um era exatamente igual ao outro.

Não havia nada de singular na sua apresentação. A surpresa não era tanto a uniformidade dos frascos apenas – as perfumarias às vezes usavam frascos padronizados. Mas os vidros idênticos, combinados com a proliferação de perfumes numerados, eram uma estranha maneira de capitalizar com a crescente fama internacional do aroma assinado por Coco Chanel.

Novos anúncios apareceram, esporadicamente apenas, durante uma década.

Se a Les Parfums Chanel pretendia lançar o Chanel Nº 5 no mercado americano, escolheu um jeito estranho de fazer isso. A sua estratégia na Europa, lembrando agora, não causaria menos perplexidade.

Em Paris, os sócios de Les Parfums Chanel haviam perdido uma espetacular oportunidade de marketing meses antes. De fato, não há dúvida de que eles perderam um dos maiores espetáculos de publicidade do século. Não foi porque os sócios não soubessem disso também.

Em 1925, Paris hospedou uma exposição comercial internacional dedicada a servir de vitrina para os grandes produtos de luxo do mundo – produtos de luxo franceses em particular. Planejada primeiro para 1915, mas adiada devido à Primeira Guerra Mundial, foi um enorme esforço para estimular a frouxa economia francesa e lembrar ao mundo que Paris era a capital mundial da moda. O evento espalhou-se por toda a cidade e atraiu dezesseis milhões de visitantes naquele ano e mudou a história da arte e do design. Oficialmente intitulada L'Exposition International des Arts Décoratifs et Industriels Modernes – Exposição Internacional de Artes Decorativas e Industriais Modernas – este espetáculo das "Arts Décoratifs" lançou o famoso movimento conhecido hoje como "art déco".

Na época, foi simplesmente chamado de "Style Moderne", e a exposição era dedicada aos objetos mais belos e inovadores do mundo, uma "requintada apresentação de uns poucos artigos de luxo selecionados" pelas empresas mais famosas do mundo, num opulento cenário teatral. Para comemorar a ousada nova arquitetura, prédios inteiros foram construídos para a exposição, e jardins mostruários foram plantados em parques ao longo do rio Sena. Havia pavilhões dedicados à exibição de produtos têxteis feitos à mão, livros de arte, joias e, é claro, todo o mundo da alta moda parisiense. Foi a primeira exposição mundial a incluir filmes, e "a promoção do cinema era um meio de alardear a modernidade da produção cultural e industrial francesa", porque o cinema era, afinal de contas, originalmente uma invenção francesa. Estilistas de moda e decoradores de interior já estavam trabalhando para produzir fantasias e cenários.

Um dos mais famosos espetáculos da exposição de 1925 em Paris foi uma fonte de vidro iluminada, um elemento predominante nos cartões postais enviados pelo mundo para dar a amigos e parentes em casa um vislumbre dessas maravilhas modernas. Ela imitava a forma da Torre Eiffel – ela mesma o sucesso de uma grande exposição anterior –, mas, em vez da rendilhada obra em aço fundido, ela mostrava uma coluna de brilhante cristal curvado e água corrente. O desenhista da fonte era René Lalique, o homem que havia feito fama desenhando frascos de fragrâncias, e logo adiante ficava um templo dos sentidos, o grande pavilhão do perfume.

Dentro do pavilhão de perfumes, estavam todos os nomes mais famosos da perfumaria francesa e os que em breve ficariam famosos. Perfume, afinal de contas, era um dos produtos de luxo característicos da França. Havia quiosques extravagantes organizados por companhias como Houbigant, Parfums de Rosine, Lenthéric, D'Orsay, Roger et Gallet, Molyneux e Coty. A Parfum Delettrez anunciava a sua nova fragrância, um perfume numerado simplesmente como XXIII (1923). Jacques Guerlain também compreendeu a importância do evento e viu que era o lugar perfeito para lançar a sua obra prima Shalimar, ainda um dos grandes perfumes do mundo. Claro, havia também uma bela vitrina montada pela Bourjois, grupo que agora produzia e distribuía Les Parfums Chanel.

A Exposition Internationale des Arts Décoratifs e Industriels Modernes – conhecida na época apenas como a "expo" – foi um marco cultural que traçou a direção do estilo por mais duas décadas e teria sido a oportunidade perfeita para lançar um aroma tão quintessencialmente moderno como o Chanel Nº 5. Na verdade, o catálogo da exposição descreve com eloquência o advento de uma nova era de fragrâncias modernistas que poderia ter capturado o espírito do Chanel Nº 5 com perfeição. "Perfumaria", aquelas dezesseis milhões de pessoas leram,

"é uma arte essencialmente moderna... [e] o princípio do perfume, como o da moda, é sempre fazer algo novo. É a condição da sua existência... as descobertas de químicos... abriram horizontes desconhecidos, os perfumes sintéticos com aldeídos, iononas, baunilha, cumarina, hidroxicitronelol e, é claro, flores vivas... [são] a síntese de essências naturais e desses odores aromáticos... a misteriosa harmonia de ingredientes... uma sedutora composição."

Nenhum aficionado das fragrâncias em 1925 leria esta descrição sem pensar no Chanel Nº 5, um produto que deveria ter sido distinguido como uma das grandes conquistas do design moderno. Apesar de o Chanel Nº 5 não ter sido o primeiro perfume a usar aldeídos e talvez não ter sido uma invenção totalmente nova, esses materiais ainda eram raros na indústria de fragrâncias até o fim da década de 1920. A explosão da sua popularidade depois disso se deveu em grande parte ao surpreendente sucesso comercial da criação de Ernest Beaux e a corrida enlouquecida para criar imitações. Exatamente como Shalimar, de Guerlain, definiu naquele ano o que significava usar baunilha e cumarino numa fragrância e simbolizou o perfume oriental moderno, o Chanel Nº 5, já um venerado favorito com um invejável registro de vendas, foi o primeiro perfume a tornar famosos os aldeídos.

Mas, curiosamente, os sócios da Les Parfums Chanel não exibiram a fragrância. Aliás, eles não promoveram nenhum dos perfumes Chanel, o que é de surpreender, visto que um salão inteiro no pavilhão era dedicado aos perfumes de Bourjois. Foi uma oportunidade perdida de apresentar o Chanel Nº 5 a milhões de visitantes, e só pode ter sido intencional. Talvez a companhia simplesmente acreditasse que o verdadeiro mercado para o Chanel Nº 5 estaria do outro lado do Atlântico. Significativamente, a publicidade do perfume só chegou à França no fim da década de 1940. Mesmo assim, deixar passar uma chance fácil de lançar um perfume que era tão característico do momento foi uma curiosa estratégia.

A noção de design de Coco Chanel era parte do que moldou este novo Style Moderne, e nada poderia ter feito mais sentido do que a inclusão do perfume com a sua marca. A própria ideia da exposição era a de ser uma vitrina para os produtos de luxo da França e exibi-los num contexto que enfatizasse as artes decorativas como identidade pessoal – um conceito que ela havia ajudado a desbravar. Foi um momento na história em que "objetos eram definidos como 'expressivos' da identidade do consumidor" pela primeira vez.

A exposição de Paris em 1925 foi o ponto culminante da década, e a mostra foi muito próxima do ápice da celebridade de Chanel. Como um de seus biógrafos escreve: "A exposição de artes decorativas de 1925... a viu e aos seus amigos no centro da excitação." Coco Chanel era a mulher da hora. O Chanel Nº 5 esteve ostensivamente ausente, entretanto. Pensando nessa nova parceria, Coco Chanel já estava começando a sentir as primeiras mordidas do remorso.

Apesar dessa oportunidade perdida na "expo" de Paris, apesar da publicidade convencional e rudimentar durante a década de 1920, até apesar da decisão de comercializar o perfume apenas como parte de uma linha uniforme de fragrâncias Chanel; em 1925, o Chanel Nº 5 estava se expandindo nos mercados internacionais. Era simplesmente um fenômeno do boca a boca, e quem estava por trás dos balcões das lojas de departamentos como a Saks Fifth Avenue sabia que ele era o grande favorito. O Chanel Nº 5 tinha sido um perfume popular em Paris desde que Coco Chanel o lançou em 1921 e agora estava rapidamente conquistando uma base firme importantíssima nos Estados Unidos, o maior mercado do mundo. Quando o estilo art déco tomou conta do país nos meses e anos que se seguiram imediatamente, isso só fez o Chanel Nº 5 – e Coco – mais famoso.

Com essa popularidade, vieram as inevitáveis imitações e toda uma geração de novos perfumes "numerados". Em 1927, era evidente para todos no mundo da moda e da perfumaria que o Chanel Nº 5 era o aroma para ser copiado. Naquele ano, o estilista Cristóbal Balenciaga lançou a sua fragrância Le Dix – número dez –, que se dizia ser uma composição do tipo do Chanel Nº 5 com o acréscimo de violetas. Não demorou muito, e um anúncio no periódico francês *L'Illustration* alardeava outro novo perfume, Le Nº 9, de Cadolle. Este imitava o vidro característico de Coco Chanel – e perversamente o seu concorrente havia se mudado para a mesma rua, o número 14 da rua Cambon.

O verdadeiro concorrente, entretanto, veio de um grupo familiar. Era uma óbvia réplica numa longa e privada batalha na indústria que vinha esquentando dramaticamente na década de 1920. A competição entre François Coty – cuja fidelidade tinha sido com a família Chiris por quase toda uma década – e os sócios na Bourjois e Les Parfums Chanel havia começado a assumir, pelo visto, um clima muito desagradável.

Coty e os sócios na Bourjois e Chanel estavam naturalmente competindo uns com os outros. Eram os gigantes comerciais da indústria das fragrâncias, afinal de contas, e a Les Parfums Chanel estava atraindo incríveis talentos – o principal entre eles, Ernest Beaux, e, no fim da década, Jean Helleu, famoso como um dos mais talentosos designers da sua geração. Em jogo, estavam também milhões de dólares. Portanto, quando Coty comprou a Chiris, em 1926, ele estava de olho nas Les Parfums Chanel e na possibilidade de desafiar diretamente a popularidade do Chanel Nº 5.

Era uma estratégia multifacetada, e Coty tinha recursos consideráveis a sua disposição. Ele começou publicando uma onda de novos anúncios do Rallet Nº 1 original, que resolveu manter em produção indefinidamente. Numa aparente alusão intencional aos perfumes numerados de Chanel, Coty em seguida relançou uma série de aromas com nomes como Rallet Nº 3 e Rallet Nº 33. Em seguida, disse ao perfumista Vincent Roubert para voltar ao laboratório e aos arquivos e criar algo mais para desafiar a concorrência. Ele queria uma nova versão do Chanel Nº 5 – uma versão Coty. Ele planejava causar furor no mercado mundial com o perfume. Afinal de contas, ele possuía a fórmula original Rallet.

Lançado em 1927, esse perfume era L'Aimant – "o ímã" – e o que Coty queria atrair eram algumas das vendas lucrativas do Chanel Nº 5. L'Aimant era uma ousada reinterpretação do Chanel Nº 5 com uma dose mais intensa daqueles famosos aldeídos. Como o Chanel Nº 22 (1922) – também uma das reformulações originais do Rallet Nº 1 que Ernest Beaux havia oferecido à estilista, e até mais aldeídico ainda – L'Aimant era o aroma para mulheres que queriam uma versão mais leve e mais elétrica. Ele tinha também a vantagem de ser bem mais barato. Embora não chegando a ser um sucesso de vendas, L'Aimant teve um êxito surpreendente.

Mas, se o objetivo era fazer frente às vendas de Chanel Nº 5, Coty ficou desapontado. A concorrência só fez o Chanel Nº 5 ser mais desejável. Em 1928, a loja de departamentos de Jay Thorpe anunciou o "leve e efervescente" Chanel Nº 5 como "o mais famoso" dos perfumes Chanel, e era um colossal eufemismo. O Chanel Nº 5 era o perfume mais famoso do mundo. Ele havia crescido muito durante a grande bolha econômica da década de 1920, e, numa era dedicada à busca de luxos incomparáveis, ele havia se tornado um dos mais cobiçados. Essa gloriosa corrida, entretanto, estava quase no fim. Em 1929, uma década impetuosa e desvairada estava terminando, e o Chanel Nº 5 havia capturado o espírito de tudo sem nenhum esforço. Naquele ano, ele se tornou oficialmente a fragrância mais vendida no mundo. Mas o que ninguém sabia ainda era que o mundo estava à beira de um inimaginável desastre financeiro.

O importante na década seguinte era se o perfume Chanel Nº 5 conseguiria manter o seu status de sucesso de vendas.

11
HOLLYWOOD E A GRANDE DEPRESSÃO

Em Nova York e Paris, no fim do verão de 1929, era como se nada pudesse parar os Exuberantes Anos Vinte. Charles Lindbergh fez o seu famoso voo transatlântico, e as mulheres mais ousadas chocaram a sociedade vestindo calças. No ano anterior, Hollywood havia produzido o seu primeiro filme falado, *The Lights of New York* [*As luzes de Nova York*], causando sensação. E Coco Chanel era uma celebridade internacional, imitada por toda parte. Ela passou o verão no luxo de Monte Carlo, e na nova casa de veraneio a que deu o nome de La Pausa, na companhia de duques e príncipes e de futuros ministros britânicos. Sentada ali sob a brisa morna da Riviera, cercada de milionários e seus prazeres, o futuro parecia sem limites.

Todos, entretanto, eram sobreviventes de um tempo passado – em breve haveria outra geração de pobres para se unir ao seu velho amigo e ex-amante, o príncipe Dmitri Pavlovitch, na sua elegante pobreza. Vinte e nove de outubro de 1929 foi um dia que poucas pessoas dessa geração esqueceriam – especialmente os ricos ociosos. Foi a infame queda de Wall Street e o fim de uma era exuberante. Aquela tarde terminou com o pânico em meio aos cânions dos arranha-céus de Manhattan. Nos dias seguintes, trinta bilhões de dólares – o equivalente hoje a quatro trilhões de dólares – simplesmente se evaporaram. A Grande Depressão havia começado, e os Exuberantes Anos Vinte estavam categoricamente encerrados.

Esse colapso econômico mundial dizimaria a indústria de artigos de luxo francesa. A explosiva economia americana do pós-guerra havia alimentado as vendas de perfumes e da alta moda parisiense, mas muitas das casas de maior prestígio estavam em situação precária, vivendo de estação em estação. Alguns dos pequenos designers de elite nunca haviam se recuperado totalmente das extravagâncias competitivas da mostra de art déco, em 1925, onde haviam disputado entre si para exibir os novos tipos mais fantasticamente opulentos da arte moderna. Mais importante, entretanto, a desvalorização do franco francês tinha sido uma dádiva para os estilistas, tornando os artigos de luxo exportados maravilhosa – mas artificialmente – baratos na América. A taxa de câmbio era a razão para expatriados como Gertrude Stein, Ernest Hemingway e James Joyce poderem levar uma vida tão barata em Paris durante a década de 1920. E aí veio o colapso da economia americana – e do dólar – e derrubou com ele o mercado de luxo francês nos Estados Unidos.

Em poucas semanas, o mercado de luxo mais importante do mundo havia se evaporado. Os números durante aqueles anos ainda são de tirar o fôlego: de 1929 a 1941, mais de um quarto da força de trabalho americana estava desempregada. Para a indústria da moda e das fragrâncias, entretanto, o desemprego não era o pior. O problema era que as vendas de indulgências "essenciais" – e a nova e ousada experiência nacional com as compras a crédito – vinham alimentando a explosão da década de 1920 desde o início.

Agora, os transatlânticos de repente estavam vazios, à medida que o turismo ia arrefecendo. As exportações francesas durante a Grande Depressão afundaram. Como de se esperar, os gastos com publicidade na indústria das fragrâncias como um todo também caíram vertiginosamente: de 3,4 bilhões de dólares em 1929 para 1,3 bilhão quatro anos depois. Afinal de contas, não fazia sentido saturar a imprensa com anúncios de perfumes caros que a maioria das pessoas não podia comprar.

Os sócios da Les Parfums Chanel cortaram o orçamento para publicidade. Durante três anos – de 1929 a 1932 –, quase não houve marketing para nenhum dos perfumes Chanel. Embora a companhia jamais tenha revelado nenhum dos seus registros de vendas, mesmo os das primeiras décadas, é difícil imaginar que em Paris a situação fosse melhor. Havia apenas um ponto luminoso no horizonte: as vendas poderiam ter caído, mas isso não era o mesmo que participação no mercado. O Chanel Nº 5 continuava sendo um favorito popular.

Assim, em 1932, os sócios da Les Parfums Chanel lançaram um novo conceito. Desde 1928, pelo menos, eles haviam colocado no mercado um pequeno "frasco de bolso" para toda a linha de fragrâncias Chanel. Era o tamanho perfeito para as atarefadas mulheres modernas – mas era também um jeito esperto de incentivar consumidores a experimentarem uma variedade de perfumes, inclusive todos aqueles números. Agora, num sinal dos tempos, a companhia começou a comercializar os vidrinhos agressivamente – e reduzir os preços. Em 1928, o "frasco de bolso" era oferecido a 3,75 dólares. Em 1932, a companhia reintroduziu os frascos como uma série "de bolsa de mão" e baixou o preço para 2,25 dólares – o equivalente a menos de vinte e cinco dólares o vidro, um desconto de quase 40%. Durante vários anos, este foi o foco quase exclusivo do marketing. Os anúncios diziam aos leitores apenas que as fragrâncias estavam disponíveis a partir de 2,25 dólares. Os vidros maiores, de tamanho para toucador, do Chanel Nº 5 e das outras fragrâncias Chanel permaneceram caros e exclusivos, mas seus preços não eram mencionados. Era um chamariz de marketing do tamanho de uma amostra – e um convite para que um grupo cada vez maior de mulheres em meio a uma reviravolta econômica pensassem nos perfumes de Coco Chanel como um pequeno luxo. Mas aquelas mulheres estavam pensando era no Chanel Nº 5.

Pode muito bem ter sido esse pequeno passo para a comercialização das suas fragrâncias para os consumidores americanos de classe média que deu a Coco Chanel uma séria pausa. Desde 1928, o clima estava ficando tenso entre a estilista e os sócios na Les Parfums Chanel, e mais tarde culminou com a questão de como definir o status de luxo. Não pode ter ajudado o fato de, de repente, estilistas de moda a sua volta estarem começando a lançar perfumes assinados e claramente imitando a sua estratégia. Alguns estavam fazendo isso com ostentação – e oferecendo seus perfumes a preços mais altos do que o Chanel Nº 5. Era fácil perguntar-se se o Chanel Nº 5 – e a casa Chanel – continuariam sendo o padrão para exclusividade.

Embora Paul Poiret e Coco Chanel tivessem sido inovadores de grande visão ao lançar suas fragrâncias assinadas, durante toda a década de 1920, perfumes de estilistas haviam cada vez mais se tornando o padrão. Tinha sido uma era de perfumes vendidos por letras, assim como de perfumes vendidos por números. Um couturier após o outro – cada um inspirado pelo surpreendente sucesso comercial do Chanel Nº 5 – lançou a sua própria fragrância associada à alta-costura. Entre esta nova onda de estilistas que viravam perfumistas, Madeleine Vionnet e a casa de Lenthéric haviam lançado linhas de fragrâncias apelidadas, não com números, mas com letras, desde 1924. As fragrâncias A, B, C e D, de Vionnet, eram vendidas em vidros geométricos futuristas. O estilista Lucien Lelong, sem muita originalidade, contrapôs com suas próprias fragrâncias A, B, C, J e N (1924). Até a elegante chapeleira J. Suzanne Talbot – tirando o chapéu para Coco Chanel – apareceu com alguns perfumes com letras, as fragrâncias J, S e T, em 1925. No início da década de 1930, perfumes de estilistas eram a norma, e todas as casas de moda estavam procurando novos e criativos modos de promover os seus aromas.

Mais uma vez, Coco Chanel tinha mudado o rumo do mundo da moda, e era tudo um prolongamento da sua intuição inicial. Desde o início, o vínculo entre o Chanel Nº 5 e o seu ateliê tinha sido explícito. Ela havia pulverizado o perfume nos provadores da sua butique como uma parte essencial do seu marketing oral em 1921 e o enaltecia como o *seu* aroma pessoal. Agora essa ideia estava se consumando no mercado de fragrâncias de luxo. Isso queria dizer nova concorrência.

Nos meados da década de 1920, o mundo do marketing estava também passando por uma revolução. Surgia um novo modo de vender perfumes especialmente em Paris, e não tinha muito a ver com o tipo de anúncios colocados nos jornais por lojas de departamentos que os sócios da Les Parfums Chanel usaram para promover o Chanel Nº 5 naquelas primeiras décadas. Essas novas tendências, entretanto, deveram muito à história da loja de departamentos, que emergiu como uma poderosa instituição comercial no início do século XX. Os donos de templos varejistas como as Galeries Lafayette em Paris "foram pioneiros na arte de realçar e contextualizar mercadorias usando exóticas telas de fundo". Théophile Bader, nas Galeries Lafayette, aliás, tinha sido o primeiro varejista a vender o Chanel Nº 5 no início, e, em troca por ter apresentado Coco Chanel aos irmãos Wertheimer, ele ainda possuía uma participação de 20% na Les Parfums Chanel – duas vezes a parte de Coco Chanel na fragrância que ela havia criado.

A grande inovação da década de 1930, entretanto, não foi o balcão na loja de departamentos, mas os novos salões de aromas luxuosos sendo criados por casas especializadas em fragrâncias. Nessas butiques extravagantes, os clientes satisfaziam os seus sentidos. Foi uma retrospectiva do verão de 1922 e o espetacular lançamento à meia-noite de Paul Poiret, do seu Nuit Persane, que havia inspirado Coco Chanel a criar a terceira fragrância da alta-costura da história. Fazia parte também do recente estilo de marketing, que enfatizava "vitrinas elaboradas [e] o cultivo da experiência de comprar".

A tendência havia começado com aquelas fontes de perfume da exposição de art déco, de 1925. "Perfume", os visitantes do pavilhão aprenderam, "é um luxo naturalmente adaptado... à fantasia feminina", e na "expo" os varejistas disputavam ferozmente uns com os outros para atrair espectadores a um mundo perfumado da imaginação. Quem via ficava encantado, e o pavilhão do perfume fez tanto sucesso que as perfumarias logo pegaram a ideia e a expandiram. Era o modo perfeito para você argumentar que fragrâncias finas não eram o tipo de coisa que se comprasse num *prix unique*, o equivalente francês das lojas de R$1,99. Era o nascimento de certo tipo de marketing de luxo.

Os estilistas começaram a redecorar suas butiques para exibir seus perfumes e acessórios, e a butique criada pelo estilista Jean Patou foi um famoso exemplo. Em 1930, Patou lançou o seu perfume Joy, com base nas experiências do perfumista Henri Alméras com quantidades ainda mais extravagantes de jasmim e rosa do que o sucesso de vendas Chanel Nº 5. Coco Chanel havia dito a Ernest Beaux, apenas uma década antes, que o que ela desejava criar era o perfume mais extravagante do mundo. Agora, Joy havia oficialmente tomado dela esse título. Não era o tipo de coisa calculada para deixar Coco Chanel feliz – especialmente se combinada com uma série de anúncios nos jornais tentando vender suas fragrâncias a preços extraordinariamente modestos.

De fato, a estética de Coco Chanel estava muito mais de acordo com a estratégia de marketing que Jean Patou buscava para comercializar a sua nova fragrância. Essa tensão – entre estonteante exclusividade e a comercialização no mercado de massa de um produto de luxo – estava na essência do que veio depois. Os primeiros anos da década de 1930 foram tempos difíceis para produzir um novo produto de luxo, mesmo um de nome tão alegre como Joy, e Patou sabia que vender este novo aroma na esteira do craque da bolsa exigiria alguns esforços criativos. Na esperança de fomentar alguns negócios à longa distância, Patou enviou vidros de Joy de presente para animar seus melhores clientes nos Estados Unidos, que estavam vendo as suas viagens de compras pela Europa inviabilizadas pela Grande Depressão. Este perfume, ele esperava, conservaria o nome de Patou nas mentes femininas como um estilista, num momento em que poucas pessoas podiam arcar com a alta-costura.

Em seguida, ele fez outra coisa inteligente. Na sua butique, havia muito tempo que ele mantinha um bar para servir coquetéis aos cavalheiros que ficavam esperando durante aquelas demoradas provas femininas. Com uma grande remodelagem das suas instalações, ele agora dava aos seus fiéis clientes – e às outras mulheres que frequentavam costureiros – mais um incentivo para se darem o trabalho de ir ao seu salão em Paris. Ele acrescentou um glamouroso bar de perfumes, onde os clientes podiam provar, não bebidas alcoólicas, mas perfumes, muitos deles com novos temas de "coquetel" naquele ano. Os clientes podiam até misturar os seus próprios aromas. Ou podiam comprar a sua nova e ultraexclusiva fragrância entre duas guerras. Era o máximo em experiência de compra. O resultado combinado foi que Joy se tornou, apesar das dificuldades, um enorme sucesso.

Não demorou muito e as vitrinas de perfumes e butiques de estilistas por toda a Paris eram suntuosos convites à fantasia, mais parecidos com cenários de cinema do que com salões de vendas. A associação com Hollywood não era coincidência, especialmente para Coco Chanel. Em 1930, ainda gozando de grande fama pessoal, ela conheceu o produtor de Hollywood Sam Goldwyn num restaurante em Monte Carlo. A colaboração entre os dois iria inspirar novos rumos no marketing das fragrâncias, gerar uma fortuna para Coco Chanel e dar ao Chanel Nº 5 uma fama ainda maior. Era uma grande distância dos anúncios de canto nos jornais.

Nesses tempos incertos, os produtores de Hollywood também estavam procurando meios para atingir as plateias. Era o início da era de ouro de Hollywood e, em poucos meses, a "Esfinge Sueca", Greta Garbo, estrelaria o seu primeiro filme falado, mas a Grande Depressão estava cobrando o seu tributo até na ensolarada Califórnia. Já havia outros sinais sombrios no horizonte cultural. Censura, anticomunismo e antissemitismo atravessaram esses anos numa sinistra corrente subterrânea. A superfície, entretanto, era reluzente, e os magnatas de Hollywood começaram a experimentar novos modos de atrair plateias trazendo produtos de luxo para os consumidores.

Essas plateias eram na sua maior parte femininas. Escreve um historiador do cinema: "As mulheres eram vistas por Hollywood como os principais consumidores de cinema." Todos sabiam também que as mulheres achavam a alta-costura fascinante. Portanto, nada mais natural do que fazer com que os filmes começassem a copiar as convenções dos desfiles de moda, que tinham sido inventados nos toucadores de Paris na virada do século.

Era o final lógico do casamento da exibição teatral da mostra art déco, de 1925, com o design de roupas e interiores. A art déco foi um fenômeno na América. O então diretor artístico da MGM, Cedric Gibbons, estivera presente na exposição de Paris, e a sua interpretação do novo estilo modernista no filme de 1928 *Our Dancing Daughters* [*Nossas filhas dançarinas*], com Joan Crawford, provocou uma mania nos Estados Unidos por tudo que fosse francês e art déco. Apesar de o Chanel Nº 5 – talvez o exemplo mais perfeito de fragrância art déco – ter estado curiosamente ausente da exposição, "Chanel" já era a síntese deste novo Style Moderne nas mentes de muitas pessoas.

Quando se tratou de vender moda, Sam Goldwyn também viu uma oportunidade de ouro. Ele atraía as mulheres para o cinema vestindo as suas estrelas apenas com a última moda parisiense. Nesse mundo da alta-costura, ninguém tinha mais prestígio e entusiasmo do que Coco Chanel. Venha para Hollywood, ele disse. Vista as minhas estrelas. E ele lhe ofereceu a espantosa quantia de um milhão de dólares – o equivalente a mais de 75 milhões de dólares hoje – se ela fizesse duas viagens apenas por ano até a Califórnia e desenhasse o guarda-roupa das suas estrelas.

Reconhecendo uma boa oportunidade de negócio ao vê-la, Coco Chanel aceitou o contrato e seguiu para os Estados Unidos no inverno de 1931. Pela segunda vez na história do Chanel Nº 5, Dmitri Pavlovitch tinha estado por trás de uma apresentação crucial para o sucesso de Chanel. Segundo um artigo na revista *Collier's*, em 1932, "o grão-duque Dmitri, da casa dos Romanoffs, muito casualmente apresentou Samuel Goldwyn, do cinema, a [Mademoiselle] Gabrielle Chanel de Chanel. Uma conversa agradável, elogios, muita inspiração, um bom contrato – e a grande Chanel concordou em vir para Hollywood desenhar roupas para filmes. Não há como negar, é um jogo, mas na escala de um milhão de dólares".

Ainda assim, Coco Chanel estava indecisa quanto ao fascínio da tela grande e da Califórnia. Afinal de contas, ela já sonhara com uma carreira no palco, e havia decididamente deixado para trás essa vida. Mas, por um milhão de dólares, ela estava disposta a viajar para "ver o que o cinema tinha a me oferecer e o que eu tinha a oferecer ao cinema".

Naquela época, Coco tinha outro motivo para estar curiosa a respeito do mundo da indústria cinematográfica. Nesse inverno, ela tinha um novo amante, e desta vez era um homem com relações em Hollywood. Ela havia se lançado numa ligação com o ilustrador de moda, satírico político e cenógrafo de Hollywood Paul Iribe, o ilustrador, e jornalista esporádico, famoso por ter desenhado os vestidos do seu concorrente Paul Poiret.

Coco Chanel e Paul Iribe se conheciam havia décadas e tinham todo um círculo de amigos em comum, incluindo Misia Sert, Igor Stravinsky, Jean Cocteau, Sergei Diaghilev e muitos dos exilados russos associados com os Ballets Russes nas décadas de 1910 e 1920. De fato, os vínculos entre eles eram ainda mais antigos. A primeira mulher de Paul Iribe, a famosa atriz de vaudeville Jeanne Dirys, havia usado chapéus criados por sua amiga – outra ex-corista – Coco Chanel.

Para seus amigos, era uma associação bizarra, porque, em se tratando de moda, Coco Chanel e Paul Iribe tinham sensibilidades totalmente diversas. No seu polêmico tratado antimoderno de estilo, *Choix*, Iribe havia atacado o estilo revolucionário "emancipado" e internacional que o trabalho dela sintetizava, lamentando que fosse parte da degeneração da cultura francesa. Pelo visto, portanto, Paul Iribe não seria a pessoa certa para ela pedir conselhos sobre carreira e palavras de apoio. Mas ele havia trabalhado muitos anos em alguns dos grandes estúdios, e, prevendo a viagem a Hollywood, Coco voltou a procurar o seu velho amigo para saber a sua opinião sobre a indústria de cinema. A coisa pegou fogo e eles logo se tornaram amantes. De fato, assim que ele conseguisse se divorciar da mulher, uma infeliz herdeira chamada Maybelle, eles planejavam se casar.

Tudo aconteceu de repente, e, um ano depois de iniciarem o romance, as coisas estavam sérias. Segundo o próprio testemunho de Coco Chanel, entretanto, era um relacionamento estranho e às vezes torturante. "Minha fama nascente", ela mais tarde contaria a um amigo,

> "havia eclipsado a sua declinante glória... Eu representava uma Paris que ele jamais poderia possuir, dominar... Iribe me amava... com o desejo secreto de me destruir. Ele ansiava por me ver esmagada e humilhada, ele queria que eu morresse. Teria lhe dado um grande prazer me ver pertencendo-lhe totalmente, pobre, reduzida à im-

potência, paralisada... Ele era uma criatura muito estranha, muito afetiva, muito inteligente, muito egoísta, com um extraordinário refinamento... A minha história o torturava."

A fama dela no início da década de 1930 dificilmente era "nascente", mas ninguém duvidava de que era uma surpreendente ligação. Os amigos de Coco achavam que Iribe era diabólico e não conseguiam compreendê-lo. Como sempre acontecia com Coco, o passado dela o perturbava. Uma coisa com que ela parece não ter se incomodado no seu romance, entretanto, era a política de Iribe, que flertava com um tipo peculiar de nacionalismo protofascista. As ideias dele eram apenas um pouco menos estreitas do que as de outro ex-amante dela, o duque de Westminster, e, naquela altura, aquelas políticas intolerantes provavelmente repercutiam a sua própria maneira de pensar. A história do Chanel Nº 5 em breve ficaria perigosamente envolvida com elas.

Para Sam Goldwyn, trazer a famosa Coco Chanel para a América era publicidade, e ele estava encantado com o súbito interesse da mídia em torno da sua chegada aos Estados Unidos. Ele havia arranjado para ela viajar em grande estilo – e muito visível – de Nova York a Los Angeles num trem de luxo especial branco. Antes de partir, a revista *Time* noticiou em 16 de março de 1931: "Em Manhattan, a famosa estilista Gabrielle ('Coco') Chanel, que está a caminho das suas lojas de Paris até Hollywood para desenhar roupas para atrizes de cinema, recebeu repórteres. Estava vestida com trajes esportivos vermelhos e usava um colar de pérolas de cinco voltas, dez braceletes." Câmeras e admiradores a rodeavam. Ela havia ido às grandes lojas de departamentos de Nova York para ver seus modelos expostos e lhes dar o seu selo de aprovação. E parou no balcão de perfumes para conferir se tinham o Chanel Nº 5 em quantidade suficiente.

Que conselhos Coco Chanel tinha para dar às mulheres americanas sobre moda? Ela não falou de altura de bainhas ou conjuntos de jérsei. Ela estava pensando em perfume – um perfume cujos direitos de controle ela havia, tecnicamente, cedido cinco anos antes. As mulheres, ela mais uma vez disse à imprensa, não deviam usar aromas florais. Era uma das suas frases batidas sobre fragrâncias. As mulheres precisavam de algo moderno, algo composto, e ela só podia recomendar o Chanel Nº 5. Não que alguém precisasse da recomendação. Ele já era um sucesso de vendas e uma das marcas registradas da sua fama.

Os problemas entre Coco Chanel e os sócios vinham fervilhando nos bastidores desde os meados da década de 1920, mas, em consequência da sua viagem a Hollywood, a sua infelicidade aumentou. A partir daí, um amargo – e às vezes explosivo – ressentimento definiria as suas relações com os sócios e com o produto que ela havia criado. Tendo ajudado a estabelecer a reputação do Chanel Nº 5 e a sua posição no mercado mundial, tendo lançado o perfume e confiado nos sócios na Les Parfums Chanel para chamarem a atenção do mundo para ele e o nutrido com a sua fama pessoal durante toda a década de 1920, ela passaria as décadas seguintes fazendo de tudo para arrebatar o controle das mãos dos investidores.

No início da década de 1930, Coco Chanel também havia começado a sentir que, ao ceder o controle de Chanel Nº 5, ela havia perdido algo importantíssimo. Ela tinha dúvidas persistentes quanto à barganha que intermediara. Ela começava a achar que talvez tivesse sido enganada. Agora, tendo visto como o Chanel Nº 5 era popular no mercado americano, ela estava certa disso. Esta convicção sinalizou o fim de qualquer verdadeira parceria que ela tivesse usufruído com os homens da Les Parfums Chanel. Ela queria o controle sobre a sua fragrância.

Se não conseguisse, ela estava preparada para destruí-lo.

12
UMA SOCIEDADE DESFEITA

Foi a década de 1925 a 1935 que transformou o Chanel Nº 5 na marca registrada da Chanel, embora não seja o mesmo que se tornar um ícone cultural. Isso viria depois. O sucesso da primeira década, entretanto, foi certamente espetacular. Apesar do marketing confuso e do excesso de perfumes Chanel com todos aqueles números, o Chanel Nº 5 ficou em primeiro plano durante a maior crise econômica da história moderna e, desde então, é a fragrância mais famosa do mundo.

Foi durante esses anos que alguns dos primeiros perfumes numerados finalmente começaram a desaparecer dos anúncios Chanel e, nos meados da década de 1930 – como um reflexo tardio do seu já singular sucesso –, os anúncios do Chanel Nº 5 começaram a aparecer frequentemente sozinhos. Em 1935, quando o mundo ainda estava num turbilhão econômico e a tragédia política assomava vagamente no horizonte, ele estava sendo saudado em anúncios casuais como o aroma "usado por mais mulheres inteligentes do que qualquer outro perfume".

Finalmente os sócios da Les Parfums Chanel consideraram seriamente uma campanha que capitalizasse com a contínua popularidade do perfume, e o primeiro ataque relâmpago real de marketing para o Chanel Nº 5 foi planejado para 1934 e 1935. Dessa vez, parte da estratégia era realçar o Chanel Nº 5 em alguns anúncios como um perfume com uma marca de identidade única, distinta de qualquer outro perfume numerado da linha de fragrâncias Chanel. O primeiro anúncio "solo" de verdade do Chanel Nº 5, como o perfume de Chanel mais importante, comparável apenas a sua lenda como *couturière*, foi publicado no *New York Times* do dia 10 de junho de 1934, dez anos depois de Coco ter assinado a sua sociedade com os investidores na Les Parfums Chanel. Nele, está uma modelo posando com um vestido da nova coleção, e alguém enfiou no quadro a silhueta de um vidro do perfume Chanel Nº 5. A legenda diz: "Ambos são Chanel. De maneira igual, eles expressam esse bom gosto e originalidade que conquistaram para Chanel a sua alta distinção. Pois o perfume é a outra vida de Chanel. E no seu Nº 5 ela triunfou de forma tão importante como na mais inspirada das suas famosas criações de moda." Quando esse anúncio apareceu, entretanto, o Chanel Nº 5 já era um triunfo havia uma década.

As tensões entre Coco Chanel e os sócios vinham crescendo. Em 1928, os sócios tinham incumbido um advogado da casa de lidar com a sua irritadiça estilista famosa. Agora, o conflito entre Coco Chanel e os sócios estava para se tornar ainda mais intenso. A sua fama e a viagem a Hollywood só tinham piorado as coisas. Durante 1935, de repente o Chanel Nº 5 estava por toda a parte. Estava gerando para a Les Parfums Chanel mais dinheiro do que nunca. Não por coincidência, Coco estava começando a achar que, ao ceder o seu controle sobre ele, havia perdido algo que valia a pena possuir.

Embora Chanel tivesse especificado os seus próprios termos para a sociedade no começo, quando o Chanel Nº 5 era a fragrância mais vendida no mundo, ela estava convencida de que tinha sido grosseiramente ludibriada. Do seu ponto de vista, a Les Parfums Chanel – e os homens a quem ela havia licenciado os seus aromas – estavam ganhando uma fortuna com o seu nome e a sua fragrância e, visto que a sua fama pessoal estabelecera a popularidade do Nº 5, distinto de todos aqueles outros perfumes anteriores numerados, a sua frustração estava justificada. Ela sabia muito bem, como todo mundo, que o sucesso do Chanel Nº 5 não se resumia àqueles anúncios no jornal, e que sempre tinha parecido que os sócios deveriam estar fazendo mais pela sua parte no dinheiro. Talvez ela também se preocupasse a respeito de como o teor desses anúncios no início da década de 1930 tinham mudado a ideia do Chanel Nº 5 como um luxo. Com certeza, isso foi o pomo da discórdia mais tarde. Por ironia, foi a nova campanha de marketing – com enfoque no Chanel Nº 5 como um produto exclusivo e que deveria tê-la encantado – que iniciou a controvérsia.

Parte do problema foi uma simples questão de dividendos. Coco Chanel possuía apenas 10% das ações da Les Parfums Chanel – o direito de receber um cheque, basicamente, no valor de 10% dos lucros como um acordo de licenciamento. Esta nova campanha de publicidade, entretanto, custou dinheiro, e esse novo investimento em publicidade significou naturalmente uma redução em curto prazo nos seus lucros. Embora o benefício desta estratégia parecesse óbvio para todo mundo, Coco só via que a quantidade de dinheiro vindo na sua direção estava diminuindo quando ela sabia com certeza que as vendas estavam prosperando.

O que a deixava indignada era aparentemente a ampliação da linha de cremes de limpeza Chanel, programada para 1934 como parte de um esforço mais amplo para expandir ainda mais as vendas da fragrância. Reconhecendo o potencial para uma variedade maior de produtos Chanel Nº 5, os sócios viram que a extensão do produto prometia render vendas ainda mais fabulosas – tudo parte da nova campanha de marketing do Chanel Nº 5.

Coco Chanel, entretanto, tinha outras ideias. Cremes de limpeza agora lhe pareciam não ser exatamente um luxo. Ela havia também chegado a um ponto em que desejava uma participação maior nos lucros antes de ver o seu nome usado em qualquer novo projeto – e ela estava certa de que este era um novo projeto da companhia. A Les Parfums Chanel viu isso de outro modo.

A linguagem do contrato original que havia assinado para licenciar os seus produtos para a companhia em 1924 agora estava lhe parecendo ambígua. A Les Parfums Chanel tinha o direito de vender produtos associados com o perfume e cosméticos: isso era óbvio. Mas os termos do licenciamento incluíam especificamente "maquiagem" apenas e ela sustentava que cremes de limpeza não entravam nessa categoria. "Vocês não têm o direito de fazer um creme", ela disse aos sócios. "Eu exijo que me deem todas as folhas de balanço, todos os livros, todas as minutas e relatórios, todos os lucros e perdas dos últimos dez anos durante os quais fui presidente. [Ou] então, irei aos tribunais." Em seguida, Chanel – sempre uma mulher de negócios desconfiada – foi atrás de uma ordem judicial para impedir a sua produção de algum modo.

Isso iniciou uma batalha pública que duraria cinco anos e foi apenas o início de conflitos entre Coco Chanel e a Les Parfums Chanel, que resultariam, conforme o seu advogado René de Chambrun mais tarde lembrou com pesar, em literalmente mais do que uma tonelada de documentos reunidos em arquivos nos seus escritórios. De fato, antes do início da Segunda Guerra Mundial, haveria três ou quatro processos diferentes, todos sobre detalhes contratuais menores – mas importantes – desse tipo.

As coisas esquentaram consideravelmente no outono de 1933, quando, em vez de participar da reunião de diretoria, Coco indicou seu amante Paul Iribe como seu representante. O resultado foi um desastre. Os Wertheimer e os outros homens da sociedade Les Parfums Chanel eram todos de importantes famílias judias na França, e não deve ter ajudado o fato de que Iribe passava o seu tempo reservadamente – e às vezes em público – vituperando contra a "máfia judaico-maçônica". Em 1931, os nazistas já eram o segundo maior partido na Alemanha, e o seu ramo paramilitar já havia começado a atacar os estabelecimentos comerciais dos judeus. Em 1933, Iribe lançou uma revista política chamada *Le Témoin – A Testemu-*

nha – e, "no primeiro número, Iribe inscreveu a sua revista na linha de publicações de extrema-direita do período".

Foi uma era de crescente nacionalismo e antissemitismo, e a política de Coco Chanel era também a do momento. Convencida de que os sócios a estavam enganando, ela "cultivava ideias falsas que intensificavam o seu antissemitismo". Um de seus parentes lembrou-se de Coco como uma "terrível encrenqueira" e de como ela agrupava os homens judeus com quem fazia negócio – Samuel Goldwyn, é claro, entre eles – em três categorias. Havia os "israelitas": as importantes famílias judias da França, entre os quais ela contava os Rothchilds. Na década de 1930 e até início da de 40, "israelitas" ainda era uma categoria religiosa e não racial. Em seguida, havia os "judeus" étnicos, e, em gíria francesa racista, os "*youpins*" no fundo. Sobre esses termos, não havia nada de neutro. Dependendo do seu estado de espírito, ela incluía os homens que controlavam a Les Parfums Chanel em uma das últimas duas categorias.

Em 1933, Chanel era chefe titular da companhia, mas isso nunca tinha sido mais do que uma questão de gentileza. Desde que ela não interferisse na direção da companhia, era uma hábil relações-públicas. Com as coisas azedando rapidamente entre Coco Chanel e os sócios, as vantagens eram de repente menos óbvias. Agora, como uma demonstração de ressentimento, ela se recusava a participar das reuniões de diretoria. Em vez disso, Iribe estava lá como seu representante – com pleno poder de procurador. Ele era barulhento e atrapalhava a agenda. Pior, ele não sabia nada sobre indústria de perfumes e deixava os sócios furiosos – entre eles, não apenas os irmãos Wertheimer, que eram donos de 70% da companhia, mas os genros de Théophile Bader das Galeries Lafayette, das famílias Meyer e Heilbronn, que controlavam outros 20%. No fim da reunião, só para se fazer de difícil, Iribe se recusou a assinar as minutas. A estratégia de Coco Chanel parece ter sido simplesmente impedir a realização do negócio, e Iribe estava usando a sua posição na diretoria para fazer isso no lugar dela.

A atitude resultou na decisão imediata dos sócios de votar a expulsão de Iribe – e, por extensão, de Coco Chanel – da diretoria no fim da reunião. O próximo passo seria removê-la da presidência. Visto que ela era de longe a sócia com menor número de ações, isso foi fácil. O título tinha sido sempre uma cortesia e a estratégia dela saíra pela culatra desastrosamente.

Despojada até do controle simbólico sobre a empresa de perfumes à qual havia, tempos atrás, cedido os direitos, Coco Chanel ficou furiosa. O seu relacionamento com os sócios se deteriorou ainda mais quando, no fim de 1934, eles substituíram a equipe administrativa. Coco estava convencida de que o único objetivo dessa reorganização corporativa era eliminá-la ainda mais da empresa, e retaliou recontratando a equipe na sua divisão de alta-costura só para fazer de tudo isso um constrangedor espetáculo público.

A sequência do que aconteceu depois também não poderia ter sido mais complicada do ponto de vista emocional. A criação do Chanel Nº 5 havia representado um esforço para conter os efeitos da perda de Boy Capel. No início dos anos 1930, a falta de controle de Coco Chanel sobre a empresa e o perfume era como se ela o estivesse perdendo de novo. Agora, ela estava novamente apaixonada e, pela primeira vez, planejando se casar. Talvez se isso tivesse acontecido, o Chanel Nº 5 aos poucos teria parecido menos importante do ponto de vista pessoal. Mas, em meio a uma partida de tênis, uma tarde, no dia 21 de setembro de 1935, ela viu Paul Iribe morrer, na sua frente, de um ataque cardíaco, ainda com cinquenta e poucos anos. Sob o impacto da tristeza, ela mergulhou mais uma vez nos perfumes e no Chanel Nº 5. Desta vez, ela não estava interessada em invenções. Ela queria o controle do perfume e faria o que fosse necessário para consegui-lo.

Na história de Chanel Nº 5, o ano de 1935 foi um momento decisivo. A Les Parfums Chanel estava assumindo um papel muito mais agressivo na publicidade desta fragrância que era um sucesso de vendas, e Coco havia sido retirada da sua posição de figura de proa como presidente da companhia. Todos os outros estavam avançando confiantes no marketing do Chanel Nº 5, mas Coco Chanel estava furiosa. Ela disse a René de Chambrun que queria processar os sócios na Les Parfums Chanel num lance para recuperar o controle do produto.

Coco estava certa de que venceria as suas batalhas legais com a empresa e deu início a uma longa série de processos retaliativos de ambas as partes do Atlântico, que se arrastariam por mais de uma década. Ela abriu processo para impedir o desenvolvimento de uma nova linha de beleza e pediu a proteção do tribunal como uma acionista minoritária. Os sócios da Les Parfums Chanel contra-atacaram, processando-a por quebra de contrato. A posição de Coco Chanel era a de que, se os sócios queriam ampliar a linha Chanel Nº 5 para outros produtos de beleza, teriam de renegociar os termos do contrato inicial. A diretoria sustentava que esses direitos já tinham sido concedidos com o documento de 1924. Se eles perdessem, Coco Chanel estava determinada a fazer um bom negócio desta vez.

Na segunda metade da década de 1930, a vida para Coco Chanel era também menos satisfatória do ponto de vista privado. Paul Iribe estava morto e, surpreendentemente, ele tinha sido o primeiro homem que ela amara disposto a se casar com ela. Os homens mais importantes da sua vida – seu pai, Boy Capel – a haviam abandonado. Agora, a seu próprio modo, Paul a abandonara também. Pior ainda, ela também estava perdendo o ritmo pela primeira vez com o mundo da moda. Apesar de um anúncio do Chanel Nº 5, em 1937, que mostrava Coco Chanel de corpo inteiro diante da lareira do seu apartamento no Hotel Ritz e que elogiava "Madame Gabrielle

Chanel [como] acima de tudo uma artista no estilo de vida", os tempos e a moda estavam mudando. No fim da década de 1930, mangas bufantes, cinturas no lugar e ombreiras estavam tornando elegante a figura de ampulheta, e os estilistas do momento eram Elsa Schiaparelli, Lucien Lelong e Cristóbal Balenciaga. Era a antítese do estilo Chanel clássico, que sempre estivera adequado ao corpinho de menino da juventude de Coco. Acrescente-se a estes novos gostos uma década de crise econômica e uma penosa greve dos seus funcionários, não é de espantar que ela estivesse frustrada e cansada. No fim do verão de 1939, afinal de contas, Coco Chanel estava com cinquenta e seis anos.

Portanto, quando a França declarou guerra contra a Alemanha fascista naquele mês de setembro, Coco fechou a sua casa de moda e se aposentou. Essa, ela disse a quem a criticava, não era hora para modas. Mas ela não fechou totalmente as suas butiques. A loja na rua Cambon permaneceria aberta durante todo o tempo da guerra. Ela pretendia continuar vendendo aquelas famosas fragrâncias e uma linha de bijuterias e acessórios, e, na verdade, passou a se interessar ainda mais pelo seu perfume. Ela voltou as suas atenções de novo para o Chanel Nº 5 em especial, ignorando muito satisfeita o fato de que vendera havia muito tempo a sua licença. Nos Estados Unidos, o perfume já estava ficando mais famoso do que a estilista. De repente, ela não estava preparada para somá-lo às suas perdas.

Os tribunais, entretanto, pensavam de outra forma. Durante os primeiros meses da Segunda Guerra Mundial, com outros processos ainda se arrastando, ela soube que o caso iniciado cinco anos antes para interromper a produção de cremes de beleza perfumados tinha favorecido os sócios da Les Parfums Chanel, cujo direito de produzir e comercializar o perfume foi reconfirmado legalmente.

Com esse frustrante revés no que se referia ao Chanel Nº 5 ainda fresco na sua cabeça, Coco Chanel fincou o pé com mais obstinação ainda. Ela estava morando no Hotel Ritz em 1940. A porta dos fundos dava para a rua Cambon – onde ela ainda mantinha suas vitrinas e escritórios. Naquela altura dos acontecimentos, Paris estava ocupada, e, se você fosse suficientemente rico, os quartos no Hotel Ritz não eram um jeito ruim de sobreviver à guerra numa cidade onde o cotidiano para muitas pessoas era uma série de pequenos e caprichosos horrores. Numa época em que milhares de pessoas estavam perdendo suas vidas, assim como suas fortunas, a famosa estilista ainda era uma mulher imensamente rica e tinha uma vida de relativo conforto.

Para muitos que viveram em Paris durante aqueles anos, foram os pequenos luxos da vida que ajudaram a tornar suportáveis aqueles horrores. Já havia aviltante escassez. O café fora substituído por chicória, e o chocolate desaparecera. Ambos se tornaram poderosos objetos de desejo. Talvez o único objeto mais cobiçado fosse o sofisticado perfume francês. Era a recordação de outros tempos. De quando tudo não era tão brutal e tão difícil, e ele era uma inebriante indulgência. No mercado negro, o seu valor era astronômico. Dentre todos os perfumes franceses na cidade, havia um mais famoso do que tudo. Às vezes, ainda era possível encontrá-lo. Chanel Nº 5. O perfume estava rapidamente se tornando, na situação aflitiva daqueles anos de guerra, um ícone cultural invencível.

13
À SOMBRA DO RITZ

As vendas do perfume com a marca de Coco Chanel, oainda incrível sucesso Chanel Nº 5, estavam explodindo. Para quem passasse pela sua butique na rua Cambon, a fonte da sua riqueza era logo óbvia. Durante a guerra, o primeiro piso da loja era um tesouro reluzente de vidros de perfume. Não demorou muito, e ali não se vendia outra coisa.

Lá, à sombra do Hotel Ritz, soldados faziam filas disciplinadas na calçada, esperando para comprar um vidro ou dois para alguém em casa ou, com mais frequência, uma francesinha bonita que, naqueles tempos de racionamento e privação, não tinha as vantagens de Coco Chanel. "A butique no primeiro andar", escreve um historiador, "ficava repleta de soldados alemães comprando o único item à venda – Chanel Nº 5. Quando os estoques se esgotavam, os *fritzes* pegavam os vidros da vitrine marcados com o C duplo entrelaçado e pagavam por eles. Era algo para levar para a *Fraülein*, de volta para casa, algo que provasse que eles estiveram em Paris." Generais alemães não esperavam na fila. Eles entravam na loja e compravam às braçadas. Coco disse a um amigo que isso era ridículo: "Durante a guerra, só podíamos vender cerca de vinte vidros de perfume por dia na Casa de Chanel. As pessoas formavam longas filas antes da hora de abrir, principalmente soldados alemães. Eu ria ao vê-las; pensava: 'Pobres idiotas, a maioria de vocês irá embora de mãos vazias.'" Vendido por todos os territórios do Terceiro Reich, inclusive na Alemanha, é claro, esse perfume singular era a razão que a permitiu esperar o fim da ocupação no luxo.

Para os sócios da Les Parfums Chanel, essa espera no Hotel Ritz não era uma opção. Os irmãos Wertheimer ainda possuíam 70% da empresa. Théophile Bader estava doente desde 1935 e os seus 20% haviam sido confiados à administração de seus genros, Raoul Meyer e Max Heilbronn. Embora de antigas famílias francesas, seus antecedentes eram judeus e eles sabiam que estavam correndo perigo. O clã Wertheimer percebeu, na primavera de 1940, nas semanas que antecederam a queda da França, que o exílio era a única proteção. No dia 13 de maio, quando as tropas alemãs atravessaram o rio Mosa e entraram em Paris, a família tomou a rápida decisão de fugir da França. Eles se reuniram na casa de Pierre Wertheimer na avenida Foch, 55, e partiram num comboio de cinco carros, dirigindo-se para o sul até Bordeaux. Dali, eles entraram de trem na Espanha, onde as fronteiras ainda estavam abertas para refugiados. Em seguida, a família partiu imediatamente para a América do Sul, aguardando apenas até que os vistos para entrar nos Estados Unidos pudessem ser processados. No dia 5 de agosto de 1940, depois de quase quatro meses de viagem e espera, os Wertheimer tinham chegado à cidade de Nova York. Meyer mais tarde conseguiu fugir para os territórios não ocupados. Heilbronn lutou pela resistência francesa e acabou sobrevivendo aos campos de concentração em Buchenwald.

Era uma janela estreita e, se a família Wertheimer não conseguisse fugir da França nos primeiros dias da ocupação, não haveria o Chanel Nº 5 como nós o conhecemos, porque foi durante a Segunda Guerra Mundial que esta fragrância passou de sucesso de vendas para se tornar um ícone cultural internacional. De Nova York, os sócios majoritários estavam decididos a continuar produzindo o Chanel Nº 5 e se dispuseram a deslumbrar mais uma vez o mercado americano. Apesar dos protestos e ressentimentos de

Coco Chanel, eles tinham todo o direito de fazer isso. A Les Parfums Chanel tinha sido, para todos os efeitos, negócio deles por quase vinte anos.

Agora em Nova York, os sócios precisavam encontrar um jeito de produzir a fragrância. Portanto, Pierre Wertheimer entrou em contato com um velho amigo, Arnold van Ameringen, que estava namorando uma mulher chamada Josephine Esther Lauter – mais conhecida no mundo como Estée Lauder. A fim de manter a Bourjois e a Les Parfums Chanel funcionando, a família precisaria de novas instalações nos Estados Unidos. Eles encontraram um lugar em Hoboken, Nova Jersey, mas havia apenas um grande problema. Eles precisavam de matéria bruta, especialmente as raras essências florais de Grasse que sempre fizeram parte do segredo de Chanel Nº 5. Se não andassem rápido – e estivessem dispostos a assumir uma série de jogos arriscados –, conseguir esses suprimentos ia ser impossível.

Eles imaginaram um plano ousado: mandariam alguém de volta para a França. O homem em quem confiavam chamava-se H. Gregory Thomas, nova-iorquino nato com diplomas em direito das universidades de Paris e Salamanca, na Espanha. Thomas tinha sido o presidente da casa de perfumes de Guerlain antes da guerra e ia se tornar o presidente da operação de fragrâncias da Chanel nos Estados Unidos. Em 1940, ainda com trinta e poucos anos, ele foi enviado numa missão secreta complicada. Com muita urgência, alguém precisava ajudar o filho de Pierre Wertheimer, Jacques, a escapar da França ocupada antes das deportações. Em seguida, Thomas foi encarregado de retirar a preciosa fórmula de Chanel Nº 5 dos escritórios da empresa em Paris, depois ir até Grasse comprar o máximo possível das essências botânicas raras das quais o perfume dependia. O preço não importava.

Sem os extratos florais de Grasse, os sócios na Les Parfums Chanel sabiam que não poderia haver Chanel Nº 5 – pelo menos não com a qualidade que o mundo esperava. Se Thomas tivesse falhado, talvez tivesse sido o fim do famoso perfume de Coco Chanel. Nunca esta celebrada fragrância correu tanto perigo. Conforme mudavam os tempos, os gostos mudavam com eles, e quinze anos já era muito para qualquer produto de luxo permanecer no auge da moda internacional. Mesmo para um perfume tão apreciado e familiar como o Chanel Nº 5, uma ausência prolongada do palco mundial teria sido um negócio muito arriscado. Era imperativo que se continuasse com a produção – e isso significava que eles precisavam de jasmim. Por incrível que pareça, Thomas conseguiu. Como os sócios da Les Parfum Chanel haviam agido com rapidez, eles seriam os únicos perfumistas durante a guerra a ter acesso a esses lendários e únicos materiais de Grasse – os aromas da essência do Chanel Nº 5.

O que era tão crucial nesses materiais específicos de Grasse? O que fazia com que valesse a pena alguém contrabandeá-los da França? Tudo remonta à fórmula original. Coco Chanel disse certa vez que, no Chanel Nº 5, ela queria um perfume que fosse artificial, algo composto – "como um vestido" – e não algo que fizesse as mulheres cheirarem como flores. Ironicamente, entretanto, são as flores que em grande parte deram fama a esse perfume. Parte do segredo da sua beleza são os óleos florais raros usados para criá-lo – o que Ernest Beaux chamou de "matéria-prima" – e especialmente os aromas de rosas e jasmins. Quando o Chanel Nº 5 foi lançado pela primeira vez, esses materiais eram usados por muitas das melhores fragrâncias na França e podiam ser obtidos em Grasse.

Ao longo de toda a década de 1920, de fato, a indústria de perfumes fez de Grasse um dos destinos turísticos mais populares no sul da França, e os visitantes enviavam para casa cartões postais mostrando a colheita de rosas e as *usines* espalhadas pela cidade – as suas fábricas de fragrâncias. O laboratório de Ernest Beaux estava entre as atrações de elite mais famosas da área. Quando Coco Chanel se pôs a estudar tudo que fosse possível sobre a produção de perfumes em 1918 e 1919, ela esteve em Grasse.

O vilarejo era o epicentro mundial da produção de fragrâncias e pesquisas, em grande parte resultado da espantosa qualidade dos materiais naturais do local. De fato, "em Grasse, onde todas as flores são chamadas por seus nomes próprios [em latim], o jasmim era conhecido simplesmente [na década de 1920] como 'a flor'", e vastas plantações eram dedicadas ao seu cultivo. O jasmim, em particular, era diferente de qualquer outra coisa no mundo. A Côte d'Azur é o limite extremo norte do clima natural para o jasmim, e existe um truísmo no mundo das substâncias aromáticas de que as flores assumem os aromas mais refinados nos lugares onde lutam para sobreviver. Aqui as plantas do jasmim crescem apenas até a metade da sua altura normal e têm proporções menores dos chamados indóis, que podem dar ao jasmim um odor físico intensamente doce. O resultado é uma flor que tem um cheiro mais sutil e menos opressor. Ele possui também uma nota distinta que cheira a chá.

Grasse era também sede de grandes plantações de uma variedade particular de rosa *heirloom*, a delicadamente floral *centifolia*. Com frequência chamada apenas de rosa de maio de Grasse, a *centifolia* é enxertada no rizoma da *indica major*, e, quando ela floresce no fim da primavera, o seu aroma é mais complexo do que o de qualquer outra espécie de rosa. Ambas eram os aromas da essência de Chanel Nº 5. Ernest Beaux estava simplesmente usando os melhores materiais.

Como seus amigos lembraram mais tarde, entretanto, Coco Chanel não passeou apenas pelos jardins de flores e plantações ao visitar Grasse. Ela também esteve nas fábricas onde materiais eram transformados nos elementos de um perfume. Quando Gregory Thomas negociou esses suprimentos de rosas e jasmins durante a guerra para a Les Parfums Chanel, ele também sabia que o que acontecia nos campos era apenas metade da equação. A qualidade de um perfume dependia do cuidado com que as flores eram processadas na destilaria. O resultado final do processamento era transformar milhões de flores em materiais que os perfumistas podiam usar – seja na forma cerosa "bruta" de essência de fragrância conhecida como um concreto ou o aroma altamente purificado de um absoluto.

Transformar pétalas de rosa e jasmim em perfume é um negócio delicado e trabalhoso, e isso era a outra coisa que fazia os materiais naturais de Grasse serem superiores em 1940. Como o mais importante centro da indústria de fragrâncias já havia quase um século, era aqui que muitas das grandes perfumarias da França tinham seus laboratórios de pesquisa. Em termos de inovação técnica, Grasse era o que havia de mais avançado, e o resultado era um nível de qualidade superior.

Foi a família Chiris quem iniciou, no fim do século XIX, o processo essencial que livrou Gregory Thomas de ser obrigado a levar de volta para os Estados Unidos sacos de pétalas de flor. Calor é o inimigo do aroma, e eles haviam desenvolvido um eficiente processo comercial para destilar materiais de fragrância baseados em plantas, usando solventes orgânicos a baixas temperaturas, que libertaram a indústria do laborioso processo alternativo chamado em francês de *enfleurage*, ou "enfloragem", no qual as flores eram pressionadas entre finas camas de substância graxa durante vários dias e semanas para extrair seus óleos essenciais. Na virada do século, "Louis Chiris havia montado a sua primeira oficina baseada na extração de solventes", tendo prudentemente já garantido "uma patente dessas técnicas e criado a primeira fábrica para utilizar substâncias químicas". Esta descoberta – junto com a daqueles novos materiais aromáticos sintéticos como os aldeídos – é responsável em boa parte por terem as primeiras décadas do século XX se tornado a "era dourada" da perfumaria. Pela primeira vez, foi possível obter concreto floral de excelente qualidade e absolutos em quantidades maiores e mais baratas.

Embora um absoluto seja a forma mais pura de essência floral, o que Gregory Thomas estava procurando comprar em 1940, prevendo uma guerra que poderia se arrastar, era o material menos refinado conhecido como concreto, um produto num estágio intermediário do processo de extração, no qual os aromas permaneciam misturados com substâncias graxas vegetais naturais. Mais tarde, em Nova York, o concreto podia ser transformado num absoluto ainda mais intenso quando as substâncias graxas fossem removidas. Havia uma grande vantagem aqui. Um concreto refinado poderia durar vários anos, talvez até meia década. Absolutos tinham de ser usados mais rapidamente.

Hoje, meio quilo de absoluto de jasmim custa mais de 36 mil dólares. Já era fabulosamente caro na década de 1930. A razão era a espantosa quantidade de flores necessária para fazê-lo. Quase 160 quilos de jasmim – mais de meio milhão de flores – dão meio quilo de concreto de jasmim e, em cada vidrinho de trinta mililitros de *parfum* Chanel Nº 5, estão a essência de mais de mil flores de jasmim e o buquê de uma dúzia de rosas. Para produzir Chanel Nº 5 durante a guerra, seria necessário pegar toda a matéria bruta possível. Os sócios da Les Parfums Chanel, compreendendo o que a escassez causaria à indústria de perfumes, estavam frenéticos para estocar reservas destas essências.

Apesar de todos os riscos – e ser preso por contrabandear estes ingredientes raros para fora da França era um risco muito real –, Gregory Thomas teve sucesso, retornando com centenas de quilos de concreto de rosa e jasmim dos melhores campos de Grasse. Ao fazer isso, pode-se com certeza dizer que ele quase sozinho salvou o Chanel Nº 5 durante a Segunda Guerra Mundial. Sem esses materiais, a produção nos Estados Unidos não teria sido possível. Ninguém sabia se os materiais estariam disponíveis nos próximos meses e anos.

Ao enviar Thomas nesse momento crítico, os sócios da Les Parfums Chanel haviam demonstrado um raro tipo de talento empresarial. Escreve um historiador:

Com uma grande capacidade de previsão, os irmãos Wertheimer mandaram pessoas à França para arrebanhar os estoques enquanto ainda era possível. Suas façanhas eram dignas de James Bond: era preciso mandar ouro para a França clandestinamente, os jasmins tinham de ser colhidos e levados para os Estados Unidos. Foram recebidos uns 317 quilos de jasmim, mais preciosos do que o seu peso em ouro.

Era a essência de mais de 350 milhões de flores de jasmim. Com os estoques na mão, a Les Parfums Chanel iniciou a produção durante a guerra numa fábrica em Nova Jersey e distribuiu com muito cuidado o precioso suprimento de essências florais francesas que em breve seria impossível obter. O mais importante era esse jasmim de Grasse, que continha naturalmente "oitenta tipos de aldeídos, [e era] único no mundo". Sem ele, o Chanel Nº 5 não teria sido o mesmo.

O ousado golpe dos sócios em Grasse significou que o Chanel Nº 5 estava prestes a se tornar ainda mais famoso. Decisivamente, era um dos poucos perfumes franceses lendários – e talvez o único – da década de 1930 ainda capaz de continuar a produção nos mais altos níveis de qualidade. Pelo menos, enquanto durasse aqueles suprimentos de jasmim. De onde veio o concreto para fazer o Chanel Nº 5 no final da guerra é outro daqueles torturantes enigmas. Aqueles 317 quilos eram o suficiente para produzir talvez 350 mil vidros pequenos do famoso *parfum*, e valores referentes às vendas continuam um segredo da empresa. Mas, dada a imensa fama do Chanel Nº 5 durante os seis anos da guerra, é difícil acreditar que os sócios vendessem menos de 60 mil vidros por ano. Isso significa, é claro, que os suprimentos de jasmim precisavam de algum modo ser reabastecidos. Talvez eles continuassem chegando daquelas plantações em Grasse. O mercado negro prosperava por toda a Europa ocupada, e a verdade é que se podia obter qualquer coisa se alguém estivesse disposto a pagar o suficiente por isso – e se arriscar muito.

Tudo o que sabemos com certeza é que as prodigiosas vendas desse perfume durante a década de 1940 dependeram, segundo alguém que conhecia Coco Chanel, de um simples fato: que "o Nº 5 [foi] provavelmente o único perfume cuja qualidade permaneceu a mesma durante toda a guerra". Isso, por sua vez, significava que o Chanel Nº 5 se tornaria, numa era de racionamento e improvisações, o símbolo máximo do luxo.

Garantido o futuro do Nº 5, pelo menos por enquanto, os sócios mostraram prudência nas finanças durante a guerra. Importar centenas de quilos de jasmim contrabandeados e abrir novas fábricas em Hoboken exigiam consideráveis recursos, e os sócios da Les Parfum Chanel sabiam que os recursos que tivessem deixado na França – em especial os bens imobiliários – quase certamente seriam confiscados. As despesas precisavam ser reduzidas. Um dos cortes que eles fizeram foi no orçamento para publicidade.

A campanha em grande escala que se iniciou em 1934 – a primeira campanha coordenada para apresentar o Chanel Nº 5 como *a* fragrância Chanel – foi reduzida no início da década de 1940. Mais uma vez, foi uma decisão que deixa os homens de marketing espantados. Não era a norma da indústria naquele momento. Anúncios de perfumes do período mostram que outros fabricantes de fragrâncias estavam anunciando agressivamente, e empresas como Yardley, Elizabeth Arden, Helena Rubinstein – e Coty – promoviam seus produtos intensamente durante a guerra. Somando-se à competição havia uma nova classe de entendidos concorrentes americanos. Pela primeira vez, fragrâncias finas estavam sendo produzidas nos Estados Unidos, que ainda eram o maior mercado de luxo do mundo.

Havia comentários no início da guerra de que os sócios estavam se preparando para lançar uma "vasta campanha de publicidade para mostrar o Nº 5". Em 1939 e 1940, *tinha* havido uma polvorosa de anúncios importantes. Em 1941, entretanto, tudo isso fora cortado drasticamente, e, nos arquivos de 1943 e 1944, não há registro de um só anúncio que seja. Talvez fosse porque os sócios da Les Parfums Chanel percebessem logo que isso não era necessário. Não houve quase nenhuma publicidade impressa. Mas, de 1940 a 1945, as vendas de perfumes nos Estados Unidos aumentaram dez vezes mais; de novo, sem muita publicidade paga, o Chanel Nº 5 prosperava. Isso porque os sócios da Les Parfums Chanel tiveram um segundo lampejo empreendedor surpreendente, que talvez tenha sido a razão para decidirem que derramar centenas de milhares de dólares em publicidade para promover o Chanel Nº 5 era supérfluo. Foi tão simples. Bonito, de verdade. Uma única ideia brilhante, mais do que tudo, transformou o Chanel Nº 5 de o perfume mais vendido no mundo em "maldito monumento cultural".

O novo plano dos sócios em Nova York era negociar a distribuição das fragrâncias por intermédio do exército dos Estados Unidos, de modo que seria vendido livre de impostos em armazéns militares no mundo todo durante a guerra, junto com outros produtos de luxo e suprimentos básicos.

Mas vender um produto de luxo por meio de cooperativas de abastecimento – conhecidas por uma geração de veteranos apenas como as "PX" – era uma estratégia potencialmente arriscada. As vendas nas cooperativas podiam facilmente ter destruído o prestígio do produto, porque os frascos de Chanel Nº 5 ficariam ali nas prateleiras junto com barras de chocolate e sabão em pó. Havia algo de mercadoria barata nisso.

No começo, entretanto, isso pode ter sido parte da atração para alguns dos sócios da Les Parfums Chanel. Théophile Bader, que ainda detinha uma participação importante de 20% da empresa, havia conquistado a sua imensa fortuna não com perfumaria, mas com as suas famosas Galeries Laffayette, uma das maiores lojas de departamentos da França. No início da década de 1930, ele liderava o caminho ao introduzir um modelo mais amplo na França com novas cadeias populares *prix-unique* como Monoprix e a agora esquecida Lanoma. O mundo das vendas ao consumidor estava mudando, e os sócios da Les Parfums Chanel não se intimidaram em adotar este novo modelo de inovação. Com a introdução de frascos pequenos e menos proibitivamente caros para levar na bolsa, eles vinham atingindo o consumidor de classe média desde o fim da década de 1920. Era a evolução natural de uma estratégia para fazer exatamente o que haviam prometido no começo: levar os perfumes Chanel a um mercado internacional mais amplo. Mas era arriscado. O estilo posto comercial da cooperativa não evocava a imagem de luxo e alta moda.

Os sócios da Les Parfums Chanel foram em frente assim mesmo. E, na década de 1940, eles mostraram que estavam certos. O marketing de massa do Chanel Nº 5 não destruiu o prestígio da fragrância. Pelo contrário, transformou o Chanel Nº 5 num símbolo de tudo que se perdera e de tudo que aqueles soldados e suas namoradas em casa, todas aquelas enfermeiras nas linhas de frente, ainda esperavam que pudesse ser salvo. Era parte de um mundo anterior à guerra, um mundo de glamour e beleza que, de algum modo, havia sobrevivido. Ele se tornou o símbolo máximo da França, parte daquilo por que todos estavam lutando. Numa história oral da Segunda Guerra Mundial, uma enfermeira americana que serviu na guerra lembrou que ele foi um dos poucos suvenires que ela havia levado para casa. "Eu não podia trazer muita coisa", ela disse. Mas havia uma coisa que ela considerava uma preciosidade: "Chanel, você sabe, o perfume."

No fim, o persistente sucesso do Nº 5 foi condição para de algum modo manter a qualidade do perfume, e isso dependia, como os sócios sabiam o tempo todo, dos raros materiais das plantas de Grasse. Ele continuou sendo um luxo mesmo enquanto todos os outros confortos desapareceram, e este status de luxo – de algo intocado por essa era de perdas – era parte da magia e do desejo. Foi esta ideia de tornar o perfume disponível por intermédio do exército dos Estados Unidos, entretanto, que catapultou a fragrância para um novo nível de fama cultural. Como o próprio perfume – um equilíbrio de florais sensuais e aldeídos recém-esfregados –, ele era a personificação de uma contradição essencial: algo logo familiar e exclusivamente luxuoso. Em outro momento, onde e como o Chanel Nº 5 era vendido talvez tivesse mais importância. De fato, com o tempo, isso seria crucial. Durante os caóticos anos da Segunda Guerra Mundial, entretanto, a qualidade vencia facilmente em qualquer lugar. Ninguém esperava encontrar butiques luxuosas e mostruários glamourosos numa zona de guerra.

Como seria muito caro manter a qualidade de Chanel Nº 5, os sócios precisavam levantar fundos para abrir essa nova fábrica e retomar a publicidade. Sua concorrente Estée Lauder, no início, até ajudou os irmãos – agora ocupados desenvolvendo a sua empresa americana satélite chamada Chanel, Inc. – a financiá-la.

Mais do que isso, os sócios iam precisar brigar para manter o controle da Les Parfums Chanel. Antes de fugirem da França na primavera de 1940, eles já haviam tomado sérias providências fazendo algo que demonstrou uma intuição ainda maior. Os sócios judeus da Les Parfums Chanel tinham vendido as suas ações para um ousado piloto e industrial chamado Félix Amiot. Desnecessário dizer, não tinham pedido permissão a Coco Chanel. Eles já estavam envolvidos numa guerra particular com ela havia meia década. E podiam imaginar muito bem até onde ela, em Paris, estava disposta a chegar.

14
COCO EM GUERRA

De volta a Paris, Coco Chanel estava se preparando para jogar um jogo sujo e violento de negócios e política. Decididamente em guerra com seus sócios exilados, ela viu uma oportunidade.

Sob as leis do Terceiro Reich, as propriedades dos judeus estavam sujeitas a confisco, e os seus sócios na Les Parfums Chanel eram judeus. Era a sua chance de quebrar o contrato que havia assinado cedendo os seus direitos ao controle do mercado de fragrâncias. De fato, era uma chance para assumir por completo a Les Parfums Chanel.

Ela poderia ter recorrido a essa tática a qualquer momento, mas foi a venda da Les Parfums Chanel, em outubro de 1940, que colocou Coco Chanel em ação. A posse de 70% das ações da empresa – a participação controladora, ela não podia deixar de notar – agora havia passado para as mãos de Félix Amiot, que era ao mesmo tempo francês e, o mais importante, ariano. Ela sabia que essa venda era apenas uma ilusão.

As forças de ocupação alemãs, junto com seus colaboradores administrativos franceses, suspeitavam de que fosse apenas uma ilusão também. Talvez houvesse boatos a respeito de enormes subornos que Félix Amiot supostamente pagava para azeitar as rodas desta transação em particular. Nos meses seguintes, houve uma investigação exaustiva, e estava tudo nos jornais. Amiot foi arrastado para interrogatório pela milícia política nazista, que o alertou sem meias palavras para aquilo de que todos desconfiavam: "Você comprou as perfumarias Bourjois e Chanel. Mas é apenas uma venda de conveniência. Os Wertheimers são seus amigos e associados. Você é o testa de ferro deles. Isso é ingênuo e perigoso para você."

Coco Chanel não podia resistir a aproveitar a oportunidade. No dia 5 de maio de 1942, ela escreveu uma carta endereçada ao administrador interino – o homem encarregado de determinar quem ficaria com a propriedade do negócio deixado por quem tivesse fugido da França. A Parfums Chanel, ela explicou, valia mais de quatro milhões de francos – mais de setenta milhões de dólares em números atuais – e "ainda é propriedade dos judeus". Havia sido, ela afirmava, legalmente "abandonada" pelos donos.

Ela sabia que fora abandonada nos termos dos estatutos, porque havia presidido, na ausência dos sócios, uma reunião de diretoria na Les Parfums Chanel, quando aprovou exatamente essa resolução. Ela tentou instalar um homem chamado George Madoux como diretor temporário da empresa. Ele havia trabalhado até 1931 como diretor comercial na Les Parfums Chanel e recentemente mantivera relações próximas com a casa de alta-costura de Coco. Agora, no seu papel como um agente do governo, Madoux fora encarregado de transferir a propriedade dos negócios judeus. Ele dependia dela financeiramente e, como de se esperar, a avaliação de que "a empresa de Parfums Chanel ainda é um negócio judeu" foi dele. Segundo um historiador, Coco Chanel e o administrador "tinham apreço um pelo outro".

Visto que a missão declarada do escritório do administrador era ceder propriedades desse tipo "a indivíduos arianos", ela estava escrevendo para pedir a total propriedade da empresa. "Eu tenho", ela escreveu, "um inegável direito de prioridade... os lucros que tenho recebido pelas minhas criações desde a fundação deste negócio... são desproporcionais... [e] você pode ajudar a reparar em parte o prejuízo que tenho sofrido ao longo destes últimos 17 anos." Ela ainda pensava em Pierre Wertheimer, em particular, como "aquele bandido que me ferrou".

O que Coco Chanel queria era que o governo da França ocupada anulasse a recente venda da empresa a outro ariano que não ela mesma. Mas os sócios da Les Parfums Chanel eram espertos e eram homens de negócios. Eles sabiam o que as leis da França queriam dizer durante a guerra, e, antecipando esta manobra antes que fosse tarde demais, tinham encontrado uma solução. Eles tinham vendido a empresa para Amiot antes de deixar a França, embora Coco Chanel não soubesse disso. Ele havia concordado em mantê-la para eles durante a guerra. Já em 1º de maio de 1940, "qualquer presença de Pierre e Paul [Wertheimer] no capital da companhia havia *oficialmente* desaparecido". A fim de datar retroativamente as transferências de ações que "tornariam inegável a compra da empresa", eles provavelmente tiveram de subornar oficiais alemães, mas conseguiram fazer isso.

Félix Amiot foi leal aos sócios da Les Parfums Chanel, mas também não foi um modelo de virtude. Como um historiador resume, a família Wertheimer

> comprou quase 50% de uma companhia de hélices de avião dirigida por um engenheiro francês (e ariano) chamado Félix Amiot. Quando Chanel os traiu, os Wertheimer cederam a Les Parfums Chanel para Amiot, um colaborador que vendia armas para os nazistas... Quando a guerra terminou, Amiot devolveu a companhia aos Wertheimer; ajudá-los "salvou o seu pescocinho" dos vingativos aliados, Alain Wertheimer contou a *Forbes*.

No fim, a venda sobreviveu. O investigador alemão, certo Herr Blanke, decidiu que a Les Parfums Chanel não podia ser considerada uma empresa judia. Coco Chanel havia perdido mais uma batalha contra seus sócios. O governo – incentivado por uma ou duas induções bem colocadas, quase certamente – manteve a nova propriedade da empresa, achando que "a empresa de perfumes Bourjois [da qual fazia parte a Les Parfums Chanel] havia passado para mãos arianas de forma legal e correta". Foi uma transferência datada dos primeiros meses de 1941. Mesmo assim, nem todos na França ocupada ficaram satisfeitos em dar a questão por encerrada. Em fevereiro de 1942, o caso foi reaberto e Félix Amiot foi mais uma vez submetido a um longo interrogatório. De fato, a sua posição durante toda a guerra deve ter sido precária. Ele pôde dirigir a Les Parfums Chanel e vender o Nº 5 durante todo o Terceiro Reich, apesar das suspeitas. Mas quem sabe o que exigiram dele. Talvez sem surpresa, esse foi o ano em que os perfumes Bourjois lançaram em Nova York uma nova fragrância: Courage. Fossem quais fossem os seus outros pecados, Amiot se mantivera fiel aos seus velhos amigos.

Coco Chanel havia tentado jogar sujo e, surpreendentemente, dado o modo como o baralho era manipulado durante aqueles anos, ainda assim perdeu. O incrível é não ter perdido muito mais do que isso, porque, com a guerra chegando ao fim no verão de 1944, a sua posição estava ficando cada vez mais frágil também.

Ninguém que viveu em Paris em 1944 se esqueceria de como esse verão terminou, no mínimo porque os habitantes da cidade ainda se lembravam dos anos desinibidos, encharcados de álcool, de antes da guerra, quando melindrosas dançavam o charleston até tarde da noite, mulheres fumavam cigarros e havia corridas de pileque pelas estradas sinuosas da Riviera Francesa. Estes anos – os anos 1920 – tinham ficado conhecidos como *les années folles* – os anos loucos – e eles pareciam tão cheios de promessas na época.

Tudo isso parecia um passado distante agora, porque os verdadeiros anos loucos foram as décadas seguintes. Primeiro foi a Grande Depressão, que havia temperado o hedonismo da década de 1920, e depois um segundo conflito mundial terrível que destruiu o mundo todo. Aqui, no último ano dessa guerra, Paris continuava ocupada, e a vida sob o governo nazista era cruel e imprevisível. Mas, nas casas noturnas, Édith Piaff ainda berrava suas canções de amor apaixonadas, os bordéis faziam negócios fabulosos e, no palaciano Hotel Ritz, na Place Vendôme, a festa continuava. Não importava o que mais acontecesse do outro lado das suas paredes, no Ritz ainda havia champanhe gelado até que tudo terminou.

Em agosto de 1944, a espera estava quase no fim. A libertação começou no dia 19 de agosto, dia do aniversário de 61 anos de Coco Chanel. Na semana anterior, houve rumores de que os aliados estavam avançando sobre Paris, e, temendo uma revolta da resistência local, os alemães recolheram e embarcaram milhares de ativistas franceses suspeitos no último comboio de trens, arrastando-se dos subúrbios industriais a oeste de Pantin para o campo de concentração em Buchenwald. Os trens partiram de não muito longe de algumas das fábricas mais famosas da cidade, entre elas, por coincidência, a Bourjois, onde o Chanel Nº 5 fora produzido durante décadas. Nos últimos dias da guerra, o genro de Théophile Bader, Max Heilbronn, estava em um deles. Foi uma cruel ironia: a Parfums Chanel era uma empresa que a sua família havia ajudado a fundar, mas, sob as leis da França ocupada pelos nazistas, ela não podia mais ser oficialmente deles para administrar. Sua *usine* deve ter sido uma das últimas coisas que ele viu naquele dia em Paris.

Enquanto isso, a batalha em Paris começava nas ruas, combatida pelos outros milhares de homens e mulheres da *Résistance* francesa, parte das Forças do Interior Francesas clandestinas – conhecidas coloquialmente como as FIF, ou "fifi". Durante cinco dias, Paris foi uma zona de guerra urbana. Finalmente, na cálida manhã de quinta-feira, 25 de agosto, o som dos tiroteios parou. No silêncio, os sinos da catedral de Notre Dame ecoaram sobre o Sena. Conforme os aliados ganhavam controle de um bairro após o outro, mais sinos distantes somavam-se ao coro. Em breve, todos sabiam que os alemães haviam se rendido.

Como aqueles que estavam em Paris naquela noite lembram, o que veio depois foi simplesmente a maior festa do mundo, e as francesas "pegavam os [soldados] nos braços, dançando, cantando, muitas vezes indo para a cama com eles... As relações sexuais eram tão disseminadas que um grupo católico divulgou depressa textos endereçados às jovens de Paris", implorando que lembrassem a sua virtude. Foi tudo em vão. Depois de anos vivendo numa cidade ocupada, comemorações comedidas não passavam pela cabeça das pessoas.

De fato, muitos dos habitantes da cidade haviam abandonado fazia tempo a discrição sexual. Apenas um em cada quatro residentes em Paris teve comida suficiente durante aqueles anos, mas ninguém podia racionar os prazeres mais simples da vida. Nas ruas da Paris ocupada durante toda a guerra, as francesas observavam enquanto soldados alemães seminus executavam ginástica calistênica diariamente nos parques da cidade, e, não era de espantar, houve dezenas de milhares de bebês de guerra. Algumas pessoas chamaram a ocupação não de anos loucos, mas de *les années érotiques* – os anos eróticos.

Ernest Hemingway sempre diria que ele estava entre os soldados que libertaram pessoalmente o bar no Hotel Ritz naquele dia de verão. Ele estava lá como correspondente de guerra, escrevendo para a revista *Collier's*, e, quando os sinos começaram a soar por toda a Paris, o que ele lembrou foi a vida de jovial abandono e muito álcool, quando ele e F. Scott Fitzgerald e uma geração de expatriados americanos imaginavam a cidade como seu parque de diversões. Naquele dia especialmente, ele quis comemorar com um coquetel no Ritz. Mas, quando ele chegou, os alemães já estavam em retirada, então ele deu vários tiros para o teto, libertou da sua prisão nas adegas várias boas garrafas de Bordeaux e abriu caminho até o bar, onde saudou seu velho amigo Bertin, o barman, cujos *dry martinis* eram famosos.

Do bar no Hotel Ritz, a vista para a rua Cambon, onde, no número 31, todos sabiam que podiam encontrar um dos pontos turísticos mais famosos da França: a butique top de linha de Coco Chanel. Naqueles dias impetuosos, conforme soldados choviam na capital e as tropas americanas libertavam Paris, "havia um suvenir da cidade que todos queriam. Um pracinha comum só precisava entrar numa perfumaria e erguer os cinco dedos da mão para comprar o clássico Chanel". Mais tarde, um jornalista britânico afirmou: "Não só ele era o único perfume francês de que o pracinha americano tinha ouvido falar, como era o único que ele sabia pronunciar." No fim da Primeira Guerra Mundial, o perfume francês tinha se tornado um suvenir, simbolizando vitória e elegância. No fim da Segunda Guerra, era simplesmente o Chanel Nº 5 o que todos queriam. Um ano depois, até o presidente americano, Harry S. Truman, foi procurar por ele. Numa carta para a mulher, Bess, escrita de Potsdam, na Alemanha, em 1945, ele disse que havia comprado para ela muitos belos suvenires – mas sentia muito não ter conseguido encontrar em lugar nenhum um vidro de Chanel Nº 5.

Nos meses seguintes, Coco descobriria por que o Chanel Nº 5 tinha se tornado algo que até uma primeira-dama americana cobiçava. A razão a deixaria furiosa. Naquela noite, entretanto, ela tinha outras coisas em que pensar. O Hotel Ritz, nos dias que se seguiram à libertação, foi um cenário de alegria, vinho e embriagada celebração. Embora ela morasse num andar superior, Coco Chanel não estava entre os foliões. Ela odiava a guerra e estava feliz por ela ter terminado. Ela amava a França e a sua cultura. Mas era também bém orgulhosa, e, como um bom número de outras mulheres em Paris, tinha motivos para estar um pouco preocupada.

Antes mesmo de terminarem as comemorações, *les épurations* – os expurgos – começaram, e, desde o início, foi uma espécie de selvagem e indiscriminada justiça pelas próprias mãos. Aqueles que haviam ajudado os alemães durante a ocupação eram atacados por turbas e, às vezes, sumariamente executados nas ruas. Naquelas semanas depois que a guerra acabou, vinte mil mulheres foram acusadas de "colaboração horizontal" – de terem dormido com o inimigo. Como castigo, suas cabeças foram raspadas, e suas carteiras de identidade, revisadas, para listar a ocupação delas como prostitutas. Elas foram obrigadas a caminhar descalças e, muitas vezes, nuas, pelas ruas de Paris, ultrajadas e ridicularizadas, com suásticas marcadas nas suas testas.

Falava-se à boca pequena que Christiane, a filha do velho amigo e agora arquirrival de Coco Chanel, François Coty, estava entre aquelas brutalizadas. Embora o neto de Coty, Henri, tivesse lutado pela resistência francesa e sido deportado para o campo em Buchenwald no fim da guerra pelos seus esforços, do que as pessoas se lembravam era da política do pai dela. Antes de morrer na década de 1930, François Coty havia comprado a maioria das ações de dois jornais, *L'Ami du Peuple* e *Le Figaro*, e ele usava ambos como púlpitos para seus princípios pró-fascistas e antissemíticos. Foram tempos árduos, e Christiane Coty foi apenas uma entre milhares visados.

Podia-se ver muito do que se passava das janelas do Hotel Ritz, e Coco Chanel, quisesse ela já acreditar nisso ou não, estava numa situação complicada. Christiane Coty fora humilhada com a justificativa apenas de ter socializado com oficiais alemães – o que era provável, visto que a mansão Coty na avenida Raphaël, em Paris, tinha sido requisitada como residência pessoal de um dos generais de Hitler, Hans von Boinenburg, durante a guerra.

Se Christiane Coty tinha parecido tolerante demais com os ocupantes, Coco Chanel se apaixonara por um deles, um senhor elegante e bem relacionado. Chamava-se Hans Günther von Dincklage e era um oficial alemão do regime fascista, e provavelmente um espião, e, é claro, também o companheiro de Coco Chanel durante a guerra. Alguns dizem que eles se conheceram por acaso no saguão do Hotel Ritz no verão de 1941, que já havia sido ocupado pelos alemães, e que o caso começara quando ela lhe pedira ajuda para providenciar a segurança de um dos seus sobrinhos. Outros insistem em que ela o conhecia havia anos e tinha sido sua amante antes de começar a guerra. Seja como for, ela gozava das boas graças dos alemães e o Chanel Nº 5 era vendido livremente em todo o Terceiro Reich.

Agora, depois da libertação, Coco Chanel não tinha ideia de onde Hans von Dincklage estava, e ela só conseguia pensar, nos dias que se seguiram, em pedir ajuda a um soldado alemão-americano. Ele era um pracinha jovem e ela supunha que o seu conhecimento da língua alemã talvez significasse que ele seria designado nos próximos dias para o serviço de inteligência e interrogatórios. Ela estava procurando alguém, um amigo, ela lhe disse. Se ele o encontrasse entre os prisioneiros de guerra, poderia fazer a gentileza de informá-la? O rapaz só precisaria lhe enviar um cartão-postal. Endereçado simplesmente a Coco Chanel, Hotel Ritz, Paris. Ele chegaria às suas mãos. Em agradecimento, ela fez a única coisa que pôde imaginar. Encheu a mochila dele com vidros de perfume Chanel Nº 5. Com isso, ele poderia comprar qualquer coisa nos mercados negros. Era o mesmo que lhe dar ouro e valia uma pequena fortuna.

Durante dias, Coco manteve-se discreta, e tudo estava tranquilo. Então, no início de setembro, veio a inevitável batida na porta do seu quarto no Ritz. Havia oficiais aguardando, agentes dos expurgos. Ela era, no idioma da época, uma suposta *collabo*, e eles pediam que ela os acompanhasse para interrogatório. Quando amigos a alertaram de que a ligação com Von Dincklage era perigosa, ela se negou a ouvir, indignada. A mãe dele, ela insistiu, era inglesa.

Se fosse um agente duplo, isso faria a diferença. O importante agora no final da guerra era que Von Dicklage era um alemão e um oficial. E daí que ele fosse alemão, ela insistia. Ela não via a importância disso. Na sua idade, ela anunciou com ironia, quando tinha a chance de ter um amante, ela não ia inspecionar o passaporte do homem. Sobre as tendências políticas dele, ela jamais comentou.

A possibilidade de ser obrigada a desfilar pelas ruas como uma colaboradora e prostituta era sinistra o bastante, mas Chanel estava de fato correndo um perigo muito maior. Ela havia feito mais durante aqueles anos do que simplesmente viver um romance com um oficial alemão na Paris ocupada pelos nazistas. Na primavera do ano anterior, em abril de 1943, quando corriam rumores de conversas entre a Alemanha e os aliados, ela tinha ido até Berlim com Von Dincklage e feito um jogo arriscadíssimo que ela considerava como diplomacia velada. Lá ela se encontrou com Theodore Mumm, um oficial da SS chamado Schiebe e Walter Friedrich Schellenberg – o poderoso oficial alemão mais conhecido na história por suas memórias da Alemanha nazista, escritas depois da sua prisão por crimes de guerra. Documentos secretos tornados públicos mostram que Coco voltou a Berlim outra vez em dezembro de 1943. Lembrando esses encontros, Mumm mais tarde declarou que ela possuía "uma gota do sangue de Joana D'Arc nas veias". Do ponto de vista de Coco, ela estava tentando ajudar a intermediar uma paz separada entre Alemanha e Grã-Bretanha. Com as emoções exaltadas em Paris, a viagem a Berlim durante a guerra talvez tenha parecido aos outros uma traição.

E até isso não era tudo. Tinha havido também naquela primavera uma feia complicação envolvendo a gestapo alemã e uma ex-funcionária de Coco, Vera Lombardi, uma inglesa com conexões com a família real Windsor. O marido de Vera era um coronel italiano agora em custódia fascista, e, pensando que ela ajudaria nessa situação, Coco Chanel fez alguns contatos alemães de alto nível e – segundo memorandos ultrassecretos trocados pelo governo dos Estados Unidos e o gabinete de Winston Churchill – exagerou intencionalmente a utilização do seu velho amigo pelo serviço secreto alemão. Coco pode ter visto isso como ajuda, mas, depois do seu interrogatório nas mãos da Gestapo, Vera viu as coisas sob uma luz bem diferente. Naquele verão, ela escreveu a Churchill, um amigo da família, protestando contra a traição de Coco.

Tudo isso parece ter causado muita confusão. E é difícil saber exatamente quem estava enganando quem. Vera talvez tivesse motivos suficientes para imaginar se não estaria sendo um peão num jogo maior. Ou talvez estivesse ela mesma envolvida em alguma feia "diplomacia" sigilosa. Os governos britânico e americano se indagavam a respeito disso e de sua possível simpatia pelo fascismo em alguns desses memorandos. De qualquer modo, a fim de estabelecer contato com Churchill, Coco imaginou que Vera ajudaria, e parece que, quando Vera se recusou, Von Dincklage talvez tenha sido quem teve a ideia de mandar prendê-la. Foi um desastre pessoal e diplomático.

Sem dúvida, isso era em parte o que aqueles oficiais na sua porta queriam perguntar a Coco nas semanas que se seguiram à libertação de Paris. Os governos britânico e dos Estados Unidos queriam ambos chegar ao fundo da questão também, mas o relatório final nunca foi mais do que ambíguo. A própria política de Vera, os americanos decidiram, era duvidosa. Mas ela tinha bons motivos para ficar zangada com a sua velha amiga Coco: "Madame Chanel", o relatório diz, "aparentemente instigou as facilidades especiais concedidas pela Gestapo alemã a madame Lombardi."

No fim, Coco Chanel foi interrogada e liberada. De fato, os oficiais dos expurgos receberam uma instrução extraordinária. Mademoiselle Chanel tinha de ser autorizada a partir imediatamente. Era uma ordem do mais alto escalão. Por muitos anos, houve duas versões contando como ela conseguiu ser liberada. Arquivos no

Ministério das Relações Exteriores britânico vieram acidentalmente a público por um breve intervalo, e quem os viu diz que eles sugerem que Coco Chanel sabia de perigosos e constrangedores segredos de Estado sobre a aristocrática colaboração britânica. Disseram que eram segredos sinistros sobre acordos políticos feitos pela família Windsor em particular. Alguns dizem que foi o próprio Winston Churchill quem negociou a liberdade de Chanel. Uma década depois, pessoas em Paris também especulavam que Churchill – vizinho de porta de Coco Chanel durante os verões na Riviera – havia mandado pessoalmente uma limusine com motorista pegá-la na delegacia de polícia, e o motorista seguiu direto para a fronteira suíça. Havia até uma história de que ele garantiu que Hans von Dincklage estivesse naquele carro junto com ela.

Na verdade, é tudo bastante provável. Naquele outono depois do fim da guerra, Churchill acompanhou atentamente a investigação sobre o imbróglio de Coco durante a guerra e, no fim, apesar das "circunstâncias suspeitas" – o seu encontro com líderes nazistas em Berlim e o fiasco de Vera Lombardi incluídos –, ele parece ter acreditado que ela não era uma colaboradora ativa.

A outra história de como Coco escapou do expurgo, entretanto, é quase tão espantosa quanto essa, e provavelmente existe algo de verdade nela. Nas palavras de um oficial da inteligência britânica servindo na divisão M16 notoriamente secreta do governo, Coco Chanel fez algo ainda mais engenhoso. Com o seu lendário senso de oportunidade, parece que ela havia concentrado as suas apostas totalmente nas primeiras horas dos expurgos. "Com um daqueles golpes simplíssimos que fizeram de Napoleão um general [sic] tão bem-sucedido", o agente anônimo relatou, "ela apenas colocou um cartaz na vitrine do seu empório dizendo que o perfume era de graça para os pracinhas, que, por conseguinte, fizeram fila para obter vidros do Chanel N° 5 e teriam ficado indignados se a polícia francesa tocasse num só fio de cabelo seu." Era uma época de fidelidades complicadíssimas – e desejos.

Depois da sua libertação do interrogatório, Coco teve o juízo de se proteger ainda mais. Ela construiu uma nova vida para si mesma no exílio suíço, onde, de um modo ou de outro, Hans von Dincklange – conhecido pelos amigos com o apelido de Spatz, ou "pardal" – juntou-se a ela. Ali, nos bancos suíços famosos por sua neutralidade, alguns dos seus lucros dos tempos de guerra com o Chanel Nº 5 foram depositados a salvo.

Apesar de a reputação pessoal de Coco Chanel no fim da guerra estar em frangalhos, o Chanel Nº 5 tinha se tornado, em menos de quatro ou cinco anos, um dos ícones mais potentes do século. Mais do que apenas um perfume popular e de grande êxito no mercado, ele se tornou, durante a Segunda Guerra Mundial, um poderoso símbolo cultural. Essa, afinal de contas, é a história por trás das palavras daquele oficial da inteligência britânica, e é o que a mochila daquele jovem pracinha alemão-americano também nos diz. É o que a carta de Harry S. Truman para Besse testemunha. Muito antes do fim da guerra, o Chanel Nº 5 era uma mercadoria que se podia trocar por qualquer coisa.

Considere como essa ironia ainda ecoa profundamente. O Chanel Nº 5 condensa algumas das tensões mais complexas do século passado. Ele era um perfume produzido e distribuído por uma sociedade de famílias judias vivendo como empresários refugiados na cidade de Nova York. Trazia o nome de uma estilista de moda aparentemente antissemita que viveu durante a guerra com um amante alemão e que tentou usar as leis da França ocupada pelos nazistas para privar seus sócios do investimento deles. Era um luxo cobiçado igualmente por oficiais fascistas e pracinhas americanos, e nenhum dos dois lados se preocupava muito com a história das suas origens, porque, de muitas maneiras, ele já havia se libertado do seu inventor. Ele era vendido em cooperativas do exército e por toda parte no mercado negro, e não perdeu nada do seu glamour e fascínio. Era tão valioso quanto ouro, uísque ou cigarros por toda a Europa e emergiu da guerra com uma nova identidade. Isso foi tudo em grande parte graças àqueles inúmeros jovens soldados de ambos os lados do conflito.

De fato, de todas as imagens que falam sobre o que o Chanel Nº 5 se tornou no fim da Segunda Guerra Mundial, a mais articulada é uma foto instantânea antiga. É uma fotografia em preto e branco, tirada dias depois da libertação de Paris. Nela, alguns daqueles rapazes, nos seus uniformes impecáveis, sorriam tímidos para a câmera. Eles estão esperando – como rapazes alemães, americanos e britânicos esperaram durante toda a guerra – numa longa fila numa calçada estreita da rua Cambon. O destino deles é a butique Chanel em Paris, e os soldados – em 1945, eles eram, claro, americanos – estão ali só para uma coisa: um vidro de Nº 5. Não tinha importância se não sabiam falar uma palavra de francês naquele verão. Bastava erguer cinco dedos. Ele sempre foi o perfume com o número famoso.

O que a fotografia diz é apenas isto: uma geração de consumidores associava ao perfume a essência de suas esperanças e desejos, o que lhe dava um significado intensamente pessoal. O Chanel Nº 5 tinha vida própria exatamente porque ocupava um lugar íntimo nas vidas das pessoas. Curiosamente, entretanto, a única pessoa a lutar contra uma conexão com o perfume era a mulher cuja identidade estivesse talvez mais inextricavelmente atada a ele. Apesar de tudo o que havia acontecido durante a guerra, ninguém prestava muita atenção ao que Coco Chanel estava fazendo porque o perfume que levava o seu nome havia se libertado dela. O que havia começado como algo profundamente pessoal se tornara um amplo ícone cultural que contava a história de milhões de pessoas. De uma

Soldados americanos em frente ao n⁰ 31 da rua Cambon, em 1945, para comprar o perfume Chanel N⁰ 5.

forma simbólica, assim como literal, não era mais da sua conta. Para Coco Chanel, esse foi um momento psicológico decisivo crucial. Reconhecer que o Chanel Nº 5 tinha uma vida própria não quis dizer, entretanto, que Coco Chanel deixasse de ver o seu conflito com os sócios na Les Parfums Chanel pelo lado pessoal. Coco se identificava profundamente com o perfume, e, em parte, ela o amava. Depois da guerra, porém, ela chegou a ver toda a situação como monstruosa. Ela agora compreendia que havia perdido o controle dele para sempre – e estava preparada para mudar a sua estratégia radicalmente. Ela talvez não tivesse o direito de administrar o produto, mas isso não significava que ela não pudesse prejudicá-lo. Era o único poder que lhe restava e, no início de 1945, ela estava furiosa e preparada para causar problemas sem fim.

15
COCO JOGA COM OS NÚMEROS

A sua esperança era promover a confusão em massa. Há rumores no mundo dos colecionadores de fragrâncias, com frequência, de que algo especial vai ser leiloado: um vidro de perfume Chanel *vintage* com uma vistosa etiqueta vermelha. Quase sempre é Chanel Nº 1. Às vezes, é um vidro de Chanel Nº 2 ou Nº 31. Todas as vezes os novos iniciados fazem a mesma pergunta: É autêntico? A resposta é sim, esses vidros são reais. E Coco Chanel estava por trás deles.

Do seu exílio na Suíça, Coco Chanel começou a planejar uma nova linha de perfumes assinados, vendidos provocantemente com nomes que eram números. Um aroma era uma réplica intencional da sua mundialmente famosa fórmula icônica. Era a fama do Chanel Nº 5 que ela estava querendo. Não apenas ela planejava lançar as suas próprias novas fórmulas, como também começou uma campanha de boatos entre seus amigos bem situados e os residentes da alta sociedade, divulgando a reputação da nova famosa fragrância. Seu objetivo: "criar total confusão entre seus clientes da alta-costura, seus amigos e os distribuidores do autêntico Chanel Nº 5."

Essa foi a única maneira, afinal de contas, que ela pôde imaginar para forçar os sócios na Les Parfums Chanel a renegociar. Ela ficou furiosa ao saber, tarde demais, que a *sua* fragrância assinada – o aroma da sua juventude, lembranças e história privada – havia sido produzida durante a guerra nos Estados Unidos.

Agora, parece espantoso que ela não tenha tido conhecimento disso, mas, por outro lado, durante a ocupação, o governo alemão havia encorajado a contínua produção de alguns artigos de luxo franceses como parte de um esforço para um efeito positivo na vida da França nazista. Joseph Goebbels, encarregado dos esforços de propaganda de Hitler, lançou uma diretriz: Paris seria "alegre e animada", repleta de arte, música e entretenimento. As casas de moda, em particular, permaneceriam abertas. Surpreendentemente, Coco Chanel foi um dos poucos estilistas que se recusou a cooperar.

Ela obviamente sabia que o Chanel Nº 5 estava à venda. Ela o vendia na sua butique na rua Cambon, supostamente de estoques fornecidos pela "nova" operação da Parfums Chanel, sob a diretoria de Félix Amiot. Durante o seu mandato, o Chanel Nº 5 foi legalmente vendido e distribuído em todos os territórios sob controle do Terceiro Reich e continuou um sucesso de vendas.

Ela sabia da existência de instalações para produção durante toda a guerra na Grã-Bretanha, mesmo depois que a fábrica Bourjois, na Queen's Way em Croydon, foi destruída num terrível ataque aéreo no verão de 1940. Ela sabia que a produção do seu perfume assinado continuava, embora em escala reduzida de guerra, em Pantin. Talvez a fábrica em Pantin até conseguisse obter os próprios suprimentos daquele jasmim raro de Grasse. Durante a guerra, a produção de artigos de luxo famosos era especialmente incentivada, por uma simples questão de prazer e propaganda. Afinal de contas, "depois da derrota da França", escreve um historiador, "a Alemanha recebeu um tamanho suprimento de artigos de luxo como ela não via havia anos. Soldados de licença em Paris e outras cidades francesas mandavam para casa meias de seda, perfumes, vinhos e roupas femininas de uma qualidade bem superior a qualquer coisa que a austeridade alemã havia produzido".

Coco Chanel soube da produção americana de Chanel Nº 5 pelos lucros. Quando os sócios retornaram à França depois da guerra para reclamar os seus direitos no negócio e retomar a produção, trouxeram também um suvenir para Coco Chanel: a caderneta de uma conta corrente num banco suíço, onde haviam depositado a parte dela nos lucros das vendas do perfume Chanel Nº 5 durante a guerra, distribuído dos Estados Unidos através da filial da empresa, Chanel Inc. Eram 15 mil dólares – valendo hoje um milhão de dólares.

Coco Chanel, agora vivendo em exílio com Hans von Dincklange, não ficou feliz. Não só o complexo arranjo entre a Les Parfums Chanel e a Chanel Inc. significava que, das vendas de Chanel Nº 5 nos Estados Unidos, ela recebera apenas 10% de um dividendo de 10%, como ela não sabia da produção americana do perfume. Esse fato em si a deixou furiosa. "É monstruoso", ela insistiu. "Eles o produziram em Hoboken!" Não fazia diferença para ela que os materiais tivessem vindo da França. Ou quem sabe ela nem acreditasse nisso.

Apesar das vendas fabulosas que isso gerou, Coco Chanel ficou horrorizada também ao saber que os sócios da Les Parfums Chanel tinham feito a distribuição através do exército dos Estados Unidos. Para ela, não parecia adequadamente exclusivo. O problema era a massificação: "De Miami a Anchorage, de Nápoles a Berlim, de Manila a Tóquio, ao lado de chocolate ao leite, cigarros e meias-calças, o Nº 5 atraía os pracinhas quando eles faziam suas compras livres de impostos nas cooperativas e lojas de departamentos do exército." Era o início do modelo de comércio duty-free que hoje sustenta as vendas de perfumes internacionalmente, e que fez de Coco Chanel uma mulher muito rica. Na sua guerra particular com os Wertheimer, entretanto, ela agora declarava: "Precisamos pegar em armas... E eu tenho algumas!"

As armas de que ela estava falando eram alguns novos perfumes. De início, ela ameaçou produzir um aroma chamado simplesmente de Mademoiselle Chanel Nº 5 e planejava lançar novas versões também dos aromas Bois des Îles (1926) e Cuir de Russie (1928), de Ernest Beaux, que ela colocaria no mercado com as palavras "Mademoiselle Chanel" simplesmente acrescentadas na frente. Seus advogados a alertaram de que isso era totalmente ilegal segundo os termos do seu contrato com a Les Parfums Chanel. Assim, em vez disso, ela produziu perfumes a que chamou de Mademoiselle Chanel Nº 1, Nº 2 e Nº 3.

Ela talvez tenha começado a produzir esses aromas Mademoiselle Chanel antes do fim da guerra. Diante da escassez de Chanel Nº 5 – meros vinte vidros por dia – e uma insaciável demanda entre os soldados alemães na Paris ocupada, qualquer empresário esperto teria começado a procurar meios de aumentar a sua linha de produtos. Por que não acrescentar novos perfumes Chanel aos que estavam em oferta na butique da rua Cambon?

Sob os termos do contrato com os sócios na Les Parfums Chanel, ela havia sempre se reservado o direito de vender outras fragrâncias de suas lojas: portanto, desde que não houvesse distribuição, era tecnicamente legal. Embora a produção de perfumes na França durante a guerra fosse difícil – e Félix Amiot não deve tê-la ajudado –, algumas das fábricas na Suíça continuaram a fabricar materiais para fragrâncias na década de 1940. Nos arredores de Zurique, por exemplo, no vilarejo de Dübendorf, uma pequena perfumaria chamada Chemische Fabrik Flora continuou aberta e produzia alguns dos mesmos materiais que eram usados no Chanel Nº 5. Se Coco Chanel trabalhava ou não diretamente com a Flora, ela esteve em contato com alguém da indústria de perfumes perto de Zurique, porque o seu direito de produzir a fragrância ali mais tarde se tornou motivo de discórdia.

De qualquer maneira, no outono de 1945, os perfumes Mademoiselle Chanel estavam à venda no seu elegante salão na rua Cambon. Um pracinha americano chamado Steven Summers comprou vidros dos perfumes com etiqueta vermelha – e do Chanel Nº 5 original – numa série de licenças de fim de semana em Paris. Eram presentes para a sua namorada em casa, e eram presentes relativamente caros também. Ele pagava cerca de cinco dólares por cada um – mais de sessenta dólares por vidro – dos frascos que ele relacionou indiscriminadamente apenas como Chanel Nº 5, Chanel Nº 22, Chanel Nº 1 e Chanel Nº 31.

O Mademoiselle Chanel Nº 31 era um dos preferidos de Coco Chanel e – rejeitando pela primeira vez o Chanel Nº 5 como seu aroma característico – tornou-se o perfume que ela reservava para seu uso pessoal. Esse aroma musgoso, verde, de jasmim e rosas, passou a ser, depois de algumas reformulações pelo perfumista Henri Robert, "o famoso Nº 19", batizado com a data do aniversário dela em agosto e lançado comercialmente pela Les Parfums Chanel pouco antes da sua morte no início da década de 1970. Ao cheirá-lo, Coco Chanel foi certa vez inspirada a observar: "Um perfume deve lhe dar um soco direto no nariz... Não vou ter de ficar cheirando durante três dias para ver se ele tem cheiro ou não. Ele tem de ter corpo, e o que dá corpo a um perfume é o que existe nele de mais caro." Ela queria dizer, é claro, as fortes doses daquelas substâncias florais caras e requintadas de Grasse, a essência dos seus perfumes.

Abandonar o Chanel Nº 5 como o seu aroma característico foi um momento crítico para a mulher que o criara. Ela precisava pensar em si mesma como livre dele, e ela havia encontrado um modo importante de sinalizar isso. O primeiro desses novos perfumes – Mademoiselle Chanel Nº 1 – foi um ataque direto ao Chanel Nº 5. Ela se gabava de que ele era o aroma de Chanel Nº 5 – "mas ainda melhor".

Coco Chanel sabia perfeitamente bem que distribuir esses perfumes com rótulo vermelho – mesmo sem o número cinco neles – era ilegal. Os termos do contrato de 1924 haviam estipulado claramente que ela se reservava o direito de vender perfumes com seu nome nas suas butiques apenas. Ela podia mandar fazer esses aromas privadamente, mas era a única pessoa que podia usá-los. Isso significava que não fazia sentido em fazer propaganda, pelo menos não da maneira normal. Se o único lugar onde ela estava livre para vender esses novos aromas era na sua butique em Paris, então ela não ia conseguir causar o alvoroço que desejava. E, em 1945, ela estava definitivamente procurando levar as questões com os sócios da Les Parfums Chanel a uma crise.

A outra opção, é claro, era simples. Ela podia distribuir novos aromas de rótulo vermelho a despeito do seu contrato com Les Parfums Chanel. Que eles a processassem, ela pensou. Ela aceitava com prazer a publicidade. De fato, Coco Chanel estava contando com o fato de que, mesmo perdendo o inevitável processo, ela seria capaz de causar danos imensos à reputação do perfume. Vender a sua coleção de fragrâncias Mademoiselle era apenas um objetivo secundário em tudo isso. A sua primeira preocupação era abalar o Chanel Nº 5 e os sócios da Les Parfums Chanel, com a intenção de obrigá-los a rever os termos desse contrato.

O ataque começou em uma tarde no escritório de René de Chambrun, quando ela chegou com uma coleção de vidros e o informou de que eles eram para Madame de Chambrun. Lembrando o sucesso do seu lançamento baseado em boatos sobre o Chanel Nº 5, na sua casa de moda em 1922, ela queria saber o que a sua elegante mulher, Josée, pensava deles. Ela planejava começar criando um burburinho na alta sociedade sobre os novos perfumes de Coco Chanel, e ela diria a todos que o Chanel Nº 5 era de má qualidade e que estas eram as melhores fragrâncias Chanel, mais autênticas. Ela também planejava iniciar uma distribuição internacional.

Sabendo que alguma coisa estava para acontecer, a primeira reação de Chambrun foi telefonar para um químico russo anônimo e perfumista da Coty para descobrir o que Coco Chanel estava pretendendo. "Quando ele entrou", o advogado lembrou, "eu lhe mostrei as amostras. Ele cheirou e entrou em transe; dominado pela emoção, ele gritou: 'Fabuloso! Maravilha das maravilhas! É o Chanel Nº 5, porém melhor ainda!'" Coco Chanel ficou feliz com a confirmação – e em aumentar o preço de acordo.

Ela queria mandar fazer os perfumes na Suíça e planejava vendê-los na sua butique em Paris. Ela também pretendia vendê-los nos Estados Unidos. Não era legal, mas ela não estava muito preocupada com isso. Ela considerava que os sócios da Les Parfums Chanel já haviam invalidado os termos iniciais do contrato. Havia também uma cláusula garantindo que apenas os perfumes que ela considerasse suficientemente luxuosos poderiam ser vendidos com o seu nome e, embora o Chanel Nº 5 fosse, de fato, um dos raros perfumes franceses que conseguira manter a sua qualidade durante aqueles anos, graças em parte à precaução dos sócios ao estocarem materiais de Grasse, isso não era certamente o que ela pensava sobre a produção deles durante a guerra numa fábrica em Nova Jersey. No que lhe dizia respeito, todo o acordo teria de ser renegociado. Obviamente, ela esperava que fosse a seu favor, e esses novos perfumes eram um modo de forçar os sócios a mostrarem o seu jogo. Essencialmente, eles teriam de pagar para impedi-la de prejudicar a reputação do Chanel Nº 5.

O que Coco Chanel planejava fazer era destruir totalmente a capacidade da Les Parfums Chanel de comercializar o Chanel Nº 5. O objetivo dela era criar o máximo de incerteza possível na mente do consumidor, e, se isso significasse manchar a reputação do Chanel Nº 5, ela não hesitaria. De fato, ela queria que todos soubessem que Mademoiselle não estava contente com a qualidade da *sua* fragrância que estava sendo produzida pelos distribuidores e que ela recomendava que ninguém a comprasse. Em vez disso, ela as estava produzindo, para os clientes mais exigentes.

Para espalhar a notícia, ela começou a trabalhar seus antigos contatos em Nova York – todos aqueles amigos que ela havia feito na loja de departamentos e nas indústrias de fragrâncias durante a sua viagem aos Estados Unidos na década de 1930. Ela tinha amigos na Saks Fifth Avenue; ela conhecia gente como o seu velho amigo Stanley Marcus, o gênio empresarial por trás de Neiman Marcus. Esses eram os tipos de homens que dirigiam negócios onde as vendas após a guerra estavam prosperando. Ela havia começado com as Galleries Lafayette e sabia como o jogo era feito. Ela enviou para lá carregamentos de perfumes com rótulos vermelhos, e os aromas foram rapidamente distribuídos e vendidos. Mas assim que os sócios da Les Parfums Chanel souberam o que ela estava pretendendo, mandaram confiscar as fragrâncias quando chegassem aos portos. Então, ela começou a enviar "amostras grátis" a todos os seus contatos nas empresas de Nova York.

Ela também protocolou um processo, que foi coberto pelos jornais do mundo inteiro. O *New York Times* do dia 3 de junho de 1946 noticiou: "O processo pede que a sede da empresa na França [Les Parfums Chanel] seja obrigada a interromper a produção e venda de todos os produtos portando o nome e a lhe devolver a propriedade e direitos exclusivos sobre os produtos, fórmulas e processo de manufatura" com base na "qualidade inferior". Em jogo, o jornalista observava, dizem estarem as vendas anuais de mais de oito milhões de dólares – 240 milhões de dólares hoje. Foi um pesadelo de marketing. Aqui estava uma mulher que todos consideravam – contratos legais e acordos de negócios à parte – como a força criativa por trás do Chanel Nº 5, dizendo que o perfume era de qualidade inferior. Não havia uma interpretação positiva.

A estratégia dela foi extraordinariamente eficaz, mas só porque ela estava atacando publicamente a qualidade do Chanel Nº 5, e não porque alguém imaginasse que essas fragrâncias de rótulo vermelho fossem competir com o original. Coco Chanel certamente não tinha os recursos e a perícia para competir com a Bourjois, que tinha sido durante muito tempo uma das maiores perfumarias do mundo.

Mas o lançamento de um "super Chanel Nº 5" estava destinado a causar alvoroço, e uma nova versão poderia facilmente ter gerado algum sério interesse. O Nº 5 era um aroma que exercia um grande fascínio para muitos. O relacionamento entre o Chanel Nº 5 e o Mademoiselle Chanel Nº 1, entretanto, era complicado. Coco Chanel sabia que o seu novo Nº 1 era um "super Chanel Nº 5" por uma simples razão. Ela havia convencido alguém com acesso à fórmula do antigo Rallet Nº 1 para criá-lo.

Quem foi esse perfumista trapaceiro? Várias fontes especulam que deve ter sido Ernest Beaux. Como artistas ou músicos, os perfumistas deixam silenciosas assinaturas numa fórmula, e muitos especialistas em fragrâncias acreditam que as semelhanças entre o Mademoiselle Chanel Nº 1 e o Chanel Nº 5 são simplesmente íntimas demais para ser obra de outra pessoa. A sede da Chanel em Paris tem certeza, entretanto, de que quem quer que tenha sido essa pessoa, simplesmente não foi o perfumista deles. É justo também: Ernest Beaux trabalhava para a Les Parfums Chanel e para a Bourjois como o "nariz" chefe e, por mais que respeitasse Coco Chanel pelo seu conhecimento, a sua fidelidade deveria ter sido para com a empresa cuja linha de fragrâncias inteira ele administrava – porque a Bourjois continuava sendo uma das grandes potências na indústria. Gilberte Beaux, nora de Ernest, tem igualmente certeza de que ele não foi o nariz por trás dessas fragrâncias, e a sua observação também é boa. Ela lembra muito bem, diz, que Ernest Beaux sempre se orgulhou da sua criação do Chanel Nº 5 durante os anos em que o conheceu. Ele jamais teria feito qualquer coisa para prejudicar a reputação do aroma que considerava a sua obra-prima. E abalar o Chanel Nº 5 sempre fez parte da ameaça de Coco por trás daqueles processos e dos perfumes de rótulo vermelho.

Em meados dos anos 40, entretanto, apenas um punhado de pessoas podia ter criado o Mademoiselle Chanel Nº 1. A análise química comparando a fragrância com o aroma original de Ernest Beaux, Rallet Nº 1, é muito honesta. Alguém definitivamente voltou à fórmula antiga – uma fórmula que havia sido usada para criar pelo menos outro "super Chanel Nº 5" – L'Aimant de Coty. Embora mais moderno do que o original Rallet Nº 1, o conceito de Mademoiselle Chanel Nº 1 era idêntico, com a mesma essência floral de jasmim, rosa de maio e lírio-do-vale. Em vez dos estonteantes aldeídos, entretanto, ele tinha uma overdose das notas exuberantes poeirentas de lírio-florentino sintético – pó de raiz de íris.

Onde estava Ernest Beaux durante a Segunda Guerra Mundial? Essa é a pergunta que deixa os curiosos historiadores dos perfumes pensativos. O seu amigo Léon Givaudan – um dos grandes inovadores na ciência da química das fragrâncias da história – estava baseado em Zurique, lar de Coco Chanel depois da guerra, quando ela estava cheia de planos para aqueles rótulos vermelhos. De fato, ela já estava mandando produzir perfumes ali. Essa coincidência deu origem a muitas especulações. Mas Gilberte Beaux diz que a resposta para essa pergunta é simples: Ernest passou a guerra com a filha e a mulher no sul da França, em Vendée – uma parte do país que permaneceu território não ocupado.

O outro candidato óbvio é um homem chamado Vincent Roubert – ou alguém do seu laboratório. Ele havia criado, em 1946, uma das grandes fragrâncias de íris florentino da história, o há muito tempo descontinuado e muito lamentado Iris Gris. Visto que Roubert, perfumista chefe da Coty, também havia criado o L'Aimant, ele teria sido um dos outros poucos homens capazes de criar uma fragrância como Mademoiselle Chanel Nº 1. Os especialistas dizem, entretanto, que o aroma simplesmente não traz a sua assinatura. Gilberte Beaux sugere outra possibilidade. Aqueles anos foram difíceis e complicados. Não é impossível que a fórmula para o Chanel Nº 5 tenha entrado em circulação. O mistério que cerca o nome do criador dos perfumes de rótulo vermelho de Coco Chanel nunca foi solucionado de forma conclusiva, mas é difícil imaginar que Ernest Beaux estivesse disposto a participar de um plano que arruinava o prestígio de uma realização tratada com tanto carinho. Seja lá quem for o seu criador, o Mademoiselle Chanel Nº 1 era um aroma que conquistou muitos admiradores.

O curioso é que, em 1946, o Mademoiselle Chanel Nº 1 não era a única versão do Chanel Nº 5 no mercado. Seu precursor, Rallet Nº 1, ainda era produzido no fim da década de 1940. Coty estava produzindo L'Aimant, o aroma baseado em alguma versão da fórmula original de Ernest Beaux, encontrada nos arquivos quando a firma Coty adquiriu Rallet na década de 1920. Havia também, se a lenda é verdadeira, Liù, de Guerlain, desenvolvido em 1929 quando o famoso perfumista Jacques Guerlain ficou mortificado ao saber que sua mulher estava usando o Chanel Nº 5. E mais, a Les Parfums Chanel ainda vendia o seu Chanel Nº 22, essa variação intensamente aldeídica do tema Nº 5. Agora, com o Mademoiselle Chanel Nº 1, Coco Chanel tinha simplesmente apresentado outra opção – o sexto aroma como o Nº 5.

No fim de 1945 e início de 1946, os sócios da Les Parfums Chanel introduziram uma sétima versão do aroma. Conhecido como Chanel Nº 46, ele foi lançado durante aquele ano emblemático de comemorações pela vitória. Estava parecendo muito com um retorno à velha estratégia de proliferação de opções de fragrâncias na linha numerada dos Parfums Chanel. Desta vez, entretanto, havia outras complicações a considerar. Talvez fosse uma esperta operação para compensar o comportamento de Coco Chanel durante a guerra. Ninguém sabia muito bem como o público se sentiria a respeito do Chanel Nº 5 à luz das tendências políticas de Coco Chanel e da sua escolha, mesmo agora, de pares românticos alemães. Para quem quisesse o aroma do perfume mais famoso do mundo, o Chanel Nº 46 era a nova opção pós-guerra. Entre todas as variantes, era mais um aroma que imitava Chanel Nº 5 com muita precisão. No fim, entretanto, ele teve uma breve existência. Nenhuma dessas fragrâncias era, é claro, uma réplica exata de Chanel Nº 5. Cada perfumista havia pegado o conceito e trabalhado para melhorá-lo e reimaginá-lo. Mesmo com o Chanel Nº 46, houve modificações significativas. Mas, se tivessem sido imitações, não teria tido muita importância. O que todas essas novas versões do Chanel Nº 5 atestam é a enorme celebridade do produto original. No fim da Segunda Guerra Mundial, o Chanel Nº 5 não era mais apenas um perfume. Era um ícone cultural, rico em significado e simbolismo que tinha pouco a ver com o aroma em si ou com a mulher que havia tido a inspiração de produzi-lo.

Os sócios da Les Parfums Chanel não estavam preocupados, na época, com a possibilidade de os perfumes com rótulos vermelhos competirem com o Chanel Nº 5. O que os preocupava era Coco Chanel estar destruindo o prestígio do nome. Parte dessa preocupação era com o prejuízo que ela causaria despertando dúvidas quanto a sua qualidade. Mas o que mais os incomodava, dizia-se, era o dano que ela podia causar ao próprio nome Chanel se a sua história durante a guerra fosse revelada à imprensa internacional. Disse o seu amigo e biógrafo Marcel Haedrich: "Se as pessoas fossem levar a sério as poucas declarações que Mademoiselle Chanel se permitiu fazer sobre aqueles anos sombrios da ocupação, ficariam arrepiadas."

Era fácil demais imaginar Coco Chanel tornando-se infame. Seria bem melhor para todos que ela apenas se aposentasse calmamente. A revista *Forbes* noticiou mais tarde que a preocupação de Pierre Wertheimer era como "uma luta legal podia esclarecer as atividades de Coco Chanel durante a guerra e destruir a sua imagem – e o seu negócio". No fim da década de 1950, até Coco Chanel percebeu que seria mais sensato deixar passar a guerra em silêncio, e dizem que ela pagou a Walter Schellenberg, um dos principais agentes na fracassada missão diplomática em Berlim, para suprimir qualquer menção a seu respeito nas suas memórias do cárcere. Para Coco, entretanto, o que o Chanel Nº 5 representava tornava difícil o desapegar-se emocionalmente do aroma. A perda do controle da fragrância evocava de uma forma muito visceral a dor e o desejo emaranhado com todas aquelas perdas anteriores. O que ela precisava era sentir que havia vencido toda uma série de demônios, e o Chanel Nº 5 era um símbolo de todos eles.

Em 1946, ambos os lados estavam se processando mutuamente nos tribunais dos dois continentes, com casos em Nova York, Londres e Paris em inexorável andamento. Os sócios da Les Parfums Chanel cederam primeiro. Eles decidiram que era melhor fazer as pazes, quase que a qualquer custo. No início de maio de 1947, o advogado da Les Parfums Chanel, Claude Lewy, deu um telefonema transatlântico de Nova York para Paris. "Pierre [Wertheimer]", ele disse ao advogado de Coco Chanel, "está aqui ao meu lado. Ele está disposto a viajar comigo. Podemos começar encontrando-o no sábado, dia 17, de tarde. Jantaremos juntos. Ele quer de todo coração concluir uma paz total e definitiva com Coco." No dia 17 de maio, eles se encontraram num escritório na Champs Elysées, mas, até a hora do jantar, nada fora decidido. As negociações se estenderam noite adentro. Depois de uma conferência épica de oito horas, durante a qual Coco Chanel continuava insistente, foi assinado um tratado de paz numa das maiores batalhas empresariais do século.

No fim da reunião, como Coco Chanel queria, eles haviam renegociado o contrato. Ela teria o direito de vender a sua nova linha de perfumes na Suíça, onde agora estava vivendo. Mas não era isso que importava na verdade. O importante era o acordo. Os sócios da Les Parfums Chanel dariam a Coco Chanel 350 mil dólares – uma soma equivalente em valores atuais a quase nove milhões de dólares – como pagamento pelas vendas do Chanel Nº 5 durante a guerra, e no futuro não apenas os 10% dos lucros mas 2% das *vendas* do produto no mundo inteiro, um enorme aumento na sua renda. Em troca, ela concordou em não usar o número cinco em nenhum dos seus marketings. A sua renda anual estimada seria de mais de um milhão de dólares – equivalente hoje a 25 milhões de dólares por ano, usando estimativas conservadoras. Antes que a tinta secasse, ela havia se tornado, aos sessenta e cinco anos de idade, uma das mulheres mais ricas do mundo.

Livre do perfume que levava a sua marca, sem uma casa de moda e vivendo numa espécie de semiexílio entre Zurique e Paris como uma versão de amante mimada, Coco Chanel agora se tornara, no mundo da moda e das fragrâncias durante os últimos anos da década de 1940, de certo modo uma presença fantasmagórica. O Chanel Nº 5, entretanto, ainda estava vivendo em grande estilo.

PARTE III
A VIDA DE UM ÍCONE

16
UM ÍCONE DOS ANOS 50

Durante o inverno de 1947, não era Paris que estava ocupada, mas Berlim, quando os aliados assumiam o controle administrativo da cidade que Coco Chanel visitara discretamente nos últimos dias da Segunda Guerra Mundial, na sua infeliz missão diplomática. Agora, o presidente Truman não teria tido a mesma dificuldade para encontrar um vidro de Chanel Nº 5 como suvenir para Bess.

Um dos entretenimentos populares em Berlim nesse ano é evidência de como o Chanel Nº 5 havia ficado famoso – de como esse perfume havia se tornado um poderoso e realmente internacional ícone cultural. O aroma com a assinatura Chanel tinha muitos admiradores na Alemanha. O Chanel Nº 5 era também parte do que os americanos na cidade estavam celebrando. As melodias que os pracinhas cantavam naquele inverno eram as de uma ópera-cômica ligeira do tipo "garoto-conhece-garotas" chamada *Chanel Nº 5*. "Nós conhecemos as damas", dizia uma das melodias fáceis de lembrar,

"[as de cabelos] louros e preto-azulados, as grandes e as esguias. Elas adoram os vidros com os nomes ressonantes: l'Arpege, Schiaparelli, Mitsouko, Scandal. Elas escolhem os aromas que combinam com o seu tipo, os aromas de Coty, Lanvin, Houbigant e Von Weill; o efeito é como o de veneno dissimulado e custa a muitos homens a sua sanidade. O homem mais violento vira um cordeirinho, o manso enlouquece, tudo por causa do perfume de uma mulher. Quando uma bela mulher passa, o aroma do perfume a segue. E todos os homens nas proximidades se perguntam: Foi Chanel, foi Guerlain?... Madame sem *quelques fleurs* seria como uma flor sem cheiro. Quando uma bela mulher passa, seu perfume discretamente fala por ela: *Non, non, monsieur! Peut-être, mon ami! Oui, oui, mon chéri!* [Não, não, senhor! Talvez, meu caro! Sim, sim, meu querido!]"

Para os homens que haviam servido na França e feito fila nas ruas para encontrar vidros de uma fragrância preferida depois da libertação, uma melodia sobre perfumes era divertida e contemporânea. O fascinante nessa longa lista de aromas populares é o fato de o Chanel Nº 5 ser o símbolo de todos eles: as damas podiam querer Mitsouko e Scandal, mas o título da ópera era o perfume característico de Coco Chanel. Na capa da partitura, o que todos viam era um vidro enorme de Chanel Nº 5 e uma mulher sensual ao lado. Não eram apenas os pracinhas americanos que gostavam dele. Ele tinha sido um favorito das tropas alemãs em Paris, também. A fragrância cruzara todas aquelas complicadas fronteiras durante a década de 1940.

No fim dos anos 40, Coco Chanel também estava atravessando fronteiras de novo e viajando entre a França e a Suíça, e, no final, o seu relacionamento com Von Dincklange parece ter simplesmente fracassado. Em 1950, ela estava de novo sozinha, e 1953 a encontrou de volta a Paris para sempre e insatisfeita. Seus pecados durante a guerra, uma década depois, estavam em grande parte esquecidos, mas o mundo da moda também a esquecera. Afinal de contas, a sua casa de alta-costura ficara quinze anos fechada. Todos se lembravam apenas do Chanel Nº 5, e, no seu segundo acordo com os sócios da Les Parfums Chanel, parecia que ela havia desistido daquela parte do seu passado. O seu relacionamento com Pierre Wertheimer, entretanto, ainda era muito complicado, e Renée de Chambrun acreditava que ele "se baseava na paixão de um homem de negócios por uma mulher que se sentia explorada por ele". Em meados da década de 1950, ele lembrou que "Pierre retornou a Paris cheio de orgulho e entusiasmo [depois que um de seus cavalos venceu o Derby inglês]... Ele correu para Coco Chanel, esperando elogios e congratulações. Mas ela se recusou a beijá-lo. Ela ficou ressentida com ele, veja você, a vida inteira". Para quem conhecia Coco Chanel, entretanto, o relacionamento que construiu com ele se parecia muito com os relacionamentos que ela havia vivido nos seus vinte anos.

O Chanel Nº 5 estava acabado para ela. Tendo desistido até de um papel minoritário na empresa cujo controle ela havia lutado para recuperar nas longas décadas de 1920, 1930 e 1940, ela não tinha certeza de estar pronta para romper totalmente com o perfume. Uma tarde, num café, ela propôs a Pierre Wertheimer que talvez eles devessem lançar uma nova fragrância, e ela teria um papel na sua criação. "Pierre", ela disse, "vamos lançar um novo perfume." "Um novo perfume", ele retrucou, "por quê?" Esquecendo convenientemente as suas incursões pelas fragrâncias de rótulos vermelhos, Coco respondeu que não havia criado uma nova desde 1924. "Nem pense nisso", foi a resposta de Wertheimer. "É arriscado demais. Lançar um novo perfume agora exigiria um enorme investimento em publicidade. E para quê? Pode-se viver de Nº 5. Os americanos não querem uma novidade. Eles querem o Nº 5." Qualquer coisa que eles lançassem, ele explicou para ela, só competiria com as vendas do Chanel Nº 5, e esse aroma, ele lembrou, era a razão de ela estar vivendo no luxo, com dinheiro no banco. Finalmente – depois de décadas com a empresa criando a sua própria concorrência – só interessava o Chanel Nº 5.

Lá pelo fim de 1953 e início de 1954, Coco Chanel e Pierre Wertheimer se decidiram por um acordo diferente. Ela reabriria a sua casa de moda, e ele pagaria por tudo que estivesse associado com esse empreendimento. Havia uma última coisa também. No novo acordo, ela abria mão do direito de usar o seu próprio nome em troca de uma enorme renda mensal proporcionada por ele. Com a morte do irmão e a decisão de comprar os interesses da família Bader no fim da década de 1940, ele era agora o único sócio que restara na Les Parfums Chanel. Ele pagaria todas as contas dela – tudo, desde o aluguel no Hotel Ritz até o custo dos seus selos de correio. Mais tarde, ofendida por ser taxada segundo a lei francesa como "solteirona", ela até insistiria para que Pierre pagasse os seus impostos. Ao desistir do Chanel Nº 5 pela segunda vez, ela estava desistindo ainda mais fundamentalmente dos direitos a sua persona e a sua identidade pública.

Era um aroma que nascera do seu conflitante relacionamento com a sua sexualidade e a sua história como amante de um homem rico. Curiosamente, o que a deixou feliz no fim foi algo que parecia muito com o ser, de novo, uma mulher sustentada. Talvez isso tivesse sido parte do longo conflito entre eles.

Como seu amigo Edmonde Charles-Roux conjecturou mais tarde, "Pierre Wertheimer, veja você, tinha sido um daqueles *entreteneurs* (como Balsan) de um tipo que não existia mais, daí a atração de Gabrielle por ele. Como ele poderia tê-la considerado outra coisa senão uma *irregulière*?". *Entreteneur* se traduz simplesmente como um homem que sustentava amantes. Wertheimer era

> um homem que teve muitas amantes na sua época, [e ele] costumava pagar as despesas pessoais das mulheres. Coco, de fato, nunca se decidia se queria que Pierre a tratasse como uma pessoa de negócios ou como uma mulher, resultando que ele a tratava com a tolerância indiferente que um amante demonstra com relação a uma amante que abusou da hospitalidade.

Pierre Wertheimer estava acostumado a pagar por uma amante, e, para Coco Chanel, havia algo nisso que era reconfortante e familiar. No fim, o que a deixou feliz foi a formalização do acordo entre eles.

Somando-se à sensação de *déjà-vu* que cercava o seu relacionamento com Pierre, era uma estranha reprise do modo como Étienne Balsan e Boy Capel haviam patrocinado o seu ateliê de chapéus no início. Coco agora desistiria dos direitos a tudo. Num curioso tipo de casamento empresarial, ela daria a Pierre, de fato, o seu nome. O interesse de Wertheimer incluiria não apenas a propriedade da marca Chanel na indústria das fragrâncias, mas os direitos sobre a casa de moda também. Coco Chanel teria total licença como estilista e diretora de arte, mas seria, em todos os outros aspectos, mais uma vez o negócio de outra pessoa.

Soa como um acordo difícil de aceitar, mas de novo foi também ideia de Coco Chanel. Dessa vez, ela estava feliz com isso. Já era riquíssima e tinha fundos para lançar qualquer novo e ousado empreendimento que pudesse imaginar. Se quisesse seguir sozinha relançando uma nova casa de moda, não havia nada que a impedisse. Ela tinha 2% das vendas do Chanel Nº 5 entrando ano após ano e poderia contar com isso durante décadas. Além disso, outra pessoa pagaria todas as suas contas. A verdade era que reter o controle sobre o nome Chanel não era o que ela queria. Pierre Wertheimer agora controlava todas as operações comerciais Chanel, e Coco Chanel era a sua única sócia de verdade.

Considerando tudo que tinha acontecido entre eles durante a Segunda Guerra Mundial – inclusive o exílio dos Wertheimers como refugiados judeus e os esforços de Coco para usar as leis da França ocupada pelos nazistas para despojar os sócios dessa contestada propriedade –, é uma história espantosa. Apesar do curioso relacionamento de amor e ódio entre eles, Pierre Wertheimer havia cortado o nó górdio das suas batalhas legais com Coco Chanel pelo simples fato de concordar em pagar por tudo que ela quisesse, para sempre. Ela parecia ter encontrado por fim uma conclusão duradoura. Coco Chanel havia desistido do seu nome totalmente e, tendo se desconectado da fragrância que levava o seu nome, ela retornava a uma vida privada que era, apesar de toda a sua riqueza, estranhamente monástica. Ela vivia num apartamento decorado com simplicidade no Hotel Ritz e começou a escrever, na sua caligrafia de aluna de colégio católico, um livro de aforismos que ela pensava em publicar um dia.

Mas a história do Chanel Nº 5 não terminou com a sua retirada do mundo dos perfumes. Se tivesse, o Chanel Nº 5 teria entrado para a história como um dos grandes perfumes do início do século XX, mas jamais seria o *monstre* da indústria das fragrâncias. O seu maior sucesso ainda estava por vir. Na década de 1950, o perfume adquiriu uma vida própria, e teria de viver e morrer pelo seu próprio valor e com base em como os outros o viam. Artistas e celebridades se tornariam cada vez mais árbitros importantes da sua fama – mas a fama de Coco Chanel não seria mais a força motora por trás do perfume.

Durante aqueles anos sombrios da Segunda Guerra Mundial, o Chanel Nº 5 havia se cravado no imaginário cultural. Era tanto a ideia de mistério e sexualidade feminina quanto o aroma contido no vidro. Como apenas um punhado de outros nomes de marca na história, o Chanel Nº 5 representava mais do que apenas um produto famoso. Em muitos aspectos, os anos 50 – a sua primeira década como ícone – foi o primeiro momento da sua verdadeira glória.

Mas o elemento icônico do Chanel Nº 5 na década de 1950 ainda não era o vidro, e isso é uma alegação que soaria como um insulto à lógica. Afinal de contas, quase todo mundo sabe que o guru da arte pop, Andy Warhol, usou o vidro de Chanel Nº 5 como base para uma série de serigrafias, colocando-o na companhia de ícones da cultura de massa como Marilyn Monroe, Mao Tse-Tung e latas de sopas Campbell's. É tudo parte da conhecida história do Chanel Nº 5 e, como grande parte da lenda, é um misto de fantasia e realidade. Verdade, Andy Warhol usou a imagem do famoso vidro quadrado como um dos seus ícones comerciais e baseou a sua arte numa série de anúncios que apareceram brevemente, de 1954 a 1956, em revistas de moda. A realidade, entretanto, é que Warhol só foi criar as serigrafias do Chanel Nº 5 em meados dos anos 80. O que aconteceu é muito simples. No início da década de 1960, Warhol havia colocado uma revista de moda antiquada contendo um daqueles anúncios dos meados da década de 1950 numa cápsula do tempo e, em seguida, partiu para criar ativamente as suas interpretações em arte pop dos maiores ícones da época. O vidro do Chanel Nº 5 ainda não estava entre eles.

É também uma parte da lenda, aceita em geral, que o vidro do Chanel Nº 5 do ano de 1959 foi exibido numa exposição especial sobre "A Embalagem" no Museu de Arte Moderna de Nova York – que mostrava itens "retirados do seu contexto convencional de publicidade e vendas" e selecionados "pela excelência de estrutura e forma, cor, textura, proporção e conveniência destas qualidades ao desempenho funcional" – e acrescentado à coleção permanente. Não foi bem assim, revelou-se. Embora o Chanel Nº 5 *estivesse* incluído nessa famosa exposição, o que chamou a atenção daqueles curadores era a embalagem de papel, não o vidro.

O item número 22 do catálogo é "Caixa para Chanel Nº 5", com uma nota que dizia: "Esta é a utilização mais sofisticada de letras maiúsculas em negrito sobre um fundo branco. Limitada por margens grossas pretas, esta embalagem se torna elegante pela discrição." Era a simplicidade monástica da caixa branca em que era vendido o perfume que parecia distintamente moderna no fim dos anos 50 – uma forma que Coco Chanel havia descoberto no convento do século XII da sua infância. O que o catálogo não observa é o que o design é também fúnebre: papel branco com margens em preto era associado à morte e luto, e todos os que haviam sofrido as perdas da Segunda Guerra Mundial sabiam disso. Também entre a coleção estavam objetos ressaltando a perfeição do ovo, uma garrafa de alumínio para o perfume Zizanie de Fragonard (1949) e frascos de perfume de plasticina criados pela Nips Company (1948-50) – mas não o vidro icônico do Chanel N-º 5.

Essa exposição no Museu de Arte Moderna apresentando a embalagem de Chanel Nº 5 também se encaixava muito bem numa importante tendência econômica que vinha surgindo ao longo da década de 1950. Com o rápido crescimento econômico do pós-guerra nos Estados Unidos e o incrível aumento nas vendas de artigos domésticos, veio a explosão da publicidade, e foi a era de ouro das embalagens na América. Nos 15 anos entre 1940 e 1955, o produto nacional bruto nos Estados Unidos – sempre o principal mercado de Chanel Nº 5 – subiu 400%, e o americano médio tinha uma renda líquida cinco vezes igual à de 1940. Pela primeira vez, "a embalagem era um comunicador independente da própria personalidade da marca".

O que aconteceu com o Chanel Nº 5 nos anos 50 é também um curioso exemplo de um fenômeno maior que caracterizou a década. Depois de uma era de racionamentos e "improvisações", em que negar a si mesmo prazeres de consumo era louvado como uma forma de patriotismo, agora os americanos lançavam-se aos prazeres de confortos materiais e aconchegante domesticidade. Na América do pós-guerra, a conveniência do mercado de massa reinava suprema. Nada excitava mais os sentidos após anos de guerra e destruição do que a normalidade, a homogeneização e os prazeres de luxos de classe média compartilhados. Mais uma vez, o Chanel Nº 5 encaixava-se perfeitamente no espírito do momento. Ele se tornou não apenas um perfume famoso de sucesso, mas também um símbolo da época – um ícone cultural que capturava algo universal.

Criar um contexto cultural comum para essas narrativas domésticas, íntimas, era o objetivo do marketing para o Chanel Nº 5 nos anos 50. Durante a primeira década do seu status como ícone, a publicidade concentrava-se de forma perceptível nas mulheres que usavam Chanel Nº 5, e não tanto no produto. A ideia era encontrar um jeito de explicar às mulheres como elas podiam usufruir dos luxos do mercado de massa e de todos os prazeres de uma experiência cultural de classe média homogeneizada, mas ainda assim expressar a sua individualidade. Os anos 50, afinal de contas, também viram a plena expressão da publicidade direcionada para convencer as pessoas a se identificarem com os produtos a sua volta de uma maneira muito mais íntima e pessoal. Isto foi especialmente válido para a indústria da beleza. Escreve um historiador: "Em 1955, nove bilhões de dólares eram entornados em publicidade nos Estados Unidos, um bilhão a mais que em 1954 e três bilhões a mais do que em 1950... Algumas empresas de cosméticos começaram a gastar em anúncios e promoções um quarto da sua renda proveniente das vendas. Um magnata dos cosméticos, provavelmente mítico, é citado dizendo: 'Nós não vendemos batom, nós compramos clientes.'"

Psicólogos nos anos 50 começaram a trabalhar em agências de publicidade, e a visão predominante era a de que "qualquer produto não só deve ser bom como deve apelar para os nossos sentimentos". Foi um período em que os marqueteiros identificaram pela primeira vez a meta de fidelidade à marca e a ideia de que o importante para os consumidores eram imagens – especialmente imagens deles mesmos. Um publicitário dos anos 50 afirmou: "A obsessão com o próprio corpo... e sexo [eram] agora usados diferentemente para vender produtos."

Os primeiros anúncios de Chanel Nº 5 depois da guerra foram muito atuais. Durante o ano de 1959, a campanha para Chanel Nº 5 apresentava o slogan "Chanel *torna-se* a mulher que você é" – com o texto embaixo explicando que "Um perfume é diferente em diferentes mulheres porque cada mulher tem uma química de pele própria. Chanel Nº 5 é sutilmente criado para misturar-se com a sua própria e delicada essência – para ser Chanel Nº 5, mas deliciosamente como você apenas. Chanel *torna-se* você porque ele passa a ser *você*". Era sempre chique porque era sempre Chanel Nº 5. *Você* é o que o faz mais do que único e especial, o anúncio dizia às mulheres. Assim foi inventada a popular – mas em grande parte infundada – lenda de que um perfume tem um cheiro diferente em cada mulher.

Embora a campanha para lembrar às mulheres que "Chanel *torna-se* a mulher que você é" visasse criar uma associação pessoal, até íntima, com o que já era a fragrância mais onipresente do mundo, a companhia havia adotado uma nova política ao introduzir os seus primeiros anúncios pela televisão nos Estados Unidos, em 1953. A Bourjois vinha usando comerciais pelo rádio com sucesso desde a década de 1930, e, ao adotar essa nova mídia de massa, o Chanel Nº 5 foi a primeira fragrância a ser anunciada pela televisão. Com a intenção de alcançar uma audiência ainda maior, a cena mostrava um homem bonito vestindo *smoking* e uma mulher sendo transformada – pelo poder de um refinado perfume – em princesa de um conto de fadas. Era uma narrativa previsível, mas que satisfazia. Mais importante, era um retorno às longas associações do Chanel Nº 5 com a cinematografia e o glamour de Hollywood, que havia começado com a viagem de Coco Chanel em 1931 aos estúdios da MGM.

Essa associação havia sido confirmada nas mentes de milhões de entusiastas do Chanel Nº 5, quando a estrela em ascensão Marilyn Monroe revelou que, quando queria se sentir sexy, recorria ao Nº 5. Num caso memorável, um repórter impertinente certa vez perguntou o que Monroe usava na cama, e a resposta evasiva veio: "Nada além de algumas gotas de Chanel Nº 5." Hoje, esse ainda é um de seus gracejos mais lembrados. Mais tarde, Monroe disse sobre a entrevista: "As pessoas são engraçadas. Fazem perguntas e, quando você é sincero, ficam chocadas."

Na primavera de 1955, ela concordou em posar para uma filmagem no Ambassador Hotel, na cidade de Nova York, com um vidro do perfume que ela aplicava generosamente no seu amplo decote. Foi uma sensação. Para Marilyn Monroe, disposta a não dar uma resposta que parecesse um descarado endosso comercial, o Chanel Nº 5 – já um clássico incontestável – foi uma resposta que ninguém poderia criticar. E não foi má publicidade para o Chanel Nº 5 também. Mas a companhia não teve nada a ver com o que ela disse. Não precisavam disso. Era um testemunho do lendário status que este perfume já havia conquistado o fato de que até Marilyn Monroe queria usá-lo.

Como um ícone do pós-guerra com um pesado marketing dirigido aos consumidores numa economia em franco desenvolvimento, no fim da década de 1950, o Chanel Nº 5 deveria estar em ascensão: sua fama nunca fora tão grande. Havia apenas um problema. Por alguma razão, a moda de Chanel Nº 5 estava desaparecendo. Mais importante ainda, "na França, na Europa, nos Estados Unidos, os postos de venda explodiam". Com a expansão, "o preço [de um vidro] foi baixando, baixando, baixando". Em 1960, a companhia talvez tenha acelerado o declínio de popularidade lançando uma nova campanha com o slogan "toda mulher *viva* quer o *Chanel Nº 5*". Esse era exatamente o dilema. Todas as mulheres o queriam, e ele não era difícil de encontrar. Estava à venda em cadeias de drogarias que o vendiam com desconto por toda a parte. Ele estava ficando barato – e comum. Era uma linha tênue entre um ícone cobiçado e um clichê desgastado. Esse tinha sido o risco, durante a Segunda Guerra Mundial, de vender o perfume em cooperativas. Na época, o valor extraordinário do perfume tinha sido mais importante do que o lugar onde era vendido. Agora, começava a parecer que o Chanel Nº 5 tinha cruzado a fronteira para o reino da mercadoria de massa. O marketing não fez esse perfume ficar famoso, mas parecia que a administração da marca – combinada com a distribuição em excesso – ia ser capaz de abalar o seu prestígio.

17
A ARTE DOS NEGÓCIOS

Um produto como Chanel Nº 5 sempre foi problemático. O equilíbrio entre ser um ícone cultural de elite e um objeto de apelo para o mercado de massa é um negócio delicado. O luxo exige exclusividade. Para outros ícones do século XX – Coca-Cola ou McDonald's, por exemplo – as coisas eram inerentemente mais simples. Eles fizeram fama como produtos do cotidiano no qual podia haver um rito comum de participação, e mais pessoas comprando o que eles vendiam não corriam o risco de contaminar a sua popularidade.

Quando Andy Warhol começou a criar as suas litografias da pop art no fim da década de 1950 e início dos anos 60, isso era parte do momento cultural ao qual ele estava reagindo. A ideia por trás da pop art era brincar com as imagens da cultura de massa e reduzir objetos à circulação de imagens e superfícies separadas de suas formas concretas. "Ser bom nos negócios é o tipo mais fascinante de arte", como ele disse certa vez, e a sua obra brincava com esses limites.

Prestígio, entretanto, é um negócio imprevisível. No seu livro *Deluxe: How Luxury Lost Its Luster*, a jornalista de moda Dana Thomas atribui o lento declínio do verdadeiro produto de luxo à ideia de que todos deveriam poder comprá-lo. Quando Coco Chanel achou "monstruosa" a ideia de vender Chanel Nº 5 nas cooperativas militares, ela compreendeu algo essencial na exclusividade. Pessoas comuns escrevendo a história das suas próprias esperanças e desejos no Chanel Nº 5 transformavam o perfume num objeto cultuado, mas um excesso de pessoas comuns podia também ter um efeito negativo.

Quando, nos anos de euforia do período pós-guerra, as pessoas viram esses desejos satisfeitos, e quando o Chanel Nº 5 estava por toda a parte, o perfume mais vendido do mundo corria o risco de parecer entediante. No início dos anos 60, ele estava sofrendo de uma superexposição potencialmente desastrosa e estava disponível em todos os Estados Unidos em drogarias com produtos remarcados e em cadeias de lojas como Woolworth's. Ele estava ficando associado ao tipo de perfume usado por mulheres de uma geração mais velha que estavam fora de sintonia com a moda. Durante a década da contracultura dos anos 60, o Chanel Nº 5 ficou essencialmente desancorado.

A administração da marca havia criado o problema, e os desafios dos anos 60 tinham suas raízes nas estratégias – e no sucesso fenomenal – dos anos 50. O marketing dos anos 60 só exacerbou o problema. Combinar a infeliz campanha "toda mulher *viva* quer Chanel Nº 5" com uma nova campanha maciça na revista *Seventeen*, que mostrava imagens de jovens apaixonados e ingênuos olhando-se embevecidos, parece agora um erro essencial de cálculo.

O que tornou o Chanel Nº 5 famoso não foi ser inocentemente fascinante. Se Coco Chanel quisesse isso, teria ficado no aroma daquelas soliflores tradicionais do início. As pessoas se apaixonaram pelo perfume porque ele era ousado e sensual. Não era um perfume para meninas adolescentes; era um aroma para mulheres – e mulheres que ousavam ser um pouquinho dramáticas.

Os meados da década de 1960 também apresentaram outros perigos para a empresa. Pierre Wertheimer morreu em 1965, e seu filho, Jacques, assumiu a administração da sociedade. Embora Jacques fosse, apesar de tudo, brilhante na criação de cavalos de corrida, falava-se que ele tinha interesses menos apaixonados pela administração cotidiana da empresa. Coco Chanel chamava-o simplesmente de "o garoto". Ainda desenhando belas coleções para a sua linha de alta-costura, Chanel estava com mais de oitenta anos, e o seu acordo final com Pierre Wertheimer a havia libertado da sua obsessão de uma vida inteira com a fragrância.

Enquanto isso, um novo problema surgia no sul da França. A produção de jasmim estava em declínio. A guerra havia cobrado um pesado tributo sobre as fazendas de perfume, e safras abundantes nos meados da década de 1950 haviam derrubado os preços a níveis insustentáveis. Assim que o mercado se recuperou, novas e mais baratas fontes de jasmim da Itália, Espanha e Holanda – e uma nova geração de substâncias sintéticas imensamente aperfeiçoadas e baratas – começaram a inundar o mercado durante a década de 1960. Em breve, as plantações de flores de Grasse, onde a arte da perfumaria havia começado na Europa moderna, desapareceriam, prenunciando más notícias para o Chanel Nº 5, que dependia de grandes doses daquele refinado aroma para sustentar a sua cara reputação.

Coco Chanel vinha reclamando havia muitos anos da erosão do Chanel Nº 5 como uma fragrância extremamente luxuosa. Ela quisera criar o perfume mais caro do mundo e, no contrato original em 1924, ela havia deixado isso bem especificado – que ela seria a única pessoa a julgar o que seria necessário para preservar o prestígio do seu nome e produtos. Nas suas longas batalhas com os sócios da Les Parfums Chanel, ela havia usado e abusado dessa cláusula indiscriminadamente, mas suas razões às vezes eram boas. O Chanel Nº 5 havia emergido da Segunda Guerra Mundial como uma das indulgências mais cobiçadas e reconhecíveis do mundo. Como qualquer produto, entretanto, ele detinha apenas um tênue controle sobre o seu status como um item de luxo imprescindível. Nos anos 60, houve quem achasse que os sócios tinham sido finalmente otimistas demais, e Coco Chanel estava ali para dizer que ela havia avisado. Mas, para ela, foi uma vitória em vão.

Coco não era mais uma jovem mulher dançando ao ritmo de músicas excitantes nos salões do Moulins sur Allier. Não era nem mesmo uma mulher de meia-idade arrumando um amante após o outro durante *les années folles*. Em 1971, ela estava com 87 anos. O tempo estava se esgotando para uma das maiores celebridades do século XX, e ela havia desistido dessas batalhas a respeito do perfume que levava a sua assinatura.

Durante a segunda semana de janeiro desse ano, Coco Chanel queixou-se de não estar se sentindo bem, mas foi trabalhar no seu ateliê assim mesmo – como sempre fazia. Ela estava preparando a coleção de primavera, e não havia tempo a perder. Em 10 de janeiro, o dia transcorreu tranquilamente. Ela saiu para um longo passeio de carro no domingo e, sentindo-se cansada, foi para a cama mais cedo. Naquela noite, no silencioso quarto decorado com simplicidade no Hotel Ritz onde ela se estabelecera como seu lar em Paris desde antes da Segunda Guerra, Coco Chanel morreu tranquilamente.

No dia seguinte, no mundo inteiro, as manchetes nos jornais diziam: "Chanel, a *couturière*, morta em Paris." O obituário no *New York Times* noticiou que "Chanel dominou o mundo da moda em Paris nos anos 20 e, no auge da sua carreira, estava dirigindo quatro empresas – uma casa de moda, uma tecelagem, laboratórios de perfumes e um ateliê de bijuterias –, todas juntas empregavam 3.500 funcionários". Isto não estava rigorosamente correto. Durante o auge da sua fama, havia sempre alguém – os sócios – dirigindo o setor de perfumes; isso foi sempre parte da complexidade do relacionamento de Coco Chanel com o Chanel Nº 5. Mas o obituário estava correto neste detalhe sobre o perfume: "Foi talvez", a coluna dizia, "o seu perfume mais do que a sua moda que tornaram famoso o nome Chanel no mundo inteiro. Chamado simplesmente

'Chanel Nº 5'– uma cartomante lhe dissera que 5 era o seu número de sorte – ele deixou Coco milionária." Ironicamente, a morte de Coco Chanel se deu num momento precário para o perfume que levava a sua assinatura. Pela segunda vez na sua longa história, o Chanel Nº 5 corria perigo. Durante a Segunda Guerra Mundial, os sócios haviam contrabandeado suprimentos de jasmim da França e encantado uma geração de soldados americanos. Agora, a parte do Chanel Nº 5 no importantíssimo mercado americano havia escorregado para menos de 5%. Era uma estranha e infeliz coincidência. Conforme Alain Wertheimer, filho de Jacques, disse certa vez em uma entrevista, no início da década de 1970, "Chanel estava morta... Nada estava acontecendo". Foi uma declaração ao mesmo tempo literal e figurativa. O perfume fora lançado como uma expressão das forças apaixonadamente opostas da experiência de Coco Chanel e – apesar da vida autônoma da sua criação e do conflito que ela havia sentido com essa separação – parecia que ele estava chegando ao fim do seu ciclo de vida junto com ela. O Chanel Nº 5 teria que ascender e cair de acordo com o seu próprio destino, e talvez a sua hora tivesse chegado.

O Chanel Nº 5, entretanto, não era irressuscitável; de fato, estava longe disso. Apesar da queda na participação no mercado e da perda da direção da administração da marca, o perfume estava distante de qualquer tipo de leito de morte. Ele ainda era uma fragrância que vendia muito bem, mesmo que o seu prestígio estivesse decaindo.

Desta vez, foi realmente a magia do marketing e da visão combinada de umas poucas figuras-chave na empresa que lhe deram nova vida e o transformaram, nas palavras do profissional da indústria anônimo de Chandler Burr, no *monstro* da perfumaria. O gênio por trás da moderna transformação da publicidade do Chanel Nº 5 – essa atualização da história da fragrância que ajudou outra geração de mulheres a imaginarem que ele era parte da sua sensualidade – foi Jacques Helleu, um jovem diretor de arte. Ele era filho de Jean Helleu, o famoso designer de marketing que havia trabalhado para Chanel desde a década de 1930. Durante o início da década de 1970, Chanel reduziu a escala do seu trabalho com agências externas de publicidade no marketing do perfume e, em vez disso, deu o controle a um homem que tinha mais ou menos crescido no que ainda é, apesar da sua proeminência internacional, uma empresa familiar. O marketing de Chanel – o que todos supõem ser o responsável por sua fama – foi a sua visão pessoal do aroma e o que eternizou o seu fascínio. "Desde os 18 anos de idade, quando ele entrou para a Chanel, [Jacques Helleu] concentrou os seus esforços para transformar a embalagem em preto e branco característica" – e especialmente o vidro que era a sua marca registrada – "numa marca reconhecida universalmente."

A ideia inicial de Helleu, simplificando, era retornar ao glamour dos filmes. Marilyn Monroe, como a crítica de perfumes Tania Sanchez explica, usava Chanel Nº 5 porque era sexy. Ela sempre foi o tipo de mulher a quem os aromas atraíam. Era a mesma razão pela qual o Chanel Nº 5 era adorado por aquelas melindrosas na década de 1920. Para transformar a história do Chanel Nº 5 de novo, Helleu contratou Catherine Deneuve como modelo representante da fragrância. Segundo a lenda da empresa, foi uma decisão simples. Helleu estava na cidade de Nova York e era um devoto *cinéphile* – um cinéfilo – e, ali na capa da revista *Look*, ele leu a legenda "A mulher mais bela do mundo" ao lado da imagem da jovem atriz francesa. Foi então, assim diz a história, que ele se decidiu.

A escolha, entretanto, foi muito mais sensata do que qualquer encontro casual. "A Chanel", Laurence Benaïm observou com muito discernimento, "escolhe seus modelos com tanto cuidado quanto uma colheita de rosas de maio e jasmins de Grasse", e Jacques Helleu era o homem por trás dessas decisões. Em 1968, o ano em que começou a representar o Chanel Nº 5, Catherine Deneuve era mais conhecida por estrelar dois filmes recentes e decididamente picantes, *Repulsa ao sexo* (1965), de Roman Polansky, e especialmente *A bela da tarde* (1967), de Luis Buñuel, a famosa história de uma jovem mulher respeitável que vive suas fantasias em tardes de aventuras sexuais ilícitas. Era um retorno ao que sempre fora a narrativa central do Chanel Nº 5 desde o momento em que Coco Chanel começou a imaginá-lo. Era outra vez a história de como uma fragrância podia reconciliar o aroma de corpos recém-esfregados com o livre desfrutar de uma sexualidade liberada.

Como campanha publicitária, teve um sucesso fabuloso na década de 1970, e o glamour de Chanel Nº 5 transformou Deneuve em uma das atrizes mais famosas da sua geração. A beleza e a sensualidade clássicas de Deneuve também tornaram este perfume icônico mais lendário do que nunca, e foi o antídoto necessário para uma década de anúncios que haviam erroneamente desaquecido o erotismo de Chanel Nº 5 durante os anos da contracultura da década de 1960 e até do início dos anos 70, como um aroma para inocentes e respeitáveis estudantes leitores de *Seventeen*.

Os anúncios do perfume ficavam cada vez mais ousados com o avançar da década de 1970. O foco se mantinha na renovação das longas associações do Chanel Nº 5 com o glamour das estrelas de cinema – associações que haviam começado com a viagem de Coco Chanel a Hollywood nos anos 30. De fato, no fim da campanha de Deneuve, Helleu começou a contratar não apenas comerciais de televisão para a fragrância mas uma série de filmes curtos inventivos, até surrealistas, todos com o mesmo tema de fantasia sexual de *A bela da tarde*. Dirigidos durante as décadas de 1970 e 1980 por Ridley Scott, esses curtas promocionais convidavam os espectadores a entrarem numa atmosfera de sedutor mistério. Mais lembrados hoje são os curtas do Chanel Nº 5 tais como *La Piscine* (1979), *L'Invitation au rêve* (1982), *Monument* (1986) e *La Star* (1990).

Os anúncios da década de 1970 no crucial mercado americano, entretanto, apresentavam simplesmente uma série de fotos de Deneuve e o vidro de Chanel Nº 5. Era uma simples iconografia. De repente, a Les Parfums Chanel era só o Nº 5 – e especificamente o vidro. Os filmes de Ridley Scott usavam as imagens visuais, com a silhueta do vidro sendo parte da fantasia, e foram esses novos anúncios, tanto quanto as fotos de revistas de moda do fim dos anos 50, que inspiraram Andy Warhol, nos meados dos anos 80, a celebrar o vidro de Chanel Nº 5 como oficialmente icônico. O título das suas serigrafias, "Ads: Chanel", de fato é sugestivamente plural, acenando tanto para sua reprodutibilidade no mercado de massa como para a evolução histórica dessa famosa imagem.

A combinação dessas duas campanhas publicitárias de grande sucesso durante a década de 1970 e até a de 1980 neutralizou a excessiva distribuição dos anos 60, que havia ameaçado rebaixar o nome da fragrância. No momento em que a indústria de moda e perfumes como um todo avançava para o comercialismo que Dana Thomas chama de "novo luxo", Chanel decide se reengajar numa filosofia mais antiga – mais art déco: a ideia de que uma certa classe de bens de consumo podia ser arte. Apenas um "punhado de marcas importantes – Hermès e Chanel em particular – luta para manter e parece conseguir o verdadeiro luxo", afirma Thomas. "A qualidade transparece em seus produtos... e em suas filosofias."

Muitos creditam essa revitalização da Chanel durante os anos 70 à nova e enérgica liderança do neto de Pierre, Alain Wertheimer, que entrou para liderar a empresa em 1974. Uma das suas primeiras atitudes como chefe da companhia foi reduzir drasticamente o número de lojas que vendiam o perfume nos Estados Unidos e retirá-lo das drogarias. Até o ato de comprar uma fragrância requintada, afinal de contas, é uma forma de sedução, e o Chanel Nº 5 sempre significou não haver nada de mau gosto em ser sexy.

Desde a década de 1970, o marketing da Chanel tem sido de uma extraordinária constância, revivendo periodicamente esse mesmo tema de fantasia e sensualidade de modulações hollywoodianas que provoca os consumidores com a ideia de algo que tem implícita só uma certa malícia. O diretor Jean-Paul Goude tornou-se o que a empresa chama de "mestre contador de histórias da Chanel" durante a década de 1980 e início dos anos 90, e o seu curta-metragem *Marilyn* (1995) reimaginou essa filmagem prévia no Ambassador Hotel. O anúncio mostrava, de uma forma divertida, o filme editado e imagens geradas por computador da estrela inocentemente sensual na sua primeira – e única – aparição "oficial" com Chanel.

Enquanto Catherine Deneuve evocara fantasias de desejo feminino e Marilyn nada mais era do que abreviação cultural para sexy, na década de 1990, os anúncios filmados estavam ficando ainda mais ousados. Estella Warren estrelou os memoráveis curtas e leiautes impressos de *Chapeuzinho Vermelho* produzidos por Luc Besson (1998, 1999). Eles eram versões adultas do antigo conto de fadas – e remontavam exatamente ao tipo de sexualidade de colegial que havia feito de Coco Chanel uma jovem amante atraente durante as décadas de 1910 e 1920. A "menina verde" se veste de vermelho: essa era a mensagem essencial.

De fato, na história dos anúncios de Chanel Nº 5 nas últimas décadas, as mulheres que representaram o perfume geralmente evocavam algo da *irréguliére*, a cortesã, ou a amante. Na primeira década do primeiro milênio, o rosto do Chanel Nº 5 era a atriz de cinema Nicole Kidman – em foco num curta-metragem de 2004, dirigido por Baz Lurhmann, que ecoava o grande sucesso de bilheteria do papel dela no seu filme premiado com o Oscar *Moulin Rouge* (2001). O filme, é claro, é a história de uma corista e *grande horizontale* e de um triângulo amoroso perigosamente ilícito que contrapõe o verdadeiro romance aos desejos de um poderoso e rico aristocrata. É difícil não pensar na época em que Coco Chanel frequentava o palco de vaudeville em Moulins – ou naqueles complicados relacionamentos com Boy Capel e Étienne Balsan, e na história privada que o Chanel Nº 5 foi criado para capturar. Não é de surpreender, portanto, que o rosto mais recente de Chanel Nº 5 durante a segunda década do novo século seja a juvenil e sexy Audrey Tautou, que conquistou fama internacional com a personagem título de *O fabuloso destino de Amélie Poulain* (2001), a história de Jean-Pierre Jeunet que fala de uma encantadora garçonete parisiense no Café des Deux Moulins. Tautou apareceu em curtas-metragens anunciando o Chanel Nº 5 – dirigidas de novo por Jeunet (2009) – e no longa de Anne Fontaine *Coco antes de Chanel* (2009), em que ela representa a jovem Coco Chanel durante os seus anos como corista e amante "menina verde". Aqueles primeiros vínculos com Hollywood que Coco Chanel explorou na década de 1930 haviam mais uma vez completado o círculo.

O mesmo é verdade a respeito das fragrâncias. Desde os anos 70, os novos perfumes têm sido também um aceno de louvor à tradição e a essa era anterior de glamour – mesmo que tenham sido projetados para atrair uma nova geração de mulheres. De fato, de certo modo, os aromas desde a década de 1970 têm sido uma série de remodelagens de *le monstre* e um retorno ao legado daqueles primeiros números Chanel. A nova fragrância mais celebrada é Coco de Jacques Polge (1984) e a sua versão atualizada foi lançada em 2001 como Coco Mademoiselle, ambas inspiradas na estética barroca do salão particular de Coco Chanel em Paris. Os aromas são totalmente distintos do Chanel Nº 5. Tanto Coco como Coco Mademoiselle – de uma forma bastante insólita – são vendidos, entretanto, no vidro característico Nº 5, um apelo às jovens mulheres que desejam o status de luxo do vidro icônico mas ainda não querem a fragrância icônica.

Outros novos aromas evitaram o frasco art déco típico, mas, a partir dos anos 70, houve um retorno à renovada proliferação de múltiplas fragrâncias Chanel numeradas. A moderna reintrodução dos números começou com o lançamento cm 1970 do Chanel Nº 19 – supostamente a versão reformulada do ilícito Mademoiselle Chanel Nº 1 de rótulo vermelho, o aroma que ela chamou de seu "super Chanel Nº 5". O retorno aos números é em grande parte uma campanha muito recente, entretanto. Em 2007, muitos novos perfumes numerados apareceram, todos parte da variedade das fragrâncias Chanel caríssimas, para serem vendidos apenas em butiques como Les Exclusifs – "os exclusivos". Como observa um jornalista, essas são todas fragrâncias "baseadas na complicada trajetória da difícil e exuberante vida da criadora... aromas que ela apreciava, fora e dentro de casa".

Alguns desses aromas eram totalmente novos, "inspirados em endereços" como 31 Rue Cambon; 28 La Pausa; e agora um Chanel Nº 18 – que toma o seu nome da butique de joias de Chanel na Place Vendôme, 18, em Paris. Muitos dos aromas, porém, foram relançamentos atualizados dos originais e muito apreciados aromas no leque de perfumes Chanel das décadas de 1920 e 1930. A empresa voltou a produzir antigas fragrâncias Chanel, um dia famosas, como Bois des Îles e Cuir de Russie. E relançou o Chanel Nº 22, uma das dez amostras originais de Ernest Beaux e sempre uma fragrância inteiramente ligada à história e aos inovadores aromas aldeídicos do Chanel Nº 5. Na época, houve também a atualização conscientemente moderna por Jacques Polge do próprio Chanel Nº 5 – Eau Première. Segundo Polge, é o aroma de Chanel Nº 5 e só, mas, para cada acorde, ele acrescentou mais ingredientes, trabalhando com novos materiais de aroma inovadores descobertos desde a década de 1920. O Eau Première é uma tentativa de imaginar o Chanel Nº 5 que Ernest Beaux teria criado, se tivesse vivido no início do século XXI.

Durante boa parte da sua história inicial, o aroma do Chanel Nº 5 circulou no mercado mundial de fragrâncias em diferentes versões, desde os perfumes com rótulos vermelhos de Coco Chanel ao Chanel Nº 22 ou Chanel Nº 46, Rallet Nº 1 ou L'Aimant de Coty. Hoje, essa tendência mais uma vez fechou o ciclo. Agora, entretanto, o marketing é inovador e engenhoso. É uma campanha coordenada e em evolução que tornou o Chanel Nº 5 mais famoso do que nunca, mas funciona pela mesma razão por que a Segunda Guerra Mundial fez dele um ícone: esses filmes e fragrâncias são um convite ao mistério e à fantasia.

Embora o marketing, a distribuição e a administração da marca Chanel tenham dado um novo sopro de vida ao Chanel Nº 5 naquelas últimas décadas críticas do século XX, o seu furor como o perfume mais famoso do mundo nunca foi uma certeza. O perfume enfrentou novos perigos de diferentes direções. Afinal de contas, até o melhor marketing e a publicidade mais decadente e mais engenhosa nada significam se não houver um produto a ser vendido. E, no outono de 2009, a imprensa noticiava que, pelo visto, o Chanel Nº 5 estava correndo sério risco de desaparecer totalmente.

18
O FIM DA PERFUMARIA MODERNA

Em setembro de 2009, as manchetes dos jornais no mundo inteiro noticiavam: "Normas colocam 'em risco' perfumes famosos" e "Normas para alérgenos podem alterar os aromas de grandes perfumes". A blogosfera estava alvoroçada com a notícia de que o fim do Chanel Nº 5 estava próximo e que "a perfumaria do século XX é coisa do passado". A origem da controvérsia era um novo conjunto de emendas do organismo autorregulador da indústria de perfumes, a International Fragrance Association, em geral conhecida apenas como IFRA, que, pela primeira vez, acrescentou o jasmim à sua lista de materiais proibidos – aquele raro e cobiçado jasmim de Grasse incluído.

Alastrou-se a notícia de que a notória quadragésima terceira emenda da IFRA limitaria o jasmim a 0,7% de qualquer perfume, e esta restrição proposta levou a temores imediatos quanto à morte da mais famosa fragrância de jasmins do mundo, o icônico *parfum* Chanel Nº 5. Proporções maciças do jasmim natural de Grasse, contrabalançadas pela overdose de aldeídos, eram o equilibrismo na corda bamba na essência do aroma genial de Ernest Beaux. Reduza o jasmim, e tudo está arruinado.

Desde o início da guerra, quando Gregory Thomas tentava contrabandear preciosos suprimentos para fora da França, o próprio Chanel Nº 5 não corria esse tipo de perigo. Sem essa reserva de rosas e jasmins, ele teria sido um aroma diferente – com uma qualidade diferente e uma história diferente. Tivessem os seus ingredientes sido interceptados no caminho para os Estados Unidos, os sócios precisariam ter reformulado o perfume, usando substâncias sintéticas, e isso teria sido um imenso – e desmoralizante – projeto. Produzir Chanel Nº 5 em Nova Jersey teria sido menos exequível, a oportunidade para distribuir a fragrância por intermédio de cooperativas planejada com menos brilhantismo. Esses fatores-chave permitiram ao perfume impregnar o mercado americano.

Agora, tendo triunfado por quase noventa anos como a fragrância mais famosa do mundo – tendo resistido à Grande Depressão e a uma guerra mundial, às mudanças da década de 1960 e à superexposição –, pelo que se via nas manchetes, aqui estava finalmente um obstáculo intransponível.

Em jogo, estava a espinhosa questão de perfumes e alergias, e as restrições a substâncias "naturais" como o jasmim continuam sendo assunto dos mais intensos debates na indústria de perfumes. A IFRA instituiu essas recomendações a respeito do jasmim – a essência floral natural, não o acorde sintético – porque ele pode irritar a pele de alguns infelizes. Especificamente, o problema, pela perspectiva de um alergista, é que as pessoas tendem muito mais a ser sensíveis a substâncias vegetais naturais do que a uma única molécula de aroma isolada. Assim, pela perspectiva da segurança industrial e científica, substâncias naturais colhidas manualmente – não as criadas em laboratório – apresentam o maior risco.

Nesse caso, o desastre que o Chanel Nº 5 enfrentava era um pesadelo difícil de evitar. Numa declaração à imprensa, um auxiliar de perfumista interno, Christopher Sheldrake, garantiu aos entusiastas do Chanel Nº 5: "Quando os novos padrões da IFRA foram publicados, nós imediatamente conferimos os percentuais de *jasmine grandiflora* e [*jasmine*] *sambac* em nossos produtos acabados, e em nenhuma de nossas fragrâncias o nível recomendado foi excedido." Não haveria, a empresa prometia, nenhuma mudança no Chanel Nº 5.

Na mente de todos, entretanto, havia a ideia de que, quando a IFRA revisse a questão, seria possível haver mais restrições ao jasmim. Da próxima vez, talvez a moderna perfumaria não tivesse tanta sorte. Por ora, entretanto, o Chanel Nº 5 foi poupado. O seu aroma continuaria o mesmo.

A questão é: o Chanel Nº 5 continuaria sendo exatamente o mesmo? Embora as normas para o jasmim fossem uma inegável ameaça ao futuro do perfume, um dos segredos para compreender o persistente sucesso do Chanel Nº 5 é reconhecer algo fundamental a respeito do próprio perfume: o aroma que atraiu quem passava pela mesa de Coco Chanel em Cannes, naquela noite de fim de verão em 1920, não era exatamente o mesmo do vidro de Chanel Nº 5 no mercado hoje. Isso seria sempre impossível, e, no decorrer de tantas décadas, normas industriais e do governo proibiram mais de um dos ingredientes da fórmula original de Ernest Beaux.

O curioso não são essas mudanças – é o fato de, apesar delas, o Chanel Nº 5 ter um cheiro muito próximo ao do original de 1920. Extraordinariamente próximo. Tão próximo que poucos notam a diferença. Esse tem sido o objetivo dos perfumistas da casa Chanel. Ao contrário do que aconteceu com outros perfumes excelentes das primeiras décadas do século XX, as mudanças no Chanel Nº 5 têm sido insignificantes e apenas quando absolutamente necessárias, pelo menos desde a década de 1950. Muito antes do novo anúncio da IFRA, além disso, preocupações com a manutenção da integridade do Nº 5 já ocupavam as mentes dos perfumistas da Chanel. Havia décadas que eles negociavam o fim do uso de certos ingredientes.

Entre os ingredientes em risco no fim dos anos 70, estavam os almíscares quentes em que estava baseado o aroma do Chanel

Nº 5. Eles são apenas um pouco menos importantes do que o jasmim no seu núcleo e aqueles efervescentes aldeídos que exaltam os opulentos aromas do perfume. Era evidente, quando Catherine Deneuve se tornou o famoso "rosto" do Chanel Nº 5, que alguns dos almíscares mais importantes em breve teriam de ser abandonados.

Substâncias animais naturais têm um cheiro forte e maravilhoso, e o *muscone* – o termo para o núcleo aromático do almíscar extraído do *Moschus moschiferus*, um cervo nativo da região tonquim do Tibete e da China, que é amplamente reconhecido como de superior qualidade – é o aroma de pele limpa e quente. Outros almíscares vêm das glândulas de civetas e castores, e seus aromas são inegavelmente sensuais. Esses aromas sempre fizeram parte do perfume que Coco Chanel imaginara. Os métodos para obter esses fluidos reprodutivos, entretanto, são compreensivelmente delicados – e esse fato, junto com a colheita excessiva, significa que todos os aromas almiscarados naturais sempre foram caríssimos.

Lá pelo fim do século XIX, com o desenvolvimento da química orgânica no mundo das fragrâncias, os perfumistas começaram a procurar novos efeitos e notas que iriam revolucionar a perfumaria. Na década de 1880, quando trabalhava com explosivos, entre eles os derivados do TNT (trinitrotolueno), um químico chamado Albert Bauer notou no tubo de ensaio um composto que cheirava espantosamente a almíscar de cervo. Reconhecendo a oportunidade no mercado, ele começou a vender a molécula aos perfumistas como "Almíscar de Bauer" e foi o primeiro "nitroalmíscar" do mundo, o nome da categoria de moléculas baseadas em nitrogênio e oxigênio que imitavam os cheiros do almíscar natural.

Os primeiros vidros de Chanel Nº 5 usavam doses generosas desses nitroalmíscares, e os perfumistas adoravam o seu aroma. De fato, eles ainda lamentam a sua perda. Revelou-se, entretanto, que, por melhor que eles cheirassem, apresentavam vários riscos. Baseados em moléculas explosivas, eles eram instáveis do ponto de vista químico, e isso era verdade especialmente se fossem expostos à luz solar, quando tendiam a degradar e reagir de modos que eram às vezes neurologicamente tóxicos. Com a única exceção do almíscar de cetona, que era o único almíscar de nitro a satisfazer os novos e irredutíveis padrões internacionais de segurança, eles foram proibidos durante a década de 1980. Hoje, a cetona de almíscar ainda é permitida somente com rígidas limitações. Os perfumes que os usavam tiveram de ser reformulados. O Chanel Nº 5 estava entre eles.

Descobrir um jeito de substituir a intensidade e riqueza desses nitroalmíscares exigiu um bocado de empenho. A sua supressão anunciava o fim de algumas das fragrâncias mais reverenciadas das décadas de 1970 e 1980. Infelizmente, os métodos para recolher o almíscar animal natural das glândulas inferiores de algumas infelizes criaturas tornou o seu uso desagradável. Não têm havido almíscares naturais no Chanel Nº 5 desde o início da década de 1990.

Mas os fãs de Chanel Nº 5 não precisam se preocupar, porque o perfume ainda tem aqueles ricos e quentes aromas de pele e aquela nota de intensa sensualidade que Coco Chanel sempre quis. Conforme explica Christopher Sheldrake, embora esses nitroalmíscares sejam maravilhosos, intensos e baratos, eles não são insubstituíveis. Há como recriar as suas texturas mornas e poeirentas num perfume. Só que não podem ser substituídos de uma forma barata, e a maioria das perfumarias não está preparada para gastar o dinheiro. E, como a perfumista Virginia Bonfiglio graceja: "Não se pode fazer o barato cheirar como Chanel Nº 5."

Permanecer fiel à fragrância original é o grande desafio de qualquer perfume historicamente importante. Deixar o aroma do Chanel Nº 5 mudar com as décadas teria sido bem mais simples. Mesmo sem as normas que estavam sendo criadas, é dificílimo fazer um perfume caro – feito com aqueles subaromas complexos de substâncias naturais – cheirar de forma coerente de um ano para o outro. No entanto, bons perfumistas conseguem isso ano após ano e, nos casos de aromas tradicionais como Shalimar, Joy ou Chanel Nº 5, década após década, apesar de, como nos vinhos, as substâncias naturais que entram numa fragrância serem sempre afetadas pelas safras. No nível mais essencial, as flores também mudam seus aromas de ano para ano, de lugar para lugar, às vezes drasticamente.

A habilidade de um perfumista, portanto, não está apenas em inovar e inventar, mas em considerar as mudanças que estão sempre ocorrendo nos componentes florais e encontrar as proporções corretas necessárias para recriar um aroma que é de algum modo eterno. É sempre a busca de criar de novo e preservar na nuance e complexidade a essência de algo fugaz. Acima de tudo, como Coco Chanel sabia, perfume é um ato de memória.

Jacques Polge é apenas o terceiro perfumista chefe na história da Les Parfums Chanel, portanto a cadeia de memória olfativa e tradição está intacta no caso do Chanel Nº 5. Ilustrando a importância que os perfumistas dão a esse processo, Polge conta uma história sobre como o seu predecessor, Henri Robert, costumava observar Ernest Beaux corrigir todo um lote do perfume Chanel Nº 5 nas unidades de produção, inalando profundamente e acrescentando apenas algumas gotas a uma ou outra essência em particular para fazer com que cheirasse como a sua criação original.

Quando se tornou perfumista em 1978, Jacques Polge enfrentou uma tarefa semelhante para manter a tradição do aroma, e o problema que Chanel teve de resolver na época não foi apenas o dos nitroalmíscares que seriam banidos em breve. Foram – como sempre acontecia com esse aroma – as flores. A produção de jasmins de Grasse estava declinando, e Polge foi ao sul da França para conhecer os fazendeiros que cultivavam esse jasmim único, na esperança de convencê-los a aumentar a produção no mais alto nível de qualidade. O que ele descobriu foi que as plantações estavam morrendo. Jasmins exóticos mais baratos inundavam os mercados mundiais, fazendo com que não valesse a pena tentar salvá-las. Sem o jasmim – na sua maior parte dos campos de Grasse – em grandes quantidades, entretanto, o Chanel Nº 5 estaria comprometido.

Reagindo a essa ameaça, no início dos anos 80, a Chanel intermediou um acordo exclusivo de longo prazo com a família Mul – que cultivava flores para a indústria de perfumes em Grasse havia cinco gerações – para salvar da destruição as últimas plantações comerciais de jasmim. Para esse projeto, foi encontrada uma cepa resistente de jasmim na qual era possível enxertar o jasmim tradicional de Grasse. Hoje, pelo menos 90% da produção de jasmim de Grasse, considerado universalmente como o de melhor qualidade no mundo, vai para apenas um perfume: Chanel Nº 5.

Novas restrições da IFRA referentes a alergias também não serão uma ameaça ao perfume, porque, durante muitos anos, pesquisadores da Chanel empenharam-se em encontrar uma solução permanente. Entre essas centenas de moléculas no jasmim natural, só uma ou duas podem causar qualquer problema, mesmo à pessoa mais sensível. Criar um jasmim sintético com tantas nuances e sutilezas como o jasmim natural de Grasse seria uma tarefa impossível, mas reproduzir apenas uma ou duas moléculas a partir de uma planta ou descobrir uma técnica para retirar uma ou duas moléculas de um extrato é totalmente possível. Em breve, a Chanel espera ter resolvido todo o problema da sensibilidade ao jasmim. Eles esperam que, no futuro, os jasmins de Grasse sejam algo que qualquer pessoa possa usar sem hesitação – por mais elevadas que sejam as doses.

Por enquanto, a tradição do perfume está a salvo. Apesar das mudanças a sua volta, a fragrância mais famosa do mundo permanece essencialmente inalterada e eterna.

O SEGREDO DO CHANEL Nº 5

Na história do Chanel Nº 5, tem havido uma série de momentos como este: momentos em que poderia ter perdido o passo com as mudanças culturais ou em que as mudanças talvez fossem drásticas demais. A maior tentação com qualquer produto ao longo de noventa e tantos anos de história é a de alterá-lo a ponto de ficar irreconhecível em nome do progresso. Na verdade, a reformulação é muito tentadora diante da queda nas vendas ou erros de marketing, e muitas perfumarias não foram capazes de resistir a esse tipo de atualização. Naquele momento, na década de 1970, quando a administração da marca Chanel estava sendo fundamentalmente reimaginada – um momento em que, pela primeira vez, o Chanel Nº 5 corria o risco de parecer artigo para o mercado de massa e antiquado – teria sido fácil fazer experiências com a fórmula e relançá-la como um "novo" Nº 5. Poderia até ter parecido uma extensão lógica da estratégia que levou os sócios da Les Parfums Chanel a introduzirem versões alternativas do aroma com o Chanel Nº 22 e o Chanel Nº 46 nas décadas de 1920 e 1940.

Hoje, o aroma de Chanel Nº 5 – em particular na concentração *parfum* luxuosa, considerada a melhor versão – permanece fiel à fragrância original de 1920. É o aroma que os perfumistas da Chanel se esforçam para preservar, e isso tem significado, diante das mudanças, descobrir como adaptar sem fazer concessões.

E esse empenho em se reinventar – a fim de permanecer ele mesmo – a qualquer custo é a razão de o Chanel Nº 5, geração após geração, ter persistido como um perfume e um símbolo. Em qualquer um desses momentos críticos na história desta fragrância, o aroma, que pela primeira vez atraiu as pessoas num restaurante, numa noite quente no sul da França, poderia ter desaparecido. Ele poderia ter se esvanecido na obscuridade como tantos outros aromas excelentes dessa era dourada da perfumaria. Poderia ter terminado com a morte, na década de 1970, da mulher complicada cujo nome ele levava, ou ter tranquilamente desaparecido do imaginário cultural.

Em vez disso, o Chanel Nº 5 mostrou-se de uma resistência assombrosa. Um monumento duradouro, ele escapou aos perigos da estagnação. Agora, com quase noventa anos de idade, o Chanel Nº 5 está prestes a continuar sendo o perfume mais famoso do mundo por mais um século.

POSFÁCIO

O título deste livro não pretende ser coquete ou sedutor. Na história do Chanel N° 5, existe um segredo real a ser desvendado, um romance inédito que explica tantas décadas de fabuloso sucesso. Esse segredo real não são as origens deste perfume notoriamente original encontradas numa fragrância perdida na Rússia imperial. Há uma razão para um ter sobrevivido e o outro, não. Nem é um segredo de como o Chanel N° 5 se tornou um sucesso de vendas por causa de um empurrão de marketing engenhoso e agressivo na década de 1920. Certamente não é isso. O Chanel N° 5 teve êxito *apesar* de uma campanha que foi, na melhor das hipóteses, sem inspiração e, na pior, confusa. Mais objetivamente, se aqueles primeiros anúncios tivessem sido responsáveis pela rápida ascensão do N° 5, teriam transformado aqueles outros perfumes numerados no mesmo tipo de esmagador sucesso. Mas só o Chanel N° 5 se tornou um triunfo comercial. Só o Chanel N° 5 virou um monumento.

Por mais belo que fosse – e continua sendo –, o aroma também não é o segredo. Hoje, não é preciso ter acesso a arquivos de empresas cobertos de poeira ou fórmulas roubadas para produzir cópias perfeitas de qualquer um dos melhores perfumes do mundo, bastam equipamentos relativamente caros e um laboratório decente. Versões genéricas do Chanel N° 5 estão à venda no mundo inteiro em drogarias baratas e pela internet. Versões do Chanel

Nº 5, de fato, estiveram rapidamente disponíveis para os consumidores na década de 1920. Isso nunca fez muita diferença. Era sempre Chanel Nº 5 o que as mulheres queriam. Como prova disso, existe também uma meia dúzia de perfumes excelentes da era dourada dos anos 30 e 40 que estiveram um dia presentes nos toucadores no mundo inteiro e que desapareceram faz tempo, embora devessem ter se tornando clássicos pelos seus estonteantes aromas. Entusiastas de perfumes ainda se entristecem com suas perdas. Mas um excelente produto nunca foi, no mundo dos negócios, garantia de coisa nenhuma.

O segredo nem mesmo é encontrado na história da imperfeita criadora do perfume, seus romances de guerra malvistos, ou suas táticas de negócios calculistas e angustiantemente oportunistas, embora o Chanel Nº 5 estivesse na essência daqueles anos e no que veio depois. Nem, ainda, está na história dos sócios que tranquilamente triunfaram. Muito antes da Segunda Guerra Mundial, o Chanel Nº 5 havia se libertado da vida da mulher que o inventara e se tornado um produto com um destino próprio.

Pelo contrário, o segredo no cerne do Chanel Nº 5 e de seu persistente sucesso somos nós e o nosso relacionamento com ele. É a nossa curiosa e fantástica fascinação coletiva por esse singular perfume por quase um século e a história de como um aroma foi – e continua sendo – capaz de produzir em tantos de nós o desejo de possuí-lo. Pense nesse número: um vidro vendido a cada trinta segundos. É uma assombrosa economia de desejo.

O Chanel Nº 5 é inegavelmente *o* produto de consumo de luxo mais cobiçado do século XX – e do XXI. Mas ele não mudou nenhuma das suas características essenciais; em vez disso, década após década, nós o reinventamos em nossas mentes. Em certos momentos, principalmente desde a década de 1980, o marketing inteligente tem sido parte do que nos guiou. Mas o Chanel Nº 5 nunca foi a criação de comercialismos grosseiros. Pelo contrário, algo maior, algo mais eterno, quase de imediato o fez ser um sucesso sem precedentes. O tempo todo fomos participantes voluntários na produção e reprodução desta lenda. Na verdade, temos sido os principais agentes dela. Em parte, é o que explica a proliferação de histórias sobre o Chanel Nº 5. Às vezes inventamos e sonhamos a nossa própria versão dessas lendas, portanto há momentos em que a verdadeira história da fragrância mais famosa do mundo nos chega como uma surpresa. E não é apenas com a invenção do "novo luxo" na década de 1990 que começamos a associá-lo às narrativas de nossas próprias esperanças e desejos, e às vezes até das nossas perdas. O Chanel Nº 5 tem sido as lendas que contamos a nós mesmos desde o início, e isso inclui todas as pessoas que moldaram a sua história.

Algumas dessas pessoas são os personagens cujas vidas estão entrelaçadas intimamente com a história desse perfume – os personagens a cujas vidas este livro se refere. Todas elas encontraram meios para se conectar pessoal e intimamente com esse aroma que ajudaram a tornar famoso, e, é claro, ninguém está mais ligado à fragrância do que Coco Chanel. Ele foi parte da sua história e da sua lenda. Seus aromas contraditórios capturavam algo de essencial no que ela amava e odiava – e, em alguns momentos, a fragrância se tornaria a sua *bête noir* muito antes de ser o glorioso *monstre* da indústria. Para Dmitri Pavlovich, era o aroma familiar de uma vida privilegiada, que desaparecera com o império russo, e a fragrância lembrada de uma tia imperial, no fundo cruel, e de uma amada irmã e companheira de exílio. Até o insensível Ernest Beaux o investiu de significados particulares, com a memória de aromas que pareciam capturar a frescura da neve derretendo sobre a rica terra negra do extremo norte do mundo.

Ele foi o mesmo para gerações de homens e mulheres sem nome nem rosto que fizeram deste perfume um sucesso de vendas no mundo inteiro e a fragrância mais famosa por várias gerações.

É a nossa história – e de certo modo a do complicado último século. Sem pensar nas histórias familiares por trás do Chanel Nº 5 e sem dar ouvidos às feias controvérsias nos jornais na França ocupada que a venda da empresa a Félix Amiot gerava, soldados alemães sabiam apenas que gostavam dele. Da mesma forma, os britânicos. As tropas americanas compartilhavam essa paixão também.

Quando os soldados americanos chegaram para libertar Paris, a famosa butique de Coco Chanel era o mais belo salão de perfumes numa cidade ainda bela. Todo o primeiro andar era dedicado à exposição de frascos de vidro lapidado, a sua luz refletida nos espelhos. O Chanel Nº 5 era algo que se imaginava ao sonhar com Paris. Era aroma e sexo; algo para conter os anos de perdas, uma promessa de esperança de algo que sobrevivia de uma forma encantadora. Os soldados em fila na rua Cambon daquela foto tinham cada um deles a sua própria lenda. Mas o nome da garota que ficara em casa, a mãe, irmã ou amante não é o que importa para a história deste perfume. É o fato de existirem tantas dessas histórias, cada uma com ressonâncias e significados particulares.

Quem sabe exatamente o que aqueles pracinhas americanos estavam pensando naquele dia na rua, atrás do Hotel Ritz? Parte do brilho da estratégia de vendas dos sócios, baseada em cooperativas durante a guerra, era que o Chanel Nº 5 se tornara não só o perfume francês mais reconhecido no mercado, como tinha a aprovação implícita das Forças Armadas dos Estados Unidos como um objeto de desejo apropriado em meio a uma época terrível. Os pensamentos daqueles soldados nunca foram registrados, mas, na década de 1950, uma jovem americana chamada Ann Montgomery viajou para Paris para ser modelo de moda, e ela lembra com clareza o significado do Chanel Nº 5.

Ann – agora Ann Montgomery Brower – lembra que, quando estava na faculdade, na década de 1940, o Chanel Nº 5 simbolizava Paris e glamour. Hoje, Paris talvez não esteja tão longe. Na época, ela recorda pensativa, a distância parecia enorme. Sua primeira viagem depois da guerra demorou dez dias num navio da Holland America. Paris ainda era exótica e um símbolo de luxo e esplendor. E foi durante a guerra, ela diz, que o Chanel Nº 5 passou a ser o perfume que todos cobiçavam.

No fim da Segunda Guerra Mundial, dizer "Nº 5" era invocar uma narrativa ao mesmo tempo culturalmente universal e deliciosamente privada, e Coco Chanel sempre soube que havia certa magia e um destino humano como nenhum outro nesse número especial. Hoje, o charme continua tão poderoso quanto antes. As mulheres usam Chanel Nº 5 porque ele ainda é capaz de propor esse mesmo convite a – como diz o atual slogan da empresa – "compartilhar a fantasia". Mulheres jovens o usam para se sentir ricas e sofisticadas. Mulheres ricas e sofisticadas o usam para se sentir sexy. Mulheres sexy sabem exatamente por que Marilyn Monroe fez dele o seu perfume característico.

Ou quem sabe elas o usam por alguma outra razão – uma razão quase certamente pessoal. Mas isso é o que sempre esteve no centro da lenda do Chanel Nº 5. Esta é a biografia desse aroma, e a história de nossa participação coletiva na sua produção – participação que fez do Chanel Nº 5 um perfume com vida própria.

AGRADECIMENTOS

Nunca, eu acredito, escrevi nada que dependesse tanto da bondade de amigos e da generosidade de tantos novos conhecidos. Entre esse amigos, um muito obrigada a Noelle Baker, Bill Hare, Roberta Maguire, Jeff Cox, Mark Lussier, Paul Youngquist, Christine Renaudin, Graham Lawler, Michael Gamer, Elise Bruhl, Michael Eberle-Sinatra, Tim Fulford, Paula Torgeson, Noelle Oxenhandler, Adrian Blevins, Nate Rudy, Lydia Moland, Axel Witte, a falecida Susanne Kröck, Matt e Erica Mazzeo, Dave Suchoff, Carleen Mandolfo, Lisa Arellano, Anindyo Roy, Liz Vella, Hannah Holmes, Shari Broder, Bruce Redford, Dennis Crowley, Mark Lee, Joyce Hackett, Jeremy e Paula Lowe. Michael Buss, Anna-Lisa Cox, Abby e Jon Hardy, Jérémie Fant, Jeffery McLain, Sam Hoyt Lindgren, Don Lindgren, Victor Hartmann e Elizabeth Morse. Richard Wendorf ofereceu conselhos perspicazes a respeito do manuscrito num momento crítico. Jim Wendorf e Barbara Fiorino foram anjos da guarda em Nova York, e meus agradecimentos a Mark Anderson pela ajuda com pesquisas de última hora em Berlim. Hillary Rockwell Cahn e Charles Cahn colocaram-me na direção certa no início. Minha mãe, Charlene Mazzeo, foi a minha última e melhor leitora, e meu obrigado a Pierre Guyomard e Simon Pittaway da La Maison de Léontine, em Aubazine, por me hospedarem, servirem de cicerones para mim e – junto com muitos outros no vilarejo naquela noite – me ajudarem a içar um carro alugado de dentro de uma vala coberta de neve no meio de uma nevasca na França. Sou também muito agradecida à Chanel por terem me dado inestimável assistência na pesquisa para este livro, embora a Chanel fosse bem clara indicando não poder confirmar muitos dos fatos expostos aqui. Confiei, ao longo de todo este livro, nas muitas – e ocasionalmente contraditórias – fontes publicadas sobre a vida de Coco Chanel e a lenda do Chanel Nº 5. Também no mundo dos perfumes, Christophe de Villeplee e Nicholas Mirzayantz me receberam na International Flavors and Fragrances (IFF) e sou grata a Subha Patel e Ron Winnegrad da IFF e a Virginia Bonofiglio do Fashion Institute of Technology por todas as informações que me deram. Linda Gerlach também compartilhou a sua experiência na criação de Love, the Key to Life e, na Osmothèque de Versaille, Jean Kerléo e Yves Tanguy ofereceram gratuitamente tempo e perícia. Marie-Christine Grasse me apresentou ao Museu do Perfume em Grasse. Obrigada, também, a Philip Kraft, da Givaudan; Walter Zvonchenko da Biblioteca do Congresso; e Bradley Hart da Universidade de Cambridge por sua ajuda nas pesquisas no Churchill Archive Centre e no National Archives em Londres. Em Aubazine, Michèle Millas e Jean-Louis Sol foram guias excelentes no lar onde Coco Chanel passou a sua infância. Obrigada ao artista de odores e pesquisador Sissel Tolaas por conversas olfativas e outras agradáveis diversões e a Luca Turin e Tania Sanchez por conversarem o tempo que fosse necessário em Boston. Memorialista e ex-modelo, Ann Montgomery Brower generosamente lembrou seu tempo na casa de Chanel na década de 1950.

Por último – mas certamente não menos importante – na HarperCollins, Matt Inman foi, como sempre, o tipo de editor com o qual a maioria dos autores apenas sonham, e eu não poderia ter escrito este livro sem ele. Um afetuoso muito obrigada, também, à minha agente, Stacey Glick, pela excelente habilidade em tornar tudo possível. Finalmente, sou grata aos meus colegas do Departamento de Inglês do Colby College e ao decano da faculdade, Edward Yeterian, particularmente, pelo tempo que me concedeu e por sua paciência enquanto eu terminava este livro.

NOTAS

PREFÁCIO

11 *"Chanel Nº 5 é avaliado 'o aroma mais sedutor' numa pesquisa com mulheres"*: Sherryl Connely, "Chanel Nº 5 perfume rated 'most seductive scent' in poll of women", *New York Daily News*, 2 de dezembro de 2009, www.nydailynews.com/lifestyle/shopping_guide/2009/12/02/2009-12-02_chanel-no-5-perfume-is-tops-with-women.html.

11 *"Marilyn Monroe nunca teve problemas para atrair homens"*: "The Secret to Bagging Your Dream Man? Why, Chanel Nº 5, Of Course. One in Ten Were Wearing Seductive Fragrance When They 'Met the One'", *Daily Mail*, 1º de dezembro de 2009, www.dailymail.co.uk/femail/article-1232047/The-secret-bagging-dream-man-Why-Chanel-No.5-course-One-wearing-seductive-fragrance-met-one.html#ixzz0fQVxXLLB.

11 *"parece que a sua interessante vida amorosa talvez se resumisse a uma simples escolha"*: "The Secret to Bagging Your Dream Man?", *Daily Mail*, 1º de dezembro de 2009.

11 *da nova estrela dizendo que, de noite, na cama, a única coisa que ela usava eram algumas gotas de Chanel Nº 5*: Paul Kremmel, org., *Marilyn Monroe and the Camera* (Londres: Schirmer Art Books, 1989), 15: "Something for the Boys", *Time*, segunda-feira, 11 de agosto de 1952. Outras versões da citação dizem "A drop of Chanel Nº 5" ("Uma gota de Chanel Nº 5").

12 *"para levá-lo mais adiante até o status de namoro"*: "The Secret to Bagging Your Dream Man", *Daily Mail*, 1º de dezembro de 2009.

12 *uma em cada dez afirmou ter encontrado o seu Príncipe Encantado quando estava usando o simbólico perfume*: Ibid.

12 *segundo o governo francês, um frasco do perfume mais famoso do mundo é vendido*: "News From France", *Ambassade de France aux États Unis* 6, Nº 12 (6 de dezembro de 2006), http://ambafrance-us.org/IMG/pdf/nff/News

FromFrance%2006-12.pdf; outras fontes dizem que as vendas estão próximas de um vidro da fragrância a cada cinquenta e cinco segundos: "Chanel N° 5 most Iconic Perfume", *The Telegraph*, 27 de novembro de 2008, www.telegraph.co.uk/news/uknews/3530343/Chanel-No.-5-most-iconic-perfume.html.

12 *Poucos anos depois, a categoria dos super-ricos havia inchado mais de 700%*: Sobre a crescente concentração de riqueza nos Estados Unidos durante a década de 1920, ver, por exemplo, Larry Samuel, *Rich: The Rise and Fall of American Wealth Culture* (Nova York: ACOM, 2009).

13 *lojas de departamentos, outro fenômeno dessa tentadora nova era comercial*: Sobre a história das lojas de departamentos, ver Richard Longstreath, *The American Department Store Transformed, 1920-1960* (New Haven, CT: Yale University Press, 2010); Jan Whitaker, *Service and Style: How the American Departament Store Fashioned de Middle Class* (Nova York: St. Martin's, 2006); Jacques du Closal, *Les Grands Magasins: Cent Ans Après* (Paris: Clotard et Associés, 1989).

13 *Babe Ruth conduziu os New York Yankees a três títulos da World Series:* Para a história cultural da década de 1920, ver Lucy Moore, *Anything Goes: A Biography of the 1920s* (Nova York: Overlook Press, 2010); Edmund Wilson, *The American Earthquake: A Chronicle of the Roaring Twenties, the Great Depresssion, and the Dawn of the New Deal* (Nova York: DaCapo Press, 1996); Malcolm Cowley, *Exile's Return: A Literary Odyssey of the 1920s* (Nova York: Penguin, 1994); Jean-Claude Baker, *Josephine Baker: The Hungry Heart* (Nova York: Cooper Square, 2001); e Michael K. Bohn, *Heroes and Ballyhoo: How the Golden Age of the 1920s Transformed American Sports* (Dulles, VA: Potomac Books, 2009).

15 *Chandler Burr nos lembra... mencionada em tons respeitosos simplesmente como* le monstre – *o monstro:* Chandler Burr, *The Perfect Scent: a Year Inside the Perfume Industry in Paris and New York* (Nova York: Henry Holt, 2007), 143.

16 *"É inacreditável! Não é uma fragrância; é um danado de um monumento cultural, como a Coca-Cola":* Ibid.

CAPÍTULO UM

21 *a quase 400 dólares o vidro de 30 ml*: Na época da publicação, um vidro de 7,5ml de Chanel N° 5 era vendido por 95 dólares, www.chanel.com/en_US/fragrance-beauty/Fragrance-N°5-N°5-PARFUM-88173.

22 *As raízes camponesas de Gabrielle Chanel:* Várias biografias exploram os detalhes da infância de Coco Chanel, e eu tomei como base neste livro as

seguinte fontes: Pierre Galante, *Mademoiselle Chanel*, trad. para o inglês por Eileen Geist e Jessie Wood (Chicago: Henry Regnery Company, 1973); Axel Madsen, *Chanel: A Woman of Her Own* (Nova York: Henry Holt, 1990); Frances Kennett, *Coco: The Life and Loves of Gabrielle Chanel* (Londres: Victor Gollancz, 1989); Edmonde Charles-Roux, *Chanel*, trad. para o inglês por Nancy Amphoux (Londres: Harvill Press, 1995); Claude Baillén, *Chanel Solitaire*, trad. para o inglês de Barbara Bray (Nova York: Quadrangle, 1973); Misia Sert, *Misia and The Muses: The Memoirs of Misia Sert* (Nova York: John Day Company, 1953); e Isabelle Fiemeyer, *Coco Chanel: Un Parfun* [sic] *de Mystère* (Payot: Paris, 1999).

23 *santo Étienne d'Obazine*: *La Vie de Saint Étienne Fondateur et Premier Abbé du Monastère d'Obazine*, org. Monsignor Denéchau (Tulle, França: Jean Mazeyrie, 1881).

24 *Coco Chanel certa vez comentou, anos depois, que moda era arquitetura*: Haedrich, *Coco Chanel*, 252.

24 *Charles-Roux sempre acreditou que: "Quando [Coco] começava a ansiar por austeridade, pelo máximo de limpeza"*: Charles-Roux, *Chanel*, 43.

25 *São Bernardo de Claraval, que fundou o movimento cisterciense*: Ver Bernard de Clairvaux, *Sermons on the Song of Songs*, trad. para o inglês de Kilian Walsh (Collegeville, MON: Cistercian Publications/Liturgical Press, 1976).

25 *Para Étienne, plantar flores muito perfumadas por toda a parte nas ravinas vazias e terrenos baldios ao redor das suas abadias passou a ser uma missão*: Ver *La Vie de Saint Étienne Fondateur et Premier Abbé du Monastère d'Aubazine*; o livro especifica que Étienne plantou "flores amarelas e cor-de-rosa nas colinas", 233.

25 *a desgastada escada de pedra em Aubazine que levava aos quartos de dormir das crianças*: Madsen, *Chanel: A Woman of Her Own*, 17.

26 *Foi uma infância muito infeliz*: Baillén, *Chanel Solitaire*, 167.

26 *permaneceu como um segredo guardado e vergonhoso*: Charles-Roux, *Chanel*, 43.

26 *o cheiro de lençóis fervidos em panelas de cobre suavizado com raízes secas de íris*: Ibid.

26 *Aubazine também estava cheia de símbolos e do poder misterioso dos números*: Fiemeyer, *Coco Chanel*, 74; meus agradecimentos a Madame Michèle Millas e aos funcionários e irmãs na abadia de Aubazine por sua hospitalidade e ajuda.

26 *Colunas duplas refletiam a dualidade de corpo e espírito, céu e terra*: Aubazine, folha de informações históricas locais, cortesia de Michèle Millas; as infor-

mações sobre a importância simbólica da numerologia arquitetônica que se seguem referem-se também a esse material fonte.

27 *estas eram as igrejas que mais intimamente estavam associadas com os mistérios ocultos da Ordem dos Templários:* Ver Walid Amine Salhab, *The Knights Templar of the Middle East* (San Francisco: Red Wheel, 2006).

27 *"Catedrais, igrejas e abadias cistercienses... são construídas com base em medidas... que se igualam mais ou menos [à] Proporção Áurea de Pitágoras":* Salhab, *The Knights Templar of the Middle East*, 158.

28 *"Nº 5 fosse o seu número fetiche desde a infância":* Fiemeyer, *Coco Chanel*, 74.

28 *"Ela o desenhava na terra... com um galho que havia colhido":* Ibid.

28 *o próprio nome "'cisterciense', e o do [seu] primeiro mosteiro, Citeaux, ambos vêm da palavra* cistus, *da família das citáceas:* Karen Ralls, *Knights Templar Encyclopedia: The Essential Guide to the People, Places, Events, and Symbols of the Order of the Temple* (Franklin Lakes, NJ: New Page Books, 2007), 54.

28 *Alexandre Dumas, uma geração depois, as levou para o palco do vaudeville popular:* Alexandre Dumas, *La Dame aux Camélias* (1853) (Nova York: G. Schirmer, 1986), libreto; Beverly Seaton, *The Language of Flowers: A History* (Charlottesville: University of Virginia, 1995).

29 *"La Dame aux Camélias", ela disse certa vez, "era a minha vida, todos os romances populares de que eu me alimentava":* Baillén, *Chanel Soltaire*, 180.

29 *Era a forma, ela sempre dizia, de infinitas possibilidades:* Linda Grant, "Coco Chanel, la dame aux camélias", *London Telegraph*, 29 de julho de 2007, www.telegraph.co.uk/faschin/stellamagazine/3360675/Coco-Chanel-la-dame-aux-camelias.html.

CAPÍTULO DOIS

30 *Em poucos meses mais, o pintor Henri Matisse e seus compatriotas:* Ver Pat Shipman, *Femme Fatale: Love, Lies, and the Unknown Life of Mata Hari* (Nova York: Harper Perennial, 2008); Rachel Shteir, *Striptease: The Untold History of the Girlie Show* (Oxford, Grã-Bretanha: Oxford University Press, 2005); Alfred Marquet, *From Fauvism to Impressionism* (Nova York: Rizzoli, 2002).

30 *salões de baile mal frequentados como o La Rotonde*: Charles-Roux, *Chanel*, 82.

31 *vendedora de lingerie e meias numa butique chamada* À Sainte Marie, *em Moulins:* Charles-Roux, *Chanel*, 56.

32 *Chamada simplesmente de* La Jolie Parfumeuse *– "a bela perfumista":* Charles-Roux, *Chanel*, 53, 78; Hector Jonathan Crémieux e Ernest Bllum, La Jolie Parfumeuse, *An Opera-Comique in Three Acts* (Nova York: Metropolitan Print, 1875).

33 *O que lhe havia ocorrido – como ela expressou mais tarde – era que ela tinha "um corpinho sensual"*: Judith Thurman, "Scenes from a Marriage: The House of Chanel at the Met", *The New Yorker*, 23 de maio de 2005, www.newyorker.com/archive/2005/05/23/050523crat-atlarge1?currentPage=all.

33 *"Qui qu'a vu Coco" e "Ko Ko Ri Ko"*: "Ko Ko Ri Ko" era uma canção da popular ópera em um único ato da virada do século *Ba-Ta-Clan* (1855), de Jacques Offenbach – o homem por trás de *La Jolie Parfumeuse* – e do libretista Ludovic Halévy. Ko Ko Ri Ko (barítono) é um colonialista francês armando um golpe de Estado contra o imperador chinês; a trama envolve engraçadas maquinações políticas, canções excitantes e piadas sobre franceses se encontrando no exterior. O personagem pode ter sido mais tarde uma inspiração para Ko Ko em *Mikado* (1885), de Gilbert e Sullivan. Mary E. Davis observa que ela ficou famosa como uma música dos bulevares em 1897 pela atriz de teatro Émilie Marie Bouchaud, mais conhecida como Polaire; ver Mary E. Davis, *Classic Chic: Music, Fashion, Modernism* (Berkeley: University of California Press, 2006, 154).

A outra canção que deu a Coco o seu apelido foi também uma peça de teatro popular. Davis escreve que "Qui qu'a vu Coco dans le Trocadero" era um "lamento canino" recontando as aventuras de um cão perdido, que foi composta por Elise Faure em 1889", 154. A letra se traduz como: "Quem viu Coco no Trocadero,/Vocês viram Coco?/Coco no Trocadero,/Co no Tro,/Co no Tro,/Coco no Trocadero,/Quem, oh, quem viu Coco?/Eh! Coco!/Eh! Coco!/Quem, oh quem viu Coco?/Eh! Coco!"

33 *"Para uma grande parte da sociedade, as semelhanças entre a vida de atriz e a da prostituta ou* demi-mondaine *eram inesquecíveis e invalidavam qualquer outra evidência de respeitabilidade"*: Tracy C, Davis, *Actresses as Working Women: Their Social Identity in Victorian Culture* (Londres: Routledge, 1991), 69.

34 *Ela havia consentido em "ser 'contratada' para diversão"*: Davis, *Actresses as Working Women*, 69.

34 *do que seus biógrafos acreditam ter sido um aborto malfeito*: Madsen, *Chanel*, 27.

34 *"Eu já tive um protetor chamado Étienne, e ele realizou milagres também"*: Charles-Roux, *Chanel*, 73

35 *Ela havia sido amante do rei da Bélgica*: Ver Claude Dufresne, *Trois Grâces de la Belle Époque* (Paris: Bartillat, 2003); Cornelia Otis Skinner, *Elegant Wits and Grand Horizontals* (Nova York: Houghton Mifflin, 1962); Flo-

rence Tamagne, *A History of Homosexuality in Europe: Berlin, London, Paris, 1919-1939* (Nova York: Algora Publishing, 2006); e Marcel Proust, *À la recherche du temps perdu* (Paris: Gallimard, 2002).

36 *havia uma acentuada diferença entre o cheiro de uma cortesã e o de uma boa moça:* Richard Stamelman, *Perfume: Joy, Obsession, Scandal, Sin* (Nova York: Rizzoli, 2006), 29, 93; ver também Edwin Morris, *Fragrance: The Story of Perfume from Cleopatra to Chanel* (Nova York: Charles Scribner's, 1984).

36 *o perfume mais antigo do mundo era produzido na ilha de Chipre, no Mediterrâneo:* John Roach, "Oldest Perfumes in History Found on Aphrodite's Island", *National Geographic News*, 29 de março de 2007.

36 *cultos do mundo antigo dedicados à prostituição sagrada:* Stephanie Budin, *The Myth of Sacred Prostitution* (Cambridge, Grã-Bretanha: Cambridge University Press, 2008), 50.

36 *a resina do* cistus *dos cistercienses ou esteva, conhecida como ládano – é inerentemente sensual:* Ver, por exemplo, Manfred Milinski e Claus Wedwkind, "Evidence for MHC-Correlated Perfume Preferences in Humans", *Behavioral Ecology* 12, nº 2 (2001): 140-49; para mais informações sobre as origens deste material, ver H. Greche, N. Mrabet e S. Zrira, "The Volatiles of the Leaf Oil of *Cistus Ladanifer L. Var, albiflorus* e Labdanum Extracts of Moroccan Origin and Their Antimicrobial Activities", *Journal of Essential Oil Research* 21, nº 2 (2009), 166-73.

37 *o "ouro flutuante" conhecido como ambergris ou "âmbar-cinzento":* Ver Cynthia Graber, "Strange but True, Whale Waste Is Extermely Valuable", *Scientific American*, 26 de abril de 2007; Corey Kilgannon, "Gift of Petrified Whale Vomit Could Be Worth Its Weight in Gold", *San Francisco Chronicle*, 25 de dezembro de 2006, A22.

37 *Jeanne Bécu, mais conhecida na história como a famosa cortesã real Madame du Barry:* Ver Joan Haslip, *Madame du Barry: The Wages of Beauty* (Londres: Tauris Parke, 2005); Corey Kilgannon, "Please Let It Be Whale Vomit, and Not Just Sea Junk", *New York Times*, 18 de dezembro de 2006, http://www.nytimes.com/2006/12/18/nyregion/18whale.html?pagewanted-print; Kilgannon, "Gift of Petrified Whale Vomit". Ver também Cynthia Graber, "Strange but True, Whale Waste Is Extremely Valuable", *Scientific American*, 26 de abril de 2007, www.scientificamerican.com/article.cfm?id=strange-but-true-whale-waste-is-valuable.

37 *Josefina encharcava tudo no palácio de Versalhes com os aromas íntimos de almíscar animal:* Stamelman, *Perfume*, 120.

37 "*o odor di femina das prostitutas e outras mulheres de virtude duvidosa*": Stamelman, *Perfume*, 29.

37 "*eram marcadas como pertencendo ao mundo marginal de prostitutas e cortesãs*": Stamelman, *Perfume*, 29.

37 *Mulheres "de bom gosto e reputação" usavam "apenas [as] simples essências florais*": Stamelman, *Perfume*, 95.

38 *Tão fino era o seu olfato... o modo como algumas das outras amantes cheiravam lhe dava náuseas:* Mauden, *Chanel*, 38.

39 *mulheres com corpos infantis conhecidas como* fruits verts – *frutos verdes:* Madsen, *Chanel*, 36; para suas origens na literatura erótica do período, ver, por exemplo, Alphonse Momas, *Green Girls* (Paris: Renaudie, 1899); ou o pseudônimo "Donewell", *Green Girls* (Paris: Bouillant, 1899), citado em Peter Mendes, *Clandestine Fiction in English 1800-1930, A Bibliographical Study,* Scolar [sic] Press (Aldershot, Grã-Bretanha, 1993), 312; grato a Stephen Hallwell, Christine Roth e a mailing list Victoria por esta referência.

39 *o excitante não eram mulheres com aparência de homens, "mas, sim, de crianças*": Alison Laurie, *The Language of Clothes* (Nova York: Randon House, 1981), citado em Davis, *Classic Chic,* 163.

39 *do romance escandalosamente erótico de Victor Margueritte* La Garçonne: Victor Marguerite, *La Garçonne* (Nova York: A. Knoff, 1923; Paris: E. Flammarion, 1922, com ilustrações de Kees van Dongen).

CAPÍTULO TRÊS

41 *Ela gostava que Boy cheirasse a "couro, cavalos, floresta e sabão de óleo de mocotó"*: Madsen, *Chanel*, 49; detalhes da infância de Coco Chanel aqui e a seguir extraídos de várias biografias citadas acima.

41 *Virginia Woolf faria a ousada afirmação de que "por volta de dezembro de 1910, o caráter humano mudou", trazendo com ele suas avassaladoras mudanças "na religião, na conduta, na política e na literatura*": Virginia Woolf, "Mr. Bennett and Mrs. Brown", em Mitchell A. Leaske, org., *The Virginia Woolf Reader* (San Diego: Harcourt, 1984), 194.

41 *o aluguel inicial da sua butique na rua Cambon tinha uma cláusula:* Galante, *Mademoiselle Chanel*, 30.

42 *Fragrâncias já haviam feito do jovem empresário corso François Coty... um dos homens mais ricos da França:* Roulhac B. Toledano e Elizabeth Z. Coty, *François Coty: Fragrance, Power, Money* (Gretna, LA: Pelican Publishing, 2009), 24.

42 *Inspirada nas "odaliscas muito perfumadas de* Scheherazade", era a fantasia de um sultão: Christine Mayer Lefkowith, *Paul Poiret and His Rosine Perfumes* (Nova York: Editions Stylissimo, 2007), 36; também a fonte de detalhes sobre o lançamento de Parfums de Rosine abaixo. Dana Thomas, falando com o perfumista Jean Kerléo, relata que Poiret pode ter desenvolvido antes de Nuit Persanes uma fragrância chamada Coupe d'Or (taça de ouro), também sugestivo de fantasias orientais. Ver Dana Thomas, *Deluxe: How Luxury Lost Its Luster* (Nova York: Penguin, 2007), 141.

42 *Naquela noite de verão, no dia 24 de junho de 1911, o ar quente estava carregado de sons suaves de música persa:* A festa descrita por Paul Poiret nas suas memórias; ver Paul Poiret, *The King of Fashion: The Autobiography of Paul Poiret* (Londres: V & A Publishing), 2009.

44 *Maurice Babani foi o segundo* couturier *a lançar um perfume com o seu nome:* Marie-Christine Grasse, Elisabeth de Feydeau e Freddy Ghozland, *L'un des sens. Le Parfum au XXème siècle* (Toulouse: Éditions Milan, 2001), página para 1921.

46 *um livro que estava vendendo muito,* Modern Dancing, *escrito pelo casal do momento,* Verne e Irene Castle: Vernon e Irene Castle, *Modern Dancing* (Nova York: Harper, 1914); ver também Eve Golden, *Vernon and Irene's Ragtime Revolution* (Lexington: University Press of Kentucky, 2007).

46 *só porque ele e Coco estavam apaixonados, isso não significava que Boy não tivesse um estábulo de amantes*: Baillén, *Mademoiselle Chanel*, 20; Haedrich, *Coco Chanel*, 76.

46 *ela podia se dar o prazer de uma villa no sul da França e um "pequeno Rolls azul"*: Davis, *Classic Chic*, 169.

46 *"A guerra me ajudou", Chanel mais tarde lembrou. "Catástrofes mostram... acordei famosa"*: Haedrich, *Coco Chanel*, 95.

47 *a cidade continuava repleta de muitos dos dois milhões de soldados americanos*: Toledano e Coty, *François Coty*, 24.

47 *grandes empresas de fragrâncias como Bourjois e Coty haviam começado a abrir escritórios nos Estados Unidos na década de 1910:* Sobre a história da indústria de perfumes franceses e os mercados americanos, ver Toledano e Coty, *François Coty*; Geneviève Fontan, *Générations Bourjois* (Toulouse, França: Arfon, 2005); Morris, *Fragrance*; Harvey Levenstein, *We'll Always Have Paris: American Tourists in France Since 1930* (Chicago: University of Chicago Press, 2004); e Helen M. Caldwell, "1920-29: The Decade of the French Mystique in the American Perfume Market", http://faculty.quinnipiac.edu/charm/CHARM%20proceedings/CHARM%20

article%20archive%20pdf%20format/Volume%204%201989/259%20caldewell.pdf.

47 *François Coty, que, em 1919, se tornou o primeiro bilionário francês. Sua mulher, Yvonne, que também tinha feito a sua estreia como chapeleira em Paris:* Detalhes aqui e a seguir de Toledano e Coty, *François Coty,* 24, 50, *passim;* Coty ganhou o seu primeiro bilhão em 1919.

48 *Coco Chanel recebeu a excitada visita de uma amiga, a socialite boêmia Misia Sert:* Ver Arthur Gold, *Misia: The Life of Misia Sert* (Nova York: Vintage, 1992).

49 *Elas já tinham conversado sobre isso, debatido desenhos para os frascos e até planejado como Coco o venderia para suas clientes de alta costura:* Segundo Misia Sert: "Juntas estudamos a embalagem, um solene, ultrassimples, quase farmacêutico vidro, mas segundo o gosto de Chanel e embrulhado em... elegância", Madsen, *Chanel,* 133.

49 *Era uma fórmula perdida do "milagroso perfume" das rainhas Médici:* Charles-Roux, *Chanel,* 164.

49 *Afinal de contas, a história da produção de perfumes na França começou na corte das rainhas da família Médici:* Ver Nigel Groom, *The New Perfume Handbook* (Londres: Chapman and Hall, 1997).

50 *"montou um laboratório em Grasse para o estudo da produção de perfumes a fim de concorrer com os perfumes árabes":* Groom, *The New Perfume Handbook,* 143.

50 *Pagou seis mil francos – o equivalente a quase dez mil dólares hoje:* A determinação do valor relativo de moedas históricas é uma ciência notoriamente imprecisa; todos os números contemporâneos dados aqui estão baseados nos calculadores desenvolvidos pelos professores Lawrence H. Officer e Samuel H. Williamson em www.measuringworth.com/uscompare/. Os valores de todas as mercadorias são calculados usando medidas do índice de preço ao consumidor; outras medidas são como anotadas.

50 *Misia Sert, mais tarde, afirmaria que esta foi a origem de Chanel N° 5:* Madsen, *Chanel,* 133; ver também Dominique Laty, *Misia Sert et Coco Chanel* (Paris: Jacob, 2009); Misia Sert, *Misia par Misia* (Paris: Gallimard, 1952); Gold, *Misia.*

51 *Sua mulher, Yvonne, também afirmou que... François se ofereceu para deixá-la usar o seu laboratório para a elaboração:* Toledano e Coty, *François Coty*; os autores dizem que, em 1960, havia pessoas que viram a conta original, "apresentada em papel pardo velho com a marca-d'água da empresa", 86.

52 *"Nós estávamos apaixonados"*, ela mais tarde lembrou, *"poderíamos ter nos casado"*: Madsen, *Chanel*, 91.

54 *"Para uma mulher"*, Coco Chanel diria mais tarde, *"a traição tem apenas um sentido: o dos sentidos"*: Baillén, *Chanel Solitaire*, 69.

CAPÍTULO QUATRO

56 *Esses eram os refúgios de verão favoritos de artistas, intelectuais e príncipes estrangeiros empobrecidos*: Marie-Christine Grasse, entrevista, 2009.

56 *Segundo lembrou a sua confidente Lady Abdy, "quando ela decidia alguma coisa, ia até o fim. Para levar a cabo e ter sucesso, ela colocava tudo em jogo"*: Kenneth, *Coco*, 49.

57 *Hoje, existe pelo menos meia dúzia de rubricas diferentes para diagramar todas as possíveis categorias de perfume:* Talvez a mais usada – mas também muito complexa – seja a roda de fragrâncias dividida em 12 seções desenvolvida por Michael Edwards na década de 1980. Para mais informações sobre o assunto, ver também Luca Turin e Tania Sanchez, *Perfumes: The Guide* (Nova York: Viking, 2008); Stamelman, *Perfume*; Charles Sell, *The Chemistry of Fragrance: From Perfumer to Consumer* (Londres: Royal Society of Chemistry Publishing, 2005); David J. Rowe e Philip Kraft, *Chemistry and Technology of Flavours and Fragrances* (Oxford, Grã-Bretanha: Blackwell, 2004); Jonathan Pereira, *The Elements of Materia Medica and Therapeutics* (Filadélfia: Blanchard and Lea, 1854); Morris, *Fragrance*; La Société Française des Parfumeurs, Osmothèque, *La Mémoire Vivante des Parfums*, Brochure Historique (Versaille: Osmothèque, s.d.); e Groom, *The New Perfume Handbook*.

58 *Quando içou velas para se encontrar com Marco Antônio, Cleópatra*: Ver Lisa Manniche, *Sacred Luxuries: Fragrance, Aromatherapy and Cosmetics in Ancient Egypt* (Ithaca, NY: Cornell University Press, 1999); ver também Stamelman, *Perfume*.

58 *o aroma Jicky, "ferozmente moderno", de Aimé Guerlain... o perfume oriental clássico Shalimar*: Stamelman, *Perfume*, 97; sobre a história da baunilha, ver Patricia Rain, *Vanilla: The Cultural History of the World's Favorite Flavor and Fragrance* (Nova York: Penguin, 2004).

59 *a perfumaria tradicional dependia talvez de uma centena de substâncias aromáticas naturais*: Ver Milinski e Wedekind, "Evidence for MHC-correlated Perfume Preferences in Humans"; também Lyall Watson, *Jacobson's Organ and the Remarkable Nature of Smell* (Nova York: Plume, 2001).

60 *o primeiro perfume a usar um aromático sintético, o composto cumarina... substâncias aromáticas conhecidas como quinolinas:* Sintetizados pela primeira vez em 1868; Stamelman, *Perfume,* 96-97.

61 *Em 1895, o gigante da indústria de fragrâncias Bourjois introduziu um chipre... Chypre de Limassol:* Fontan, *Générations Bourjois,* 48, ver também *Perfume Intelligence: A Comprehensive Ilustrated Encyclopedia of Perfume,* http://www.perfumeintelligence.co.uk/library/index.htm.

62 *Na virada do século, o grande sucesso era La Rose Jacqueminot (1903), de François Coty:* Toledano e Coty, *François Coty,* 60.

62 *Uma formulação especial chamada Violetta de Parma (1870) era a fragrância típica da imperatriz Maria Luísa Bonaparte:* Ver Francesca Sandrini, et al., *Marie Luigia e le Violette di Parma* (Parma, Itália: Pubblicazioni del Museo Glauco Lombardi, 2008).

63 *"sonhava em imitar a natureza, mas em transformar a realidade", com uma nova "perfumaria emotiva":* Stamelman, *Perfume,* 98.

64 *"O perfume que muitas mulheres usam"... "não é misterioso... eu não quero uma mulher cheirando como uma rosa":* "People, March 16, 1931", *Time,* 16 de março de 1931, L7, www.time.com/time/magazine/article/0,9171, 769528,00. html; também citado em Galante, *Mademoiselle Chanel,* 26.

64 *"Eu quero", ela havia decidido, "dar às mulheres um perfume artificial":* Pierre Galante, *Les Années Chanel* (Paris: *Paris-Match*/Mercure de France, 1972), 79-80.

65 *"Uma mulher", ela pensava, "deve cheirar como uma mulher, não como uma flor":* Várias fontes, inclusive, por exemplo, Galante, *Mademoiselle Chanel,* 67.

65 *"Uma mulher mal perfumada"... "é uma mulher sem futuro":* Entrevista com Jacques Chazot, produzida como "Dim Dam Dom", dirigida por Guy Job, 1969.

CAPÍTULO CINCO

66 *As referências musicais em ambos os casos são notáveis:* Ernest Beaux disse mais tarde: "É como compor múscia. Cada componente tem um valor tonal definido... Eu posso compor uma valsa ou uma marcha fúnebre", "Business Abroad: King of Perfume", *Time,* 14 de setembro de 1953, www. time.com/time/magazine/article/0,9171,858285,00.html.

67 *As mulheres tomavam banho de sol nas praias, usando cordões de pérolas:* Para uma história cultural da década de 1920, ver, por exemplo, William Wiser,

Crazy Years: The Twenties in Paris (Londres: Thames and Hudson, 1990); Carol Mann, *Paris Between the Wars* (Nova York: Vendome Press, 1967).

67 *"fora toda uma raça comportando-se de forma hedonista, decidida a sentir prazer"*: F. Scott Fitzgerald, *The Jazz Era* (Nova York: New Directions, 1996), 6.

67 *na Rússia soviética depois da revolução de 1917:* Sobre a história deste período na Rússia, ver Sheila Firtzpatrick, *The Russian Revolution* (Oxford: Oxford University Press, 2008).

68 *"Entre um trago e outro", parece que Rasputin contou aos dois jovens nobres sobre a "firme intenção" da czarina: Russian Diary of an Englishman, Petrograd, 1915-1917* (Londres: William Heinemann, 1919), 5. Detalhes também extraídos de Felix Youssoupoff, *Lost Splendor: The Amazing Memoirs of the Man Who Killed Rasputin* (Nova York: Helen Marx Books, 2007): Evard Radzinsky, *The Rasputin File* (Nova York: Anchor, 2001).

69 *Quando a participação de Dmitri no assassinato foi descoberta:* Ver *Russian Diary of an Englishman:* o funcionário público anônimo escreve: "Toda a Família Imperial está fora de si com a prisão do grão-duque Dmitri, pois nem mesmo o imperador tem o direito de prender a sua família... Foi por ameaçar prender o Tzesarvich [Alexandre] que o Imperador Paulo foi morto", 87-88.

69 *"nos confins do Império [na] fronteira com a Pérsia":* Ver *Russian Diary of an Englishman*, 79.

70 *no New York Times de que "se fala que ele estava viajando a ferros":* "The German Propaganda: How It Spread in Russia and Roused Popular Indignation", *New York Times*, 16 de março de 1917.

70 *Nós "imploramos", eles escreveram na sua petição, "que reconsidere a sua dura decisão":* Ver *Russian Diary of an Englishman*, 211.

70 *"o passado, o nosso passado, ainda guardava a parte mais importante de nossas vidas":* Marie Pavlovna, *A Princess in Exile* (Nova York: Viking Press, 1932), 70-71.

71 *uma das casas de bordados e tecidos mais famosas de Paris, Kitmir:* Ver Marion Mienert, *Maria Pavlovna: A Romanov Grand Duchess in Russia and in Exile* (Mainz, Alemanha: Lennart-Bernadotte-Stiftung, 2004).

71 *conhecida como Rallet O-De-Kolon N$^{\circ}$ 1 Vesovoi – ou simplesmente perfume Rallet N$^{\circ}$ 1:* Philip Kraft, Christine Ledard e Philip Goutell, "From *Rallet N$^{\circ}$ 1 to Chanel N$^{\circ}$ 5* versus *Mademoiselle Chanel N$^{\circ}$ 1"*, *Perfume and Flavorist*, outubro de 2007, 36-41, 37-38. Este artigo seminal é a fonte de informações para todas as estruturas químicas de perfumes semelhantes ao Rallet N$^{\circ}$ 1, ao Mademoiselle Chanel N$^{\circ}$ 1 e ao Chanel N$^{\circ}$ 5.

71 *Entre os artigos pessoais saqueados dos aposentos onde a família real dos Romanov ficou presa estavam frascos de alguns perfumes não identificados:* "List of Valuables Taken by Yurovsky from the Romanovs", www.alexanderpalace.org/palace/YourovskyList.html.

72 *Talvez tenham se encontrado em Veneza, naquele primeiro inverno depois da morte de Boy, no início de 1920:* Charles-Roux, *Chanel,* 199.

73 *Fabergé, a joalheria russo-francesa... fugiram para o exílio na Suíça:* Toby Faber, *Fabergé's Eggs: The Extraordinary Story of the Masterpieces That Outlived an Empire* (Nova York: Random House, 2008); Eric Onstad, "Revived Fabergé to Create First Egg Since 1917", *USA Today,* 23 de maio de 2008, www.usatoday.com.money/industries/retail/2008-05-23-faberge-eggs_N.htm.

73 *que tinha sido comprada em 1898 por uma importante família francesa de distribuidores de perfumes:* Kraft, Ledard e Goutell, "From *Rallet Nº 1* to *Chanel Nº 5*", 39.

74 *como mais tarde ele lembrou, "tornou-se um incrível sucesso":* Entrevista com Ernest Beaux, em S. Samuels, "Souvenirs d'un Parfumeur", *Industrie de la Parfumerie* 1, Nº 7 (outubro de 1947), 228-31; as lembranças de Beaux são a fonte de outros detalhes neste capítulo.

75 *interrogando prisioneiros bolcheviques em Arkangelsk, na infame prisão da ilha de Mudyug:* Pavel P. Rasskavov, *Notes of a Prisioner* (Arkhangel: Sevkraigiz, 1935).

75 *Desde então, ela é chamada de o primeiro campo de concentração da história moderna:* Robert C. Toth, "Diplomats Say TV Show Instigates Hatred, Soviets Blame 'Amerika' for Vandalism", *Los Angeles Times,* 18 de fevereiro de 1987, http://articles.latimes.com/1987002-18/news/mn-2723_1.

76 *Essas alianças – e as muitas condecorações que ele recebeu pelos serviços prestados à França e à Grã-Bretanha, e à causa dos russos brancos:* Gilberte Beaux, entrevista, 2010.

76 *Um dos prisioneiros bolcheviques no campo em Arkangelsk mais tarde se lembrou de um tenente Beaux*: Rasskavov, *Notes of a Prisioner,* transliterado para o russo como "Bo". Ver também Beaux, "Souvenirs".

76 *Misia Sert e Paul Morand acreditavam ambos que Dmitri foi:* Madsen, *Chanel,* 132; como Madsen observa, algumas pessoas também sugeriram que a romancista francesa Colette pode ter feito as apresentações. Entretanto, visto que Coco Chanel e Colette só se tornaram amigas depois de 1922, esse cenário é impossível.

CAPÍTULO SEIS

78 Ernest estava indeciso: Galante, *Mademoiselle Chanel*, 74.

79 *O hiato entre os números refletia o fato de que estes eram aromas divididos em duas séries diferentes – mas complementares*: Beaux, em "Souvenirs", explica: "Eu criei em 1919-1920, além do Nº 5 do qual falei, o Nº 22 e uma série de outros perfumes diferentes." Ver também "Business Abroad", *Time*, 1953.

79 *"era o que eu estava esperando. Um perfume como nada igual. Um perfume de mulher, com o aroma de uma mulher"*: Galante, *Les Années Chanel*, 85.

79 *Tinha sido o número mágico de Boy Capel também, algo que os dois tinham em comum*: Boy Capel apresentou Coco Chanel ao novo movimento espiritualista conhecido como teosofismo, do qual ele era um entusiasmado membro, e, como escreve um dos biógrafos de Chanel: "Boy tinha também uma queda pelo número cinco, falando de divindades com cinco cabeças no hinduísmo, os cinco horizontes, as cinco visões do Buda, a mística do número cinco na China, o número cinco na alquimia também, e os outros usos desse número sagrado e mágico", Fiemeyer, *Coco Chanel*, 74; ver também Haedrich, *Coco Chanel*, 138.

O teosofismo era uma mistura dessas diferentes tradições espirituais. Era uma religião de médiuns e espíritas, popular na primeira década do século XX entre os boêmios elegantes, uma mistura de antiga filosofia yogui e o misticismo russo da sua fundadora, a famosa médium Madame Blavatsky. Era também, infelizmente, não de todo livre daquelas nascentes correntes de antissemitismo europeu. Escreve um historiador: "Os semitas estavam no esquema de Blavatsky... 'mais tarde' arianos – degenerados em espiritualidade, e aperfeiçoados em 'materialidade'", Colin Kidd, *The Forging of Races: Race and Scripture in the Protestant Atlantic World* (Cambridge University Press, 2006), 244.

Entre as crenças centrais do teosofismo – terreno familiar para Coco Chanel –, estava uma fé na numerologia e, especialmente, na magia da quintessência. *"Quintessence or the fifth dimension"*, os teosofistas acreditam,

> é... de uma natureza metafísica [e] nos leva a considerar o número cinco, o número pitagoreano mais sagrado, associado no antigo simbolismo com os mistérios da Vida. Ele evoca especialmente a natureza quíntupla do homem, o microcosmo, cujo símbolo é a estrela de cinco pontas. A natureza visa visivelmente à produção de formas belas... Todos os reinos fervi-

lham de obras-primas da criação... testemunhas da mais fina espécie de imaginação estética. [Hermine Sabetay, "Creative Asymetry", *The Theosophist Magazine*, agosto de 1962, 301-308; 304-305.]

Como Coco Chanel disse certa vez: "Eu acredito na quarta, quinta e sexta dimensões." Isso vem, ela explicou, "da necessidade de confiança, da crença de que uma pessoa nunca perde tudo". Durante toda a sua vida, Coco Chanel acreditou que Boy Capel se comunicava com ela do outro mundo além deste material; ver Haedrich, *Coco Chanel*, 138.

Para mais informações sobre essas "dimensões" como Chanel as compreendia, ver também Herbert Radcliffe, "Is There a Fourth Dimension?" *World Theosophy*, fevereiro-junho de 1931, 293-296; Helena Petrovna Blavatsky, *The Secret Doctrine* (Wheaton, IL: Theosophical Publishing House, 1993).

80 *Uma cartomante lhe dissera que era o número do seu destino especial:* "Chanel, the Couturier, Dead in Paris", *New York Times*, 11 de janeiro de 1971.

80 *"Vou apresentar a minha coleção de vestidos no dia 5 de maio, o quinto mês do ano", ela lhe disse, "e, portanto,... e isso vai dar sorte":* Beaux, "Souvenirs".

80 *Um perfume, certa vez ela pregou, "deve se parecer com a pessoa que o está usando":* Entrevista com Jacques Chazot, produzida como "Dim Dam Dom".

81 *químicos Georges Darzens e E. E. Blaise... descobriram como separar e sintetizar um grande grupo de moléculas de fragrâncias:* Darzens dirigiu o laboratório de pesquisa de perfumes em L. T. Pivet de 1897 a 1921: ver Michael Edwards, *Perfume Legends* (Levallois: H. M. Editions, 1996), 43, 83.

82 *Um químico diria que o hidrogênio no etanol, o tipo de álcool no vinho, se combina com o oxigênio no ar:* Tecnicamente, o etanol oxida para ácido acético, com acetaldeído como um estágio intermediário; acetaldeído é também o resultado do processo de fermentação; ver S. Q. Liu e G. J. Pilone, "An Overview of Formation and Roles of Acetaldehyde in Winemaking with Emphasis on Microbiological Implication", *International Journal of Food Science and Technology* 35 (2000), 49-61.

82 *Aldeídos têm o cheiro de muitas coisas:* para uma discussão geral melhor, ver Luca Turin, *The Secret of Scent: Adventures in Perfume and the Science of Smell* (Nova York: Harper Perennial, 2006), 54.

82 *A "brancura impecável [desses] aldeídos", escreve um especialista em fragrâncias, é o cheiro de "neve em pó":* Jim Drobnick, org., *The Smell Culture Reader* (Oxford, Grã-Bretanha: Berg Publishers, 2006), 226, escrevendo aqui

sobre a fragrância fortemente aldeídica White Linen, de Estée Lauder, baseada no quase igualmente aldeídico Chanel Nº 22, baseado no Chanel Nº 5; ver também Turin, *The Secret of Scent*, 54, para o papel dos aldeídos no White Linen.

83 *Eles são parte do que dá a um bom vinho o seu buquê intenso e taninos leves*: Sobre o papel dos aldeídos no vinho, ver Siss Frivik e Susan Ebeler, "Influence of Sulfur Dioxide on the Formation of Aldehydes in White Wine", *American Journal of Viticulture and Enology* 54, nº 1 (2003): 31-38; Laura Culleré, Jaun Cacho e Vincente Ferreira, "Analysis for Wine C5-C8 Aldehydes through the Determination of Their O-(2,3,4,5,6-pentafluorobenzyn) oximes Formed Directly in the Solid Phrase Extraction Cartridge", *Analytica Chimica Acta* 523, n°s 1-2 (2004): 201-206.

83 *Um dos primeiros aldeídos descobertos, cinamaldeído:* Pelos detalhes sobre aldeídos, meus agradecimentos a Ron Winnegrad e Subha Patel da International Flavors and Fragrances e à conservadora Elizabeth Morse.

83 *acrescentar aldeídos aos ricos odores de florais é muito parecido com o que acontece quando um cozinheiro pinga gotas de limão fresco sobre os morangos:* Jacques Polge, Chanel, entrevista, 2009.

84 *Os químicos também argumentam que os aldeídos têm o efeito de estimular o que se conhece como o nervo trigêmeo:* Luca Turin, entrevista, 2009; ver também Ron S. Jackson, *Wine Tasting: A Professional Handbook* (San Diego: Elsevier Academic Press, 2002), 52; E. Joy Bowles, *The Chemistry of Aromatherapeutic Oils* (Crows Nest, Austrália: Allen & Unwin Academic, 2004), 148; Hirokazu Tsunome and Meiji Kawata, "Stimulation to the Trigeminal Afferent Nerve of the Nose by Formaldehyde, Acrolein, and Acetaldehyde Gases", *Inhalation Toxicology* 3, nº 2 (1991); 211-22.

84 *"a maioria dos compostos aromáticos [também] pode estimular fibras do nervo trigêmeo":* Jackson, Wine Tasting, 52.

84 *Ali, nas regiões no extremo norte do mundo, estacionado ao longo do Círculo Polar:* Ver K. Sieg, E. Starokozhev, E. Fries, S. Sala, and W. Püttmsnn, "N-Aldehydes (C6-C10) in Snow Samples Collected at the High Alpine Research Station Jungfraujoch during CLAVE 5". *Atmospheric Chemistry and Physics*, vol. 9 (2009), 8071-99, www.amos-chem-phys-discuss.net/9/8071/2009; e "Atmospheric Chemicals Seen in a New Light", *CNN*, 23 de março de 1999.

84 *"finalmente o capturei, mas não sem esforço, porque os primeiros aldeídos que consegui encontrar eram instáveis e de produção duvidosa"*: Beaux, "Souvenirs".

84 *Constantin Weriguine, mais tarde lembrou: uma "nota de degelo no inverno":* Constantin Weriguine, *Souvenirs et Parfums: Mémoires d'un Parfumeur* (Paris: Plon, 1965); Weriguine observa que Ernest Beaux estava trabalhando com a lembrança do que os russos chamam de *chernozem* ("solo negro"), um aroma de solo rico em húmus, para captar a ideia de neve derretendo na primavera, 162.

85 *Ele avisou Coco Chanel de que um perfume com tanto jasmim assim seria caríssimo:* Segundo Pierre Galante, *Les années Chanel*, 85, Ernest Beaux lhe disse: "Há neste vidro mais de vinte ingredientes. Este perfume vai ser caro." Ela perguntou: "Ah, o que tem de tão caro aí?" "Os jasmins", ele lhe disse. "Nada é mais caro do que o jasmim." Ao que ela respondeu: "Ah, bom! Use mais. Quero fazer o perfume mais caro do mundo."

86 *"foi a primeira fragrância a usar moléculas sinteticamente replicadas retiradas de produtos de origem natural chamados aldeídos":* Susannah Frankel, "The Chanel Nº 5 Story", *The Independent*, 15 de outubro de 2008, www.independent.co.uk/news/people/profiles/the-chanel-no-5-story-961226.hatml; Nigel Groom, *The New Perfume Handbook* (Londres: Chapman and Hall, 1997), 61, também chama de "O primeiro dos perfumes de aldeídos", Kate Shapland, "Chanel Nº 5: Enduring Love", *The Telegraph*, 7 de maio de 2009, www.telegraph.co.uk/fashion/labels/chanelk/5285472/Chanel-No-5-enduring-love.html, lhe dá o crédito de ser "a primeira criação olfativa abstrata do mundo dos aromas". Nenhuma dessas declarações é totalmente correta.

86 *Nem mesmo o inovador aroma Quelques Fleurs, de Robert Bienaimé – que usou um dos chamados aldeídos C-12:* Ver Kraft, Ledard e Goutell, "From *Rallet Nº 1* to *Chanel Nº 5*".

86 *Reve d'Or (1905) e Floramye (1905), de Pierre Armingeant e Georges Darzens, reivindicam as honras:* Bernard Chant, "The Challenge of Criativity", *Newsletter of the British Society of Perfurmers*, 1983, www.bsp.org.uk/newsarc/creat.html; ver também a excelente discussão pela historiadora de perfumes e blogueira Elena Vosmaki, "Myth Debunking 1: What Are Aldehydes, How Do Aldehydes Smell and Chanel Nº 5", *Perfume Shrine*, 2 de dezembro de 2008, http://perfume shrine.blogspot.com/2008/12/myth-debunking-1-what-are-aldehydes-how. html. Algumas fontes datam Flomaye a partir de 1895 ou 1903, mas a evidência não é conclusiva. As fontes que afirmam que o Reve d'Or data de 1925 provavelmente confundiram o lançamento original do perfume com o seu relançamento em 1925.

Ver Christie Mayer Lefkowith, *The Art of Perfume* (Nova York: Thames and Hudson, 1994).

87 *"é a nota de aldeído que, desde a criação do Chanel Nº 5, tem mais do que qualquer outra coisa influenciado novas composições de perfumes":* Beaux, "Souvenirs".

87 *"Quando eu o inventei? Em 1920 exatamente. Depois de voltar da guerra":* Ibid.

87 *Segundo conta Edmonde Charles-Roux: "A criação do Nº 5... aconteceu num clima bastante pesado...":* Charles-Roux, *Chanel*, 202.

88 *recebeu esse nome, não por causa do número do frasco de fragrância, mas por causa do número de "uma estação no laboratório de Coty em Suresnes ou na fábrica Rallet no sul da França":* Toledano e Coty, *François Coty*, 86.

89 *a enorme companhia de perfumes da Coty havia engolido mais um dos seus concorrentes menores:* Kraft, Ledard e Goutell, "From *Rallet Nº 1* to *Chanel Nº 5*", 39; ver também Toledano e Coty, *François Coty*, 56.

90 *Eles eram baseados numa fórmula anterior:* Ver Kraft, Ledard e Goutell, "From Rallet Nº 1 to Chanel Nº 5"; baseados na análise GCMS de amostras e pesquisas em arquivos, os autores demonstram o relacionamento entre Le Bouquet de Catherine / Rallet Nº 1, Chanel Nº 5, Mademoiselle Chanel Nº 1, e outras fragrâncias, inclusive Quelques Fleurs.

91 *acrescentando à mistura, por exemplo, a sua própria invenção com aroma de rosas, "Rose E. B.", e as notas variadas de um campo de jasmim:* Correspondência particular, Philp Kraft, 2009; ver também o excelente verbete sobre o Chanel Nº 5 em http://en.wikipedia.org/wiki/Chanel_No._5, e a (suposta) primeira fórmula da colônia Chanel Nº 5 disponível on-line em http://asylum.zensoaps.com/index.php?shwotopic=6800.

CAPÍTULO SETE

95 *se perguntavam em voz alta: "Que fragrância é esta?" "O efeito", ela mais tarde disse, "foi incrível":* Galante, *Les Années Chanel*, 85; a versão é um tanto diferente em Madsen, *Chanel*, 134.

97 *nós temos nos perfumado com um número extraordinariamente pequeno e consistente de aromas, talvez apenas uma centena:* Ver Milinski e Wedekind, "Evidence for MHC-correlated Perfume Preferences", 147; os autores estimam cem mil aromas no mundo e afirmam que mesmo o nariz humano médio sem treinamento pode reconhecer até dez mil.

97 *"somos tão atraídos por rosas e violetas como qualquer abelha":* Watson, *Jacobson's Organ*, 158.

97 *"No lírio do vale que vendem no dia 1º de maio, posso sentir o cheiro das mãos da criança que o colheu"*: Baillén, Chanel Solitaire, 86; Galante, Mademoiselle Chanel, 67.

98 *"compartilham a mesma arquitetura química peculiar, com dez átomos de carbono e dezesseis de hidrogênio em todas as moléculas"*: Watson, *Jacobson's Organ*, 165.

98 *Como escreve Lyall Watson no seu livro* Jacobson's Organ, *entretanto, "não favorece em nada a estas fragrâncias mágicas reduzi-las a ésteres e aldeídos"*: Watson, *Jacobson's Organ*, 165.

99 *As flores são, afinal de contas, o mecanismo essencial dos órgãos reprodutores de uma planta, e perfumes com frequência são feitos a partir de suas secreções sexuais*: Watson, *Jacobson's Organ*, 157. Sobre a diferença entre estoraque e estírace, abaixo, ver *The New Perfume Handbook*.

99 *"muitos ingredientes clássicos de origens naturais [na produção de perfumes] lembram odores do corpo humano"*: Milinski e Wedekind, "Evidence for MHC-Correlated Perfume Preferences", 148. Isto funciona, é claro, no nível de subaromas insignificantes. O aroma de uma flor de jasmim, por exemplo, é composto de centenas de moléculas diferentes, e o cheiro de uma rosa é composto de até mil. Dessas mil moléculas, apenas um punhado dá à planta o aroma que reconhecemos como um cheiro de *rosa*. Todas essas outras centenas de moléculas dão a uma flor de roseira particular as qualidades que a tornam única, e elas criam um conjunto de subaromas que operam, quase sempre, em algum ponto abaixo do limite do nosso reconhecimento consciente deles. Como Milinski e Wedekind explicam, enquanto "os aromas de... rosa e jasmim aparentemente diferem... um óleo de flores naturais contém mais de 400 odorantes diferentes... [e] muitos ingredientes clássicos de origens naturais lembram odores de corpo humano... Pode ser devido aos seus subaromas que espécies específicas têm uma longa tradição de serem usados para perfumes", 148; ver também discussões em Chandler Burr, *The Emperor of Scent: A Story of Perfume, Obsession, and the Last Mistery of the Senses* (Nova York: Random House, 2003), 130; e Rachel Herz, *The Scent of Desire: Discovering Our Enigmatic Sense of Smell* (Nova York: William Morrow, 2007), 18.

99 *o poeta John Donne escreveu sobre o "doce suor de rosas"*: John Donne, The Comparison" (elegia 8, verso 1), em *John Donne, The Complete English Poems*, org. A. J. Smith (Nova York: Penguin, 1971).

99 *indóis têm o cheiro de algo doce e carnoso e um pouquinho sujo*: Ver Drobnick, *The Smell Culture Reader*, 214; jasmim, flor de laranjeira, madressilva,

99 angélica e ilangue-ilangue são flores que, quimicamente falando, possuem proporções muito altas de indóis. Outros compostos orgânicos com esses mesmos materiais e subnotas incluem suor, fezes e corpos em putrefação.

99 *"muitos ingredientes de incensos se assemelham a aromas de corpo humano":* Lyall Watson escreve: "A característica mais interessante do incenso... é que ele vem de cinco fontes principais: mirra, olíbano, láudano [isto é, ládano], gálbano e estírace [ou estoraque]... [e todos] contêm álcoois de resina, chamados fitosteróis, que bioquimicamente são muito semelhantes aos hormônios humanos", especialmente aqueles encontrados na nossa saliva, suor e urina, *Jacobson's Organ*, 152; ver também "To Attract a Woman by Wearing Scent, a Man Must First Attract Himself", *The Economist*, 8 de dezembro de 2008,136.

99 *Quando o perfumista Paul Jellinek estava escrevendo o que ainda é o manual padrão sobre a ciência da química das fragrâncias:* Paul Jellinek e Robert R. Calkin, *Perfumery: Practice and Principles* (Oxford: Wiley Interscience, 1993); citado em Watson, *Jacobson's Organ*, 153.

101 *Quando Coty estava tentando convencer um certo Henri de Villemessant, o homem encarregado da loja de departamento chique de Paris Les Grands Magasins:* Toledano e Coty, *François Coty*, 64.

102 *Tendo estabelecido a atração do Nº 5, ela retornou à ideia de dar estas amostras do perfume aos seus clientes mais fiéis como brinde de fim de ano:* Detalhes do lançamento do perfume, aqui e abaixo, de várias fontes, inclusive Galante, *Mademoiselle Chanel*, 76; Madsen, *Chanel*, 135.

CAPÍTULO OITO

103 *Ela e Molyneux também compartilhavam certo senso de casto minimalismo:* Sobre Molyneux como estilista, ver *Decades of Fashion* (Postdam, Alemanha: H. F. Ulmann, 2008).

104 *Como escreve Luca Turin: "Numéro Cinq [de Edward Molyneux] é incomparavelmente belo e estranho":* Luca Turin, "Cinq Bis", *NZZ Folio: Die Zeitschrift der Neuen Zürcher Zeitung*, fevereiro de 2008, www.nzzfolio.ch/www/d80 bd71b-b264-4db4-afd0-277884b93470/showarticle/ee2a4e74-3cd7-4b81-86da-94db1de6f257.aspx; ver também *Perfume Intelligence*, www.perfumeintelligence.co.uk/library/perfume/m/houses/Moly.htm. Lefkowith sugere a data posterior e propõe que a fragrância número três de Molyneux foi batizada com o endereço do Maxim's em Paris; ver *The Art of Perfume*, 200.

Segundo os registros nos arquivos da Guerlain, o Shalimar foi na verdade inventado – e brevemente lançado – em 1921, o mesmo ano do Chanel Nº 5 e, talvez, do Numéro Cinq de Molyneux. Quando as socialites na cidade de Nova York se apaixonaram pela fragrância usada pela esposa de Guerlain, o Shalimar foi relançado em 1925, com fenomenal sucesso.

105 *como diz Misia Sert, "sucesso além de qualquer coisa que podíamos ter imaginado"... "a galinha dos ovos de ouro":* Madsen, *Chanel*, 135.

108 *O Chanel Nº 5, Beaux lembrou, "já era um sucesso extraordinário":* Beaux segue dizendo no seu "Souvenirs" que "... era a época da Conférence de Cannes, e a fábrica em La Bocca era o tipo de coisa que atraía visitantes distintos, que chegavam curiosos para ver o meu laboratório e as grandes instalações na fábrica de sabão. Eu recebia visitas de Briand, Loucheur, Lloyd George, e muitos outros. O grande caricaturista Sem também veio um dia e, depois de cheirar vários frascos de experiências no laboratório e perfumes concluídos, ele me olhou por um instante – e me apelidou de ministro do Nariz".

110 *à lendária terra da Cocanha (em francês, o* pays de Cocagne), *a mítica terra de luxos e ócio:* Ver Herman Pleij, *Dreaming of Cockaigne*, trad. para o inglês de Diane Webb (Nova York: Columbia University Press, 2001).

111 *"O sofrimento torna as pessoas melhores, não o prazer...":* Baillén, *Chanel Solitaire*, 146.

112 *Como a neurocientista Rachel Herz escreve no seu livro* The Scent of Desire, *"as áreas...":* Herz, *Scent of Desire*, 3.

114 *Os Wertheimers tinham feito as suas fortunas na Bourjois vendendo perfumes e cosméticos fabricados para o teatro e palcos de vaudeville:* Detalhes aqui e a seguir extraídos de várias fontes, inclusive as diversas biografias de Coco Chanel e de Bruno Abescat e Yves Stavridès, "Derrière l'Empire Chanel... la Fabuleuse Histoire des Wertheimer", *L'Express*, 7 de abril de 2005, 16-30; 11 de julho de 2005, 84-88; 18 de julho de 2005, 82-86; 25 de julho de 2005, 76-80; 1º de agosto de 2005, 74-78; 8 de agosto de 2005, 80-84, parte 1, 29.

115 *Dentro de poucos anos, as revistas começariam a incentivar as mulheres a "analisarem suas próprias personalidades para descobrirem o estilo do 'it'":* Sarah Berry, *Screen Style: Fashion and Feminity in 1930s Hollywood* (Minneapolis University of Minnesota Press, 2000), 6.

116 *que se comprazia em engolir as empresas menores com as quais entrava em sociedade já era bem conhecida:* Ver Toledano e Coty, *François Coty*, 87;

o clássico exemplo é a conversa entre Coty e Paul Poiret. Coty procurou Poiret, anunciando que estava ali para comprar o seu negócio. Quando Poiret lhe disse que não estava à venda, Coty falou: "Você vai levar 15 anos para chegar a ser importante. Se vier comigo, vai lucrar com a minha administração, e, em dois anos, você vai valer tanto quanto eu." Poiret respondeu: "Mas, em dois anos, o meu negócio será seu, enquanto que ao contrário, em 15 anos ele ainda será minha propriedade." Aconteceu que, 15 anos depois, Poiret estava na falência.

116 *Ela queria manter a "sua associação com os Wertheimers... a distância":* Madsen, *Chanel,* 129.

116 *"o seu medo de perder o controle sobre a sua casa de moda fez com que ela cedesse os seus direitos ao perfume por 10% da empresa":* Ibid.

116 *Coco Chanel lhes disse: "Forme uma empresa se quiser, mas não estou interessada em me envolver nos seus negócios":* Galante, *Mademoiselle Chanel,* 146.

116 *O contrato dizia: Mademoiselle Chanel, estilista de moda... todos os produtos de perfumaria, maquiagem, sabonetes etc.:* Galante, *Mademoiselle Chanel,* 147.

117 *"apenas produtos de primeira classe" que ela considerasse suficientemente luxuosos:* Galante, *Mademoiselle Chanel,* 148.

119 *em 1922, ele havia rompido os laços com a companhia e se transferido para Charabot, uma empresa que se especializava em materiais para perfumes:* Detalhes biográficos sobre Ernest Beaux são em geral escassos. Ver Gilberte Beaux, *Une femme libre* (Paris: Fayard, 2006). Ele também é mencionado de passagem durante a Primeira Guerra Mundial em Rasskavov, *Notes of a Prisioner,* 1935.

CAPÍTULO NOVE

121 *as mulheres americanas tinham, nas palavras de um historiador, "o maior valor de excendente [dinheiro] jamais dado às mulheres para gastar em toda a história":* Berry, *Screen Style,* 2.

122 *"Perfume de luxo", diz a brochura, "esse termo...":* Catálogo, 1924, arquivos Chanel.

124 *Coco Chanel às vezes comprava lá:* Ver François Chaille, *The Book of Ties* (Paris: Flammarion, 1994), 119.

124 *O seu verdadeiro modelo foi uma das garrafas de uísque de Boy Capel:* Arquivos Chanel.

124 *como "solene, ultrassimples, quase farmacêutico":* Madsen, *Chanel,* 133.

125 *"A arte do vidro tendendo... para a simplicidade de linhas e estilo":* Fontan, *Générations Bourjois,* 78.

125 *O vidro de Lalique, de 1907, para La Rose Jacqueminot de François Coty (1903):* Ver a imagem, por exemplo, em Morris, *Fragrance*, 200. Algumas fontes datam o lançamento do sucesso de vendas da Coty em 1904, por exemplo, Michael Edwards, *Perfume Legends*, 290.

126 *Pelo menos desde 1920, o vidro de Bourjois para Ashes of Roses (1909):* Ver, por exemplo, a imagem de Fontan, *Générations Bourjois*, 78.

126 *As inovações que conduziram diretamente ao frasco que hoje conhecemos aconteceram em 1924:* Arquivos Chanel.

127 *Place Vendôme, o frasco original ainda não tinha essa tampa grande facetada:* Arquivos Chanel notam não haver evidência de qualquer conexão direta; Coco Chanel admirava formas octogonais em geral e com frequência as usava em seus desenhos.

128 *especialistas descobriram pelo menos um raro exemplo de Rallet Nº 1:* Ver ensaio e fotografia de Philp Goutell, "Le Nº 1", *Perfume Projects*, www.perfumeprojects.com/museum/bottles/Rappel_No.1.shtml.

129 *e, quando não na concentração padrão de parfum, incluía a potência em eau de toilette ou eau de cologne – as duas outras versões:* Arquivos Chanel; de acordo com os arquivistas, as concentrações *parfum, eau de toilette* e *eau de cologne* foram introduzidas em 1924-25, a *eau de parfum* na década de 1950, e um pó em 1986. Em geral, os perfumes vêm em quatro diferentes "potências", e às vezes – como no caso do Chanel Nº 5 – aquelas potências diferentes são na verdade fórmulas diferentes. Todos os perfumes são dissolvidos numa base neutra, em geral álcool inodoro ou uma mistura de álcool e água, e os diferentes termos sinalizam para o consumidor que porcentagem do produto final é material aromático. A versão mais concentrada do aroma é a versão *parfum*, muitas vezes conhecida como o *extrait* ou extrato, que pode ser entre 15% e 40% puro aroma, e portanto de 60% a 85% neutro. Este é o tipo de perfume que quase sempre vem apenas em pequenos vidros com conta-gotas, e seu aroma é muito concentrado. *Eau de parfum*, entretanto, com frequência está disponível com vaporizador, e tem tipicamente de 10% a 20% de aromáticos. Obviamente, esses números aproximados significam que os percentuais na indústria não são padrão. *Eau de toilette* em geral é de 5% a 15% material aromático, enquanto *eau de cologne* está reservado para concentrações de aromas que em geral são menos de 5% aromáticos e, por razões históricas, tipicamente leves e frutados.

O Chanel Nº 5 hoje está disponível apenas como *parfum, eau de parfum* e *eau de toilette* – ou, linguagem taquigráfica do fã de perfumes, como *extrait*, *EdP* e *EdT*. No fim da década de 1970, quando Jacques Polge começou como perfumista na Chanel, havia um conjunto bem diferente: um *parfum*, uma *eau de toilette* clássica e uma *eau de cologne*. A *eau de cologne* foi descontinuada na década de 1990 e, durante o seu mandato, foi acrescentada a *eau de parfum*.

O Chanel Nº 5 é também um desses casos em que, a cada concentração, a fórmula muda ligeiramente. A razão é simples. Quando Ernest Beaux e seus sucessores pensavam em criação artística, era a versão *parfum* que já era um sucesso de vendas, e, quando a *eau de toilette* foi desenvolvida, ninguém queria criar uma aroma que competisse com o sucesso do original. Consequentemente, a atual versão *eau de toilette* de Chanel Nº 5, que data dos anos 50, aumentou o acorde de sândalo, resultando num aroma que é ligeiramente mais doce e amadeirado. Quando Polge introduziu a *eau de parfum* na década de 1980, ela seguiu a mesma filosofia. Desta vez, ele acrescentou uma infusão com um teor mais alto de baunilha. Mas o *parfum* é o original de 1920.

129 *A fonte sem serifa foi retirada de desenhos contemporâneos* avant-garde: Ver Alice Rawsthorn, "Message in a Bottle", *New York Times*, 22 de fevereiro de 2009, www.nytimes.com/indexes/2009/02/22/style/t/index.html#pagewanted=0&pageName=22raesthorn&. Ela escreve que a "forma geométrica" do vidro "evocava as villas dos puristas que arquitetos pioneiros modernistas como Le Corbusier estavam construindo para clientes elegantes dentro e fora de Paris. Os tipos sem serifa eram semelhantes aos tipos radicais sendo desenvolvidos por designers *avant-garde* como Jan Tschichold e Laszlo Moholy-Nagy na Alemanha".

129 *a herdeira americana Irène Bretz:* Ver Mark Hughes, "Logos That Became Legends, Icons form the World of Advertising". *The Independent*, 4 de janeiro de 2008, www.independent.co.uk/news/media/logos-tha-became-legends-icons-from-the-world-of-advertising-768077.html; também a página do Château Crémat na internet, www.chateau-cremat.com/histoire.php. Acessado em 2 de novembro de 2009.

130 *No château real em Blois, o símbolo estava esculpido em branco nos apartamentos particulares*: Para detalhes, ver Leonie Freida, *Catherine de Medici. Renaissance Queen of France* (Nova York: HarperCollins, 2005); e (sobre a rainha Cláudia de França) Desmond Seward, *Prince of the Renaissance, the Life of François I* (Londres: Constable, 1973).

132 *F. Scott Fitzgerald pôde escrever a respeito do personagem de Nicole, na sua obra-prima* Suave é a noite *(1934), que ela se banhou...:* F. Scott Fitzgerald, *Tender Is the Night* (Nova York: Scribner's, 1934), 294; capítulo 8.

CAPÍTULO DEZ

133 *As vendas de perfumes franceses nos Estados Unidos aumentaram mais de 700%:* Caldwell, "1920-29: French Mystique in the American Perfume Market".

134 *vidros idênticos... uma estranha maneira de capitalizar com a crescente fama internacional do aroma assinado por Coco Chanel:* Sobre outras perfumarias usando vidros de formato padrão, por exemplo, Michèle Atlas e Alain Monniat, *Guerlaine: les Flacons à parfum depuis 1828* (Toulouse: Éditions Milan, 1997), 42.

135 *foi simplesmente chamado de "Style Moderne"... uma "requintada apresentação de uns poucos artigos de luxo selecionados":* Tim Benton e Ghislaine Wood, *Art Déco: 1910-1931* (Nova York: Bulfinch Press, 2003), 161.

136 *"a promoção do cinema era um meio de alardear a modernidade da produção cultural e industrial francesa":* Ibid.

136 *quiosques extravagantes organizados por companhias como Houbigant, Parfums de Rosine, Lenthéric, D'Orsay, Roger et Gallet, Molyneux e Coty:* Ver Denise Solvester-Carr, "A Celebration of Style", *History Today*, vol. 53, abril de 2003. Nigel Groom observa que Eugène Rimmel exibiu uma fonte de perfume na Grande Exposição de 1851, em Londres, que foi muito popular, e que Rimmel, autor de *The Book of Perfumes* (1865), vendeu o perfume *Great Exhibition Bouquet*; esta foi provavelmente a inspiração para a fonte de perfume em Paris, em 1925; Groom, *Perfume Handbook*, 285. Ver também Mitchell Owens, "They Held the Scent of Glamour", *New York Times*, 20 de julho de 1977. www.nytimes.com/1997/07/20/arts/they-held-the-scent-of-glamour.html; Fontan, *Génération Bourjois*; e *Exposition Internationale des Arts Décoratifs et Industriels Modernes* (1925 catalog), 10 vols. (Nova York, Garland Publishing, 1977).

Segundo escreve David B. Boyce: "A 'Exposition Internationale des Arts Décoratifs et Industriels Modernes' causou tamanho impacto cultural na época, que a American Association of Museums organizou a sua própria exibição de quatrocentas obras selecionadas da 'Exposition'. O MFA, em Boston, foi o primeiro dos nove locais a hospedar esta exibição itinerante de 10 de janeiro a 7 de fevereiro de 1926." As exposições nos Estados Unidos eram "dedicadas às artes decorativas modernas e tinham como objetivo fomentar a economia francesa; esta ambiciosa exposição expôs obras do mundo inteiro e atraiu mais de 16 milhões de espectadores. Mais de 20 países contribuíram para categorias que compreendiam arquitetura, decoração de interiores, vestuário e artes públicas e educação"; ver Boyce, "Art Deco Exhibit at MFA Is a Dazzling Display", *South Coast Today*, 15 de setembro de 2004, B4, http://archive.southcoasttoday.com/daily/09-04/09-115-04/b01li181.htm.

137 *"Perfumaria"*, *aquelas dezesseis milhões de pessoas leram*, *"é uma arte essencialmente moderna..."*: *Exposition Internationale des Arts Décoratifs et Industriels Modernes*, 1925, vol. 9, 73.

138 *Significativamente, a publicidade do perfume só chegou à França no fim da década de 1940*: Arquivos Chanel.

138 *um momento na história em que "objetos eram definidos como 'expressivos' da identidade do consumidor"*: Simon Dell, "The Consumer and the Making of the 'Exposition Internationale des Arts Décoratifs et Industriels Modernes', 1907-1925", *Journal of Design History* (1999), 311.

138 *"A exposição de artes decorativas de 1925... a viu e aos seus amigos no centro da excitação"*: Madsen, *Chanel*, 162.

139 *Não demorou muito, e um anúncio no periódico francês* L'Illustration *alardeava outro novo perfume, Le Nº 9, de Cadolle*: *L'Illustration*, 4 de maio de 1929, arquivos Chanel.

140 *nomes como Rallet Nº 3 e Rallet Nº 33*: Sobre esses aromas e para imagens dos primeiros vidros da fragrância Rallet e anúncios, ver Philip Goutell, "A. Rallet and Company", *Perfume Projects*, www.perfumeprojects.com/museum/marketers/Rallet.shtml.

140 *Como o Chanel Nº 22 (1922) – também uma das reformulações originais do Rallet*: Alguns perfumistas suspeitam de que foi Chanel Nº 33 (supostamente a amostra de número 22 na série original) que recebeu a overdose acidental de aldeídos. Entretanto, a história da overdose jamais foi confirmada para nenhum dos dois perfumes, e as primeiras experiências de Ernest Beaux com os materiais em Le Bouquet de Catherine/Rallet Nº 1 sugerem que ele estava familiarizado com o efeito dos aldeídos em grandes doses em 1920.

140 *Jay Thorpe anunciou o "leve e efervescente" Chanel Nº 5 como "o mais famoso" dos perfumes Chanel*: *New York Times* 1928, arquivos Chanel.

CAPÍTULO ONZE

142 *trinta bilhões de dólares – o equivalente hoje a quatro trilhões de dólares – simplesmente se evaporaram:* Calculados usando o PIB per capita.

143 *E aí veio o colapso da economia americana – e do dólar:* Sobre o período entre as guerras na França e nos Estados Unidos, e sobre o efeito da crise econômica nos mercados de luxo, ver particularmente Carol Mann, *Paris Between the Wars* (Nova York: Vendome Press, 1996); Alfred Sauvy, "The Economic Crisis of the 1930s in France", *Journal of Contemporary History* 4, nº 4 (outubro de 1969): 21-35; e Robert S. McElvaine, *The Great Depression: America, 1929-1941* (Nova York: Times Books, 1981); sobre o papel de crédito e luxo, ver McElvaine, 41.

143 *de 1929 a 1941, mais de um quarto da força de trabalho americana estava desempregada:* Tom Reichert, *The Erotic History of Advertising* (Amherst, NY: Prometheus Books, 2003), 99.

143 *caíram vertiginosamente: de 3,4 bilhões de dólares em 1929 para 1,3 bilhão quatro anos depois:* Ibid.

145 *Madeleine Vionnet e a casa de Lenthéric haviam lançado linhas de fragrâncias:* Sobre esses vários perfumes com letras e números, ver Lefkowith, *Paul Poiret and his Rosine Perfumes*, 210; Madsen, *ChanelI*, 140; e *Perfume Intelligence*, www.perfumeintelligence.co.uk/library/perfume/a/a1/a1p1.htm.

145 *O estilista Lucien Lelong, sem muita originalidade, contrapôs com suas próprias fragrâncias A, B, C, J e N (1924):* História da empresa Lelong: www.lucienlelong.com/history.shtml.

146 *"foram pioneiros na arte de realçar e contextualizar mercadorias usando exóticas telas de fundo":* Ver Ellen Furlough, "Selling the American Way in Interwar France: 'Prix Uniques'e o Salons des Arts Managers", *Journal of Social History* 26, nº 3 (primavera de 1993): 491-519.

147 *que enfatizava "vitrinas elaboradas [e] o cultivo da experiência de comprar":* Furlough, "Selling in American Way", 493.

147 *"Perfume", os visitantes do pavilhão aprenderam, "é um luxo naturalmente adaptado... à fantasia feminina": Exposition International des Arts Décoratifs et Industriels Modernes*, 77; ver também Owens, "They Held the Scent of Glamour".

148 *novos temas de "coquetel" naquele ano:* Lefkowith, *Paul Poiret and His Rosine Perfumes*, 211.

149 *"As mulheres eram vistas por Hollywood como os principais consumidores de cinema":* Berry, *Screen Style,* xiv, 53.

149 *A art déco foi um fenômeno na América:* Berry, *Screen Style,* 6.

150 *o equivalente a mais de 75 milhões de dólares hoje:* Calculado usando o PIB nominal per capita.

150 *Segundo um artigo na revista* Collier's, *em 1932, "o grão-duque...":* Citado em Galante, *Mademoiselle Chanel,* 155.

150 *"ver o que o cinema tinha a me oferecer e o que eu tinha a oferecer ao cinema":* Madsen, *Chanel,* 195. Ela acabou desenhando o guarda-roupa para três filmes de Hollywood, *Palmy Days* (1931), *Tonight or Never* (1931) e *The Greeks Had a Word for It* (1932).

151 *Coco Chanel e Paul Iribe se conheciam havia décadas:* Paul Bacholet, Daniel Bordet e Anne-Claude Lelieur, *Paul Iribe* (Paris: Editions Denoël, 1984), 74. Iribe nascera Iribarnegaray.

151 *A primeira mulher de Paul Iribe, a famosa atriz de vaudeville Jeanne Dirys:* Bachollet et al., *Paul Iribe,* 106.

151 *"Minha fama nascente", ela mais tarde contaria a um amigo, "havia eclipsado...":* Bachollet et al., *Paul Iribe,* 194-98.

152 *As ideias dele eram apenas um pouco menos estreitas do que as de outro examante dela, o duque de Westminster:* Sobre as controvérsias em torno da política do duque de Westminster, ver Richard Griffiths, *Patriotism Perverted: Captain Ramsay, The Right Club and British Anti-Semitism 1939-40* (Londres: Constable, 1998).

152 *a revista* Time *noticiou em 16 de março de 1931: "Em Manhattan...":* "People, March 16, 1931", *Time,* 16 de março de 1931.

CAPÍTULO DOZE

154 *Foi durante esses anos que alguns dos primeiros perfumes numerados finalmente começaram a desaparecer dos anúncios Chanel:* Em 1929, o catálogo de vendas francês anunciava apenas o Chanel N° 5 e o Chanel N° 22 entre os perfumes numerados, e os catálogos nos Estados Unidos em 1931 e 1934 incluíam apenas o Chanel N° 2, o Chanel N° 5, o Chanel N° 11, o Chanel N° 14, o Chanel N° 20, o Chanel N° 21, o Chanel N° 22, o Chanel N° 27 e o Chanel N° 55 – supostamente um reflexo da relativa popularidade dessas fragrâncias; arquivos Chanel.

154 *o aroma "usado por mais mulheres inteligentes do que qualquer outro perfume": New York Times,* 15 de dezembro de 1935, 41.

155 *Em 1928, os sócios tinham incumbido um advogado da casa de lidar com a sua irritadiça estilista famosa:* Madsen, *Chanel*, 137.

156 *Parte do problema foi uma simples questão de dividendos:* Detalhes deste crescente conflito, aqui e abaixo, extraídos de várias fontes, inclusive *Mademoiselle Chanel*, de Galante, 143-54 *et passim*; e a extensa história em três partes de Abescat e Yves Stavridès, "Derrière l'Empire Chanel... la Fabuleuse Histoire des Wetheimer", publicada em *L'Express*, na primavera e verão de 2005.

156 *O que a deixava indignada era aparentemente a ampliação da linha de cremes de limpeza Chanel, programada para 1934:* Pierre Galante conta a história deste conflito na sua biografia de Coco Chanel, mas ele erra em pelo menos um detalhe: Les Parfums Chanel não lançaram um creme de limpeza pela primeira vez em 1934; o primeiro Crème de Toilette Chanel foi anunciado no catágolo de vendas francês em 1927 e no catálogo de vendas nos Estados Unidos em 1931. Não obstante, o creme de limpeza se tornou um pomo da discórdia entre Coco Chanel e seus sócios em 1934. Ver Galante, *Mademoiselle Chanel*, 151; arquivos Chanel.

157 *"Vocês não têm o direito de fazer um creme", ela disse aos sócios. "Eu exijo...":* Galante, *Mademoiselle Chanel*, 151.

157 *literalmente mais do que uma tonelada de documentos reunidos em arquivos nos seus escritórios:* Madsen, *Chanel*, 201.

157 *antes do início da Segunda Guerra Mundial, haveria três ou quatro processos diferentes:* Galante, *Mademoiselle Chanel*, 149.

157 *vituperando contra a "máfia judaico-maçônica":* Charles-Roux, *Chanel*, 290.

157 *Em 1931, os nazistas já eram o segundo maior partido na Alemanha:* Sobre os primórdios do surgimento do fascismo na década de 1930, ver, por exemplo, Richard Bessel, *Political Violence and the Rise of Nazism: The Storm Troopers in Eastern Germany, 1925-1934* (New Haven, CT: Yale University Press, 1984); Bruce Campbell, *The S. A. Generals and the Rise of Fascism* (Lexington: University of Kentucky Press, 1998).

158 *"no primeiro número, Iribe inscreveu a sua revista na linha de publicações de extrema-direita do período":* Bachollet et al., *Paul Iribe*, 205; o jornal havia sido publicado antes e foi ressuscitado durante este período, e comentaristas notaram que no número 5, publicado em 7 de janeiro de 1934, a capa retrata Coco Chanel como Marianne – personificação da França – no tribunal. A lenda diz "L'Accusée", ou "a acusada". A imagem de Coco

Chanel foi usada para representar Marianne no jornal de Iribe em várias ocasiões.

158 ela *"cultivava ideias falsas que intensificavam o seu antissemitismo":* Abescat e Stavridès, "Derrière l'Empire Chanel", 29.

158 *lembrou-se de Coco como uma "terrível encrenqueira" e de como ela agrupava os homens judeus com quem fazia negócio:* Ibid.

159 *votar a expulsão de Iribe – e, por extensão, de Coco Chanel – da diretoria no fim da reunião:* Para um relato disso e do que segue, ver, por exemplo, Galante, *Mademoiselle Chanel,* 151 ff.; Madsen, *Chanel,* 205 ff.; Abescat e Stavridès, "Derrière l'Empire Chanel".

160 *"Madame Gabrielle Chanel [como] acima de tudo uma artista no estilo de vida":* Fotografia de Melle Kollar, 1937, arquivos Chanel, número 10818.

161 *estilistas do momento eram Elsa Schiaparelli, Lucien Lelong e Cristóbal Balenciaga:* Ver Katherine Fleming, "Coco Chanel: From Rags to Riches", *Marie Claire,* 7 de outubro de 2008, http://au.lifestyle.yahoo.com/marieclaire/features/life-stories/article/-/5877952/coco/chanel-from-rags-to-riches/.

161 *Essa, ela disse a quem a criticava, não era hora para modas:* Charles-Roux, *Chanel,* 306.

162 *O café fora substituído por chicória, e o chocolate desaparecera:* Sobre o cotidiano na França ocupada, ver D. Veillon, *Vivre et survivre en France, 1939--1947* (Paris: Payot, 1995).

CAPÍTULO TREZE

163 *"A butique no primeiro andar", escreve um historiador, "ficava repleta de soldados alemães":* Madsen, *Chanel,* 238.

163 *"Durante a guerra, só podíamos vender cerca de vinte vidros de perfume por dia":* Haedrich, *Coco Chanel,* 146.

164 *genros, Raoul Meyer e Max Heilbronn:* "Galeries Lafayette S.S., Company History", *Funding Universe,* www.fundinguniverse.com/companyhistories/Galeries-Lafayette-SA-company-History.html.

164 *Embora de antigas famílias francesas, seus antecedentes eram judeus:* Detalhes sobre a família Wertheimer, aqui e abaixo, extraídos de Abescat e Stavridès, "Derrière l'Empire Chanel", 83-85, *et passim;* sobre Estée Lauder, ver *Estée: A Success Story* (Nova York: Ballantine Books, 1986).

165 *Thomas tinha sido o presidente da casa de perfumes de Guerlain antes da guerra:* Sobre H. Gregory Thomas, Jacques Wertheimer e o problema de

levar jasmins para os Estados Unidos, ver Abescat e Stavridès, "Derrière l'Empire Chanel"; e o obituário publicado no *New York Times*, 10 de outubro de 1990. www.nytimes.com/1990/10/10obituaries/h-gregory-thomas-chanel-executive-82.html?pagewanted=1.

166 *algo composto – "como um vestido"*: Galante, *Les années Chanel*, 79-80.

167 *"em Grasse, onde todas as flores são chamadas por seus nomes próprios [em latim], o jasmim era conhecido simplesmente [na década de 1920] como 'a flor'"*: Toledano e Coty, *François Coty*, 57.

167 *as plantas do jasmim crescem apenas até a metade da sua altura normal e têm proporções menores dos chamados indóis:* Christopher Sheldrake, Chanel, entrevista, 2009.

167 *Ele possui também uma nota distinta que cheira a chá:* Jacques Polge, Chanel, entrevista, 2009.

168 *um concreto ou o aroma altamente purificado de um absoluto:* Joseph Mul e Jean-François Vieille, Grasse, entrevista, 2009.

168 *"Louis Chiris havia montado a sua primeira oficina baseada na extração de solventes", tendo prudentemente já garantido "uma patente..."*: Toledano e Coty, *François Coty*, 58.

169 *em cada vidrinho de trinta mililitros de* parfum Chanel Nº 5, *estão a essência de mais de mil flores de jasmim e o buquê de uma dúzia de rosas:* Jacques Polge, Chanel, entrevista, 2009.

170 *Com uma grande capacidade de previsão, os irmãos Wertheimer mandaram pessoas à França para arrebanhar os estoques enquanto ainda era possível:* Galante, *Mademoiselle Chanel*, 183.

170 *"oitenta tipos de aldeídos, [e era] único no mundo"*: Abescat e Stavridès, "Derrière l'Empire Chanel", 86.

170 *Aqueles 317 quilos eram o suficiente para produzir talvez 350 mil vidros pequenos do famoso* parfum: Este é um valor mais ou menos aproximado, que supõe uma dosagem estável de jasmim, baseada no cálculo de mil flores de jasmim num vidro de 30 mililitros de perfume Chanel Nº 5, que se traduz mais ou menos por 500 mil flores ou quinhentos vidros de meio quilo de concreto.

171 *"o Nº 5 [foi] provavelmente o único perfume cuja qualidade permaneceu a mesma durante toda a guerra"*: Galante, *Mademoiselle Chanel*, 183.

171 *A campanha em grande escala que se iniciou em 1934:* Pesquisa em arquivo revela três vezes mais anúncios para Chanel Nº 5 no *New York Times* em 1940, por exemplo, do que em 1941 ou em 1942. A publicidade foi re-

duzida ainda mais drasticamente em 1943 e 1944, e foi retomada ativamente em 1945, sugerindo uma abordagem geral de não tentar anunciar ativamente em lojas tradicionais durante a Segunda Guerra Mundial. Entretanto, houve considerável exposição em cooperativas do exército dos Estados Unidos, talvez fazendo com que mais anúncios parecessem desnecessários. Entre os anúncios da Bourjois durante a guerra, de longe os mais frequentes foram os anúncios para o perfume mais recente de Ernest Beaux, Evening in Paris, que teve uma pesada promoção.

171 *empresas como Yardley, Elizabeth Arden, Helena Rubinstein – e Coty – promoviam seus produtos intensamente durante a guerra:* Ver, por exemplo, a coleção de anúncios na Duke University Library, http://libary.duke.edu/digital collections/adaccess/browse/. Essas mesmas publicações não incluem nenhum anúncio de Chanel Nº 5.

171 *fragrâncias finas estavam sendo produzidas nos Estados Unidos, que ainda eram o maior mercado de luxo do mundo:* Ver Stanley Marcus, *Quest for the Best* (Denton: University of North Texas Press, 2001), 117.

172 *os sócios estavam se preparando para lançar uma "vasta campanha de publicidade para mostrar o Nº 5":* Abescat e Stavridès, "Derrière l'Empire Chanel", 86.

172 *Mas, de 1940 a 1945, as vendas de perfumes nos Estados Unidos aumentaram dez vezes mais:* Galante, *Mademoiselle Chanel*, 183.

173 *No início da década de 1930, ele liderava o caminho ao introduzir um modelo mais amplo na França com novas cadeias populares* prix-unique *como Monoprix e a agora esquecida Lanoma:* Ver Max Heilbronn, *Galeries Lafayette, Buchenwald, Galeries Lafayette* (Paris: Éditions Economia, 1989).

173 *"Eu não podia trazer muita coisa", ela disse. Mas havia uma coisa que ela considerava uma preciosidade: "Chanel, você sabe, o perfume":* Margaret Reynolds, entrevista sem data, Indiana University Southeast, Floyd Country Oral History Project, A Community Project Operated under the Indiana University Southeast Applied Research and Education Center, http://home pages.ius.edu/Special/OralHistory/MREYNOLDS.htm.

174 *Estée Lauder, no início, até ajudou os irmãos:* Abescat e Stavridès, "Derrière L'Empire Chanel", 86. A empresa americana Chanel Inc. e uma companhia inglesa Chanel Ltda. foram fundadas em 1924, quando a sociedade foi criada; arquivos Chanel.

174 *Os sócios judeus da Les Parfums Chanel tinham vendido as suas ações para um ousado piloto e industrial chamado Félix Amiot:* Detalhes de várias fontes, os mais abrangentes sendo Abescat e Stavridès, "Derrière l'Empire Chanel".

CAPÍTULO CATORZE

175 *As forças de ocupação alemãs, junto com seus colaboradores administrativos franceses:* Para informação a respeito de Vichy França, ver, por exemplo, Roberto O. Paxton, *Vichy France: Old Guard and New Order, 1940-1944* (Nova York: Columbia University Press, 2001).

176 *"Você comprou as perfumarias Bourjois e Chanel":* Abescat e Stavridès, "Derrière l'Empire Chanel", 87.

176 *valia mais de quatro milhões de francos – mais de setenta milhões de dólares em números atuais:* Baseado no PIB nominal per capita.

176 *"ainda é propriedade dos judeus":* Abescat e Stavridès, "Derrière l'Empire Chanel", 85; o artigo inclui uma reprodução fotográfica da carta, assinada por Chanel.

176 *Ele havia trabalhado até 1931 como diretor comercial na Les Parfums Chanel:* Arquivos Chanel.

176 *"ainda é um negócio judeu"... Coco Chanel e o administrador "tinham apreço um pelo outro":* Abescat e Stavridès, "Derrière l'Empire Chanel", *L'Express*, 88.

176 *"Eu tenho", ela escreveu, "um inegável direito de prioridade":* Abescat e Stavridès, "Derrière l'Empire Chanel", *L'express*, 85.

177 *Ela ainda pensava em Pierre Wertheimer, em particular, como "aquele bandido que me ferrou":* Madsen, *Chanel*, 137.

177 *"qualquer presença de Pierre e Paul [Wertheimer] no capital da companhia havia oficialmente desaparecido":* Abescat e Stavridès, "Derrière l'Empire Chanel", 87

177 *A fim de datar retroativamente as transferências de ações que "tornariam inegável a compra da empresa", eles provavelmente tiveram de subornar oficiais alemães:* Ibid.

177 *comprou quase 50% de uma companhia de hélices de avião:* Dana Thomas, "The Power Behind the Cologne", *New York Times*, 24 de fevereiro de 2002, www.nytimes.com/2002/02/24/magazine/the-power-behind-the-cologne,htm?pagewanted=3.

178 *"a empresa de perfumes de Bourjois... havia passado para mãos arianas de forma legal e correta":* Abescat e Stavridès, "Derrière l'Empire Chanel", 88.

178 *Em fevereiro de 1942, o caso foi reaberto e Félix Amiot foi mais uma vez submetido a um longo interrogatório:* Abescat e Stavridès: "Derrière l'Empire Chanel", 86.

179 *embarcaram milhares de ativistas franceses suspeitos no último comboio de trens, arrastando-se dos subúrbios industriais a oeste de Pantin:* Ver "Histoire de Pantin", www.ville-pantin.fr/fileadmin/MEDIA/Histoire-de-Pantin/histoire,pdf.

179 *Nos últimos dias da guerra, o genro de Théophile Bader, Max Heilbronn, estava em um deles:* Ver Max Heilbronn, *Galeries Lafayette, Buchenwald, Galeries Lafayette* (Paris: Éditions Economica, 1989).

179 *No silêncio, os sinos da catedral de Notre Dame ecoaram sobre o Sena:* Lembranças de John Mac Vane, "On the Air in Word War II", entrevista, 1979; Marin Blumensn, "Liberation", entrevista, 1978, www.eyewitness hitory.com/parisliberation.htm.

180 *as francesas "pegavam os [soldados] nos braços, dançando, cantando, muitas vezes indo para a cama com eles":* Levenstein, *We'll Always Have Paris.*

180 *Apenas um em cada quatro residentes em Paris teve comida suficiente durante aqueles anos:* Sharon Fogg, *The Politics of Everyday Life in Vichy France* (Cambridge: Cambridge University Press, 2009), 4.

180 *Algumas pessoas chamaram a ocupação não de anos loucos, mas de* les années érotiques – *os anos eróticos:* Patrick Buisson, *1940-1945, Années Érotiques: Vichy ou les Infortunes de la Vertu* (Paris: Albin Michel, 2008).

181 *as tropas americanas libertavam Paris, "havia um suvenir da cidade que todos queriam":* Kenneth, *Coco*, 127.

181 *"Não só ele era o único perfume francês de que o pracinha americano tinha ouvido falar, como era o único que ele sabia pronunciar":* Philippa Toomey, "Shop Around", *The Times*, 26 de novembro de 1977, 26; Issue 60171, col. D.

181 *o presidente americano, Harry S. Truman, foi procurar por ele:* Carta de Harry S. Truman a Bess Wallace Truman, 22 de julho de 1945, National Archives, ARC Identifier 200660, Collection HST-FBP: Harry S. Truman Papers Pertaining to Family, Business and Personal.

182 *Antes mesmo de terminarem as comemorações,* les épurations – *os expurgos – começaram:* Ver Eugen Weber, "France's Downfall", *Atlantic Magazine*, outubro de 2001, www.theatlantic,com/doc/200110/weber; Glenys Roberts, "Sleeping with the Enemy: New Book Claims Frenchwoman Started a Baby Boom with Nazi Men During Vichy Regime", *Daily Mail*, 17 de julho de 2008, www.dailymail.co.uk/femail/article-1035804/Sleeping-enemy-New-book-claims-Frechwoman-started-baby-boom-NAzu-men-Vichy-regime.html#ixzz0V9xfteQ9; e Jon Elster, *Retribution and Repa-*

ration in the Transition to Democracy (Cambridge: Cambridge University Press, 2006), que escreve: "Foi proposto que as mulheres que dormiram com os alemães fossem conduzidas à prostituição, tivessem suas cabeças raspadas, fossem registradas, depois de ter sido examinadas para detectar doenças venéreas", 97.

182 *Christiane, a filha do velho amigo e agora arquirrival de Coco Chanel, François Coty, estava entre aquelas brutalizadas:* Toledano e Coty, *François Coty*, 255.

182 *Christiane Coty fora humilhada com a justificativa apenas de ter socializado com oficiais alemães:* Toledano e Coty, *François Coty*, 204-206,254-55.

183 *companheiro de Coco Chanel durante a guerra:* Detalhes sobre a sua ligação e atividades durante a guerra, aqui e abaixo, extraídos de várias fontes; os relatos mais complexos são Madsen, *Chanel*, 237-70; Charles-Roux, *Chanel*, 311-49.

183 *ela só conseguia pensar, nos dias que se seguiram, em pedir ajuda a um soldado alemão-americano:* Madsen, *Chanel*, 264-65.

183 *Quando amigos a alertaram de que a ligação com Von Dincklage era perigosa*: Haedrich, *Coco Chanel*, 147. Alguns sugeriram, embora sem qualquer corroboração, que Von Dincklage era um agente duplo, trabalhando também para os britânicos durante a guerra; ver discussão em Madsen, *Chanel*, 246.

184 *Na sua idade, ela anunciou com ironia, quando tinha a chance de ter um amante, ela não ia inspecionar o passaporte do homem:* Madsen, *Chanel*, 262.

184 *Ela havia feito mais durante aqueles anos do que simplesmente viver um romance com um oficial alemão:* Ver Kate Muir, "Chanel and the Nazis: What *Coco Avant Chanel* and Other Filmes Don't Tell You", *The Times*, 4 de abril de 2009, http://entertainment.timesonline,co.uk/tol/arts-and-entertainment/fil/article6027932.ece. O uso do termo "nazista" é historicamente complicado, e eu me abstenho de usá-lo aqui porque a questão da associação de Von Dincklage com o Partido Nazista nunca foi satisfatoriamente decidida. Em muitos casos, oficiais de outros ramos do governo fascista alemão foram formalmente barrados como membros pelo partido. Entretanto, na medida em que Von Dincklage agia como um diplomata alemão e mais tarde como um oficial trabalhando para a administração fascista na França ocupada pelos nazistas, Coco Chanel deveria ter entendido a complexidade política da sua ligação.

184 *Walter Friedrich Schellenberg – o poderoso oficial alemão mais conhecido na história por suas memórias da Alemanha nazista, escritas depois da sua prisão por crimes de guerra:* Walter Schellenberg, *The Labyrith: Memoirs of Walter*

Schellenberg, Hitler's Chief of Counterintelligence (Londres: DaCapo Press, 2000).

184 *Documentos secretos tornados públicos mostram que Coco voltou a Berlim outra vez em dezembro de 1943:* Para um resumo narrativo dos materiais nos National Archives, Washington D.C., e para o melhor relato do caso Schellenberg e Lombardi, ver Christophe Agnus, "Chanel: un parfum d'espionnage", *L'Express*, 16 de março de 1995, www.lexpress.fr/information/chanel-un-parfum-d-espionnage_603397.html. Detalhes aqui e a seguir extraídos desse artigo e, como anotado, de materiais inéditos nos arquivos Churchill, Churchill College, University of Cambridge.

No seu artigo sobre "Chanel and the Nazis", Kate Muirs escreve: "Schellenberg foi interrogado pelos britânicos depois da guerra com relação à visita em 1943 de 'Frau Chanel, uma súdita francesa e proprietária do famosa fábrica de perfumes'. Segundo a transcrição: 'Esta mulher foi citada como uma pessoa que Churchill conhecia suficientemente para empreender negociações políticas com ele, como uma inimiga da Rússia e tão desejosa de ajudar a França e a Alemanha, cujos destinos ela acreditava estarem intimamente associados.' A Operação Modelhut [como o caso Schellenberg era conhecido] se desfez, e o amigo em comum de Churchill e Chanel a denunciou como uma agente alemã."

Sobre as conexões de Chanel com outros oficiais alemães na França ocupada, ver também Uki Goñi, *The Real Odessa: Smuggling Nazis to Perón's Argentina* (Londres: Granta Books, 2002).

184 *Lembrando esses encontros, Mumm mais tarde declarou que ela possuía "uma gota do sangue de Joana D'Arc nas veias":* Citado em Agnus, "Chanel: un parfum d'espionnage".

185 *segundo memorandos ultrassecretos trocados pelo governo dos Estados Unidos e o gabinete de Winston Churchill – exagerou intencionalmente a utilização do seu velho amigo pelo serviço secreto alemão:* Churchill Archive Centre, University of Cambridge, CHAR 20/198A, itens 61-91; item 87, uma carta ultrassecreta datada de 28 de dezembro de 1944 diz: "Quando madame Lombardi estava em Paris em dezembro de 1941, sua amiga madame Chanel intencionalmente exagerou a sua importância a fim de dar aos alemães a impressão de que ela (madame Lombardi) poderia ser útil para eles."

185 *Naquele verão, ela escreveu a Churchill, um amigo da família, protestando contra a traição de Coco:* Churchill Archive Centre, University of Cam-

bridge, CHAR 20/198A, item 75, carta de V. Lombardi, Madri, 8 de agosto de 1944, para Winston Churchill.

185 *Coco imaginou que Vera ajudaria, e parece que, quando Vera se recusou, Von Dincklage talvez tenha sido quem teve a ideia de mandar prendê-la:* Agnus, "Chanel: un parfum d'espionnage".

185 *"Madame Chanel", o relatório diz, "aparentemente instigou as facilidades especiais concedidas pela Gestapo alemã a madame Lombardi":* Churchill Archive Center, University of Cambridge, CHAR 20/198A, item 86, carta de S. S. Hill-Dilton, Allied Force Headquarters, U. S. Army, 3 de dezembro de 1944, para J. J. Martin, Prime Minister's Principal Secretary, 10 Downing Street (Top Secret).

185 *Arquivos no Ministério das Relações Exteriores britânico vieram acidentalmente a público por um breve intervalo:* Madsen, *Chanel*, 263. Madsen sugere que Coco Chanel sabia detalhes da colaboração do duque e da duquesa de Windsor com os nazistas; ver também Toledano e Coty, *François Coty*, 122. Embora isso possa ou não ter acontecido, materiais arquivados inéditos sugerem que os governos britânico e americano ficaram satisfeitos por Coco Chanel não ter colaborado ativamente.

186 *Churchill acompanhou atentamente a investigação sobre o imbroglio de Coco durante a guerra... apesar das "circunstâncias suspeitas":* Churchill Archive Center, University of Cambridge, CHAR 20/198A, item 86.

186 *"Com um daqueles golpes simplíssimos que fizeram de Napoleão um general tão bem-sucedido":* Madsen, *Chanel*, 263.

CAPÍTULO QUINZE

191 *Seu objetivo: "criar total confusão entre seus clientes da alta costura, seus amigos e os distribuidores do autêntico Chanel N° 5":* Abescat e Stavridès, "Derrière l'Empire Chanel", 83.

192 *Paris seria "alegre e animada", repleta de arte, música e entretenimento:* Charles Bremmer, "Andre Zucca's Portrait of Gay Paris at War Paint an Uneasy Portrait of City Collaboration", *The Times*, 18 de abril de 2008, http://entertainment.timesonline.co.uk/tol/arts_and_entertainement/visual_arts/article3767951.ece.

192 *a fábrica Bourjois, na Queen's Way em Croydon, foi destruída num terrível ataque aéreo no verão de 1940:* O bombardeio da fábrica está ocasionalmente nos noticiários por causa de alegações de ex-funcionários de que um avião da era da Segunda Guerra Mundial continua enterrado nas ruínas

do prédio; ver mais recentemente Kirsty Whaley, "Is Perfume House Hiding a Secret Aircraft?", *Croydon Guardian*, 2 de agosto de 2008, www.croydonguardian.co.uk/news/heritage/35565445.Is_perfume_warehouse [IQ]_hiding-secret_aircraft_/.

192 *"depois da derrota da França"*, *escreve um historiador*, *"a Alemanha recebeu um tamanho suprimento de artigos de luxo como ela não via havia anos"*: Marshall Dill, *Germany: A Modern History* (Ann Arbor: University of Michigan Press, 1970).

193 *Eram 15 mil dólares – valendo hoje um milhão de dólares:* Baseado no PIB nominal per capita.

193 *nos Estados Unidos, ela recebera apenas 10% de um dividendo de 10%:* Galante, *Mademoiselle Chanel*, 198.

193 *"É monstruoso", ela insistiu. "Eles o produziram em Hoboken!":* Abescat e Stavridès, "Derrière l'Empire Chanel", 83; ver também Kennett, *Coco*, 83.

193 *"De Miami a Anchorage, de Nápoles a Berlim... ao lado de chocolate ao leite":* Abescat e Stavridès, "Derrière l'Empire Chanel", 83: também citado na história oficial do Nº 5 de Chanel, François Gernon, *Histoire du Nº 5 Chanel: Un numéro intemporel* (Nantes, França: Éditions normant, 2009), 45.

193 *Na sua guerra particular com os Wertheimer, entretanto, ela agora declarava: "Precisamos pegar em armas... E eu tenho algumas!":* Abescat e Stavridès, "Derrière l'Empire Chanel" 83.

194 *ela ameaçou produzir um aroma chamado simplesmente de Mademoiselle Chanel Nº 5:* Madsen, *Chanel*, 268.

194 *Nos arredores de Zurique, por exemplo, no vilarejo de Dübendorf, uma pequena perfumaria chamada Chemische Fabrik Flora:* Philip Kraft, correspondência pessoal, 2010.

195 *Ele pagava cerca de cinco dólares por cada um – mais de sessenta dólares por vidro – dos frascos:* Os cadernos de anotações, junto com uma coleção de perfumes vintage, foram vendidos em um leilão na Grã-Bretanha durante o ano de 1920 para um comprador não revelado, e detalhes aqui estão baseados em registros fotográficos da venda; cálculos baseados no índice de preços ao consumidor.

195 *Esse aroma musgoso, verde, de jasmim e rosas, passou a ser... "o famoso Nº 19":* Fiemeyer, *Coco Chanel*, 133. Ver também Angela Taylor, "Coco Left a Legacy – It's Chanel Nº 19", *New York Times*, 11 de setembro de 1972, 46: "Poucos anos antes da sua morte em 1971, mlle. Chanel ficou um pouco cansada de cheirar como todo mundo, segundo H. Gregory Thomas,

seu grande amigo e presidente da Chanel, Inc. aqui. Ela queria um perfume só seu... Ele recebeu o número 19." Batizado com a data de nascimento de Coco Chanel, no dia 19 de agosto, ele se baseava na fórmula de rótulo vermelho e atualizada em algum momento depois de 1965 pelo perfumista de Chanel Henri Robert, que acrescentou a ele um composto de jasmim sintético recém-descoberto, Hedione. Ver Galante, *Mademoiselle Chanel*, 275.

195 *"Um perfume deve lhe dar um soco direto no nariz"*: Claude Delay, *Chanel Solitaire* (Paris: Gallimard, 1983), 88.

195 *Ela se gabava de que ele era o aroma de Chanel Nº 5 – "mas ainda melhor"*: Galante, *Mademoiselle Chanel*, 193.

197 *"Quando ele entrou", o advogado lembrou, "eu lhe mostrei as amostras..."*: Ibid.

198 *"O processo pede que a sede da empresa na França [Les Parfums Chanel] seja obrigada a interromper a produção..."*: *New York Times*, 3 de junho de 1946, 24.

198 *oito milhões de dólares – 240 milhões de dólares hoje:* Calculado usando o PIB nominal per capita.

199 *Várias fontes especulam que deve ter sido Ernest Beaux:* Para a melhor discussão, ver Kraft, Ledard e Goutell, "From *Rallet Nº 1* to *Chanel Nº 5*": a perfumista e historiadora das fragrâncias Elena Vosnaki observa que é um "violeta-lírio florentino" com uma estrutura que "é um traço comum nas criações de Beaux": correspondência particular, 2009.

199 *Gilberte Beaux, nora de Ernest, tem igualmente certeza de que ele não foi o nariz por trás dessas fragrâncias, e a sua observação também é boa:* Gilberte Beaux, entrevista, 2010.

Mademoiselle Chanel Nº 1 se assemelha a Rallet Nº 1, mas ninguém o poderia ter confundido com Chanel Nº 5 se os cheirasse para avaliar. Embora tenham um núcleo floral em comum, existe uma diferença importantíssima. Ao contrário do Chanel Nº 5 e do Rallet Nº 1, o Mademoiselle Chanel Nº 1 não tem nenhum aldeído. Esses materiais aromáticos transformaram o mundo da perfumaria na década de 1920, mas não eram mais novidade no fim dos anos 40. O sucesso do Chanel Nº 5 significou que os perfumistas haviam rapidamente incorporado esses materiais em suas fragrâncias durante várias décadas.

Em vez do buquê de aldeído, o perfumista fez outra inovação. Aldeídos podiam ter se tornado uma parte familiar do idioma de fragrâncias na década de 1940, mas um ionone a-n-methyl (alpha, nu; comercializado por Givaudan como Raldeine A) – um composto sintético com o aroma único de florais amadeirados e manteiga de lírio florentino – era um território inexplorado. Ele permitiu aos perfumistas, que nunca poderiam ter se permitido usar gandes proporções de lírio florentino natural, um composto proibitivamente caro feito naturalmente de rizomas de flores de íris, para experimentar com a ampla gama de seus aromas. O Mademoiselle Chanel Nº 1 usava ionone a-n-methyl para quase 25% de toda a sua fórmula. "Consequentemente", pesquisadores descobriram,o "Mademoiselle Chanel Nº 1 se torna uma espécie de modificação de violeta-lírio florentino do tema Chanel Nº 5"; Kraft, et al., 46.

202 *"Se as pessoas fossem levar a sério as poucas declarações que Mademoiselle Chanel se permitiu fazer sobre aqueles anos sombrios da ocupação":* Haedrich, *Coco Chanel,* 144.

202 *a preocupação de Pierre Wertheimer era como "uma luta legal podia esclarecer as atividades de Coco Chanel durante a guerra e destruir a sua imagem – e o seu negócio":* Madsen, *Chanel,* 272; Phyllis Berman e Zina Sawaya, "The Billionaires Behind Chanel", *Forbes,* 3 de abril de 1989, 104.

203 *Walter Schellenberg, um dos principais agentes na fracassada missão diplomática em Berlim:* Fiemeyer, *Coco Chanel,* 136; os fundos foram pagos em 1958.

203 *"Pierre [Wertheimer]", ele disse ao advogado de Coco Chanel, "está aqui ao meu lado":* Abescat e Stavridès, "Derrière l'Empire Chanel", 82.

203 *Os sócios da Les Parfums Chanel dariam a Coco Chanel 350 mil dólares – uma soma equivalente em valores atuais a quase nove milhões de dólares:* Números aqui e abaixo baseados em PIB nominal per capita.

CAPÍTULO DEZESSEIS

207 *uma ópera-cômica ligeira do tipo "garoto-conhece-garotas" chamada* Chanel Nº 5: Composta por Friedrich Schröder, com letras de B. E. Lüthge e Günther Schwenn; *Chanel Nº 5* (Berlim: Corso, 1946). A opereta era obviamente bastante popular e conhecida, visto que muitas canções foram impressas separadamente, inclusive "That Is the Smile with Tears" (*"Das Ist da Lächeln der Tränem"*), "In My Thoughts I Already Say 'Du' to You" e "Tango Érotique". Curiosamente, a história não gira particularmente em torno do Chanel Nº 5, apesar do título. Pelo contrário, o Chanel Nº 5 – como o aroma mais famoso de uma geração – representa uma categoria mais ampla de perfumes franceses de luxo. A capa retrata um vidro grande de Chanel Nº 5 com uma mulher ao lado.

207 *"Nós conhecemos as damas... [as de cabelos] louros e pretos azulados, as grandes e as esguias": Chanel Nº 5*, Berlim: Corso, 1946.

209 *"se baseava na paixão de um homem de negócios por uma mulher que se sentia explorada por ele"*: Berman e Sawaya, "The Billionaires Behind Chanel", 104.

209 *"Pierre retornou a Paris cheio de orgulho e entusiasmo"*: Ibid. Há divergências a respeito desta história, entretanto. Ver, por exemplo, Galante, *Les années Chanel*, 188.

209 *"Pierre", ela disse, "vamos lançar um novo perfume..." "É arriscado demais"*: Ternon, *Histoire du Nº 5 Chanel*, 45; Madsen, *Chanel*, 282.

210 *ele era agora o único sócio que restara na Les Parfums Chanel*: Madsen, *Chanel*, 270.

210 *ofendida por ser taxada segundo a lei francesa como "solteirona", ela até insistiria para que Pierre pagasse os seus impostos*: Galante, *Mademoiselle Chanel*, 151.

210 *"Pierre Wertheimer, veja você, tinha sido um daqueles* entreteneurs *(como Balsan) de um tipo que não existia mais, daí a atração de Gabrielle por ele"*: Charles-Roux, *Chanel*, 322; ver também Edmonde Charles-Roux, *L'Irrégulière, ou Mon Itinéraire Chanel* (Paris: Grasset, 1994); e Edmonde Charles-Roux, *Chanel and Her World* (Nova York: Vendome, 2005).

210 *um homem que teve muitas amantes na sua época, [e ele] costumava pagar as despesas pessoais das mulheres...*: Charles-Roux, *Chanel*, 322.

212 *Ela vivia num apartamento decorado com simplicidade no Hotel Ritz e começou a escrever... um livro de aforismos que ela pensava em publicar um dia*: Ann Browner conta ter visto o caderno durante uma entrevista com Coco Chanel em 1954; ela se lembra dele como sendo azul e com 15cm x 10cm. Quando Brower renunciou a um emprego de modelo com a estilista, ela foi convidada para uma entrevista, e Coco Chanel lhe perguntou o que ela queria ser. Brower respondeu que queria ser escritora, e Chanel lhe contou: "Eu sou uma escritora também", e lhe mostrou o livro.

213 *A realidade, entretanto, é que Warhol só foi criar as serigrafias do Chanel Nº 5 em meados dos anos 80*: Meus agradecimentos a Matt Wrbican e Tresa Varner, do Andy Warhol Museum, Pittsburgh, PA, por sua ajuda em datar essa obra.

213 *"retirados do seu contexto convencional de publicidade e vendas" e selecionados "pela excelência"*: The Package, Museum of Modern Art, 1959, catálogo, 27:1 (outono de 1959), 24.

213 *"Esta é a utilização mais sofisticada de letras maiúsculas em negrito sobre um fundo branco": The Package,* 19.

214 *Nos 15 anos entre 1940 e 1955, o produto nacional bruto nos Estados Unidos... subiu 400%:* Richard Shear, "The Package Design: A Leading or Trailing Indicator, 1950-1960", 14 de outubro de 2009, http://richard shear.worde press,com/2009/10/14/package-design-a-leading-or-trailing-indicator-1950-1960/.

214 *Pela primeira vez, "a embalagem era um comunicador independente da própria personalidade da marca":* Vance Packard, *The Hidden Persuaders* (Nova York: David McKay, 1957), 19-20.

214 *os americanos lançavam-se aos prazeres de confortos materiais e aconchegante domesticidade:* Donica Belisle, "Suburbanization and Mass Culture in North America", *History Cooperative Journal* 57 (primavera de 2006), www.history cooperative.org/journals/Ilt/57/beliste.html.

215 *Escreve um historiador: "Em 1955, nove bilhões de dólares eram entornados em publicidade nos Estados Unidos... Um magnata dos cosméticos, provavelmente mítico, é citado dizendo: 'Nós não vendemos batom, nós compramos clientes'":* Packard, *The Hidden Persuaders,* 21.

215 *"qualquer produto não só deve ser bom como deve apelar para os nossos sentimentos":* Packard, *The Hidden Persuaders,* 32.

215 *Um publicitário dos anos 50 afirmou: "A obsessão com o próprio corpo... e sexo [eram] agora usados diferentemente para vender produtos":* Packard, *The Hidden Persuaders,* 84.

216 *"Um perfume é diferente em diferentes mulheres porque cada mulher tem uma química de pele própria":* Até certo ponto, perfumes cheiram diferentemente na pele de cada pessoa. Os cientistas desconfiam de que a velocidade com que um perfume evapora na nossa pele e o modo como ele é percebido pelos outros são influenciados por tudo, desde hidratação da pele e temperatura do corpo até o efeito de nossa dieta e a profundidade de nossas rugas. As diferenças, entretanto, são muito exageradas. Os principais fatores de como um aroma se revela em nossos corpos são simplesmente a temperatura ambiente e a concentração do perfume. Isso significa que o efeito sobre a química única da nossa pele é, na verdade, mínimo e limitado aos primeiros momentos da experiência – a apreciação dessas principais notas fugazes. Assim, duas amigas comparando o aroma de um perfume na pele delas no balcão de cosméticos numa loja de departa-

mentos notam a distinção no momento em que ele é aplicado. A amiga com a pele mais oleosa vai achar que o aroma permanece mais tempo. Quinze minutos depois, entretanto, as diferenças literalmente começam a evaporar. A não ser que você aplique Chanel Nº 5 umas duas vezes por hora, ninguém terá a "sua" impressão única. Visto que fragrâncias excelentes na potência de perfume são destinadas a durar cinco ou seis horas (e com frequência duram muito mais se aplicadas à pele bem hidratada), essa aplicação frequente seria excessivamente cara. Ver R. Schwarzenback e L. Bertschi, "Models to Assess Perfume Diffusion from Skin", *International Journal of Cosmetic Science* 23 (2001): 85-98, 85, 92.

216 o *Chanel Nº 5 foi a primeira fragrância a ser anunciada pela televisão*: Arquivos Chanel.

217 *"Nada além de algumas gotas de Chanel Nº 5"*: Em Haedrich, *Coco Chanel*, 177.

217 *Monroe disse sobre a entrevista: "As pessoas são engraçadas"*: "Alguém certa vez me perguntou: 'O que você usa na cama? A parte de cima do pijama? A parte de baixo? Ou uma camisola?' Então eu disse: 'Chanel Nº 5.' Porque é a verdade. Você sabe, eu não quero dizer 'nua', mas... é a verdade"; ver Kremmel, ed., *Marilyn Monroe and the Camera*, 15, citando uma entrevista de 1960 com o editor de *Marie Claire*, George Belmont.

217 *Por alguma razão, a moda de Chanel Nº 5 estava desaparecendo*: Madsen, *Chanel*, 282.

217 *Mais importante ainda, "na França, na Europa, nos Estados Unidos, os postos de venda explodiam"*: Abescat e Stavridès, "Derrière l'Empire Chanel", 78.

217 *Com a expansão, "o preço [de um vidro] foi baixando, baixando, baixando"*: Ibid.

CAPÍTULO DEZESSETE

219 *A ideia por trás da pop art era brincar com as imagens da cultura de massa:* Ver Princepton Museum of Art, *Pop Art: Contemporary Perspectives* (New Haven, CT: Yale University Press, 2007), 10,100. Também Jean-Michel Vecchiet, dir., *Andy Warhol, L'Oeuvre Incarné: Vie et Morts de Andy Warhol*, France Télévisions, 2005 (filme).

219 *"Ser bom nos negócios é o tipo mais fascinante de arte"*: Andy Warhol, *The Philosophy of Andy Warhol: From A to B and Back Again* (Nova York: Marines Books, 1977), 92.

219 *No seu livro* Deluxe: How Luxury Lost Its Luster: Dana Thomas, *Deluxe: How Luxury Lost Its Luster* (Nova York, Penguin, 2007).

220 *Embora Jacques fosse, apesar de tudo, brilhante na criação de cavalos de corrida:* Para a melhor discussão, ver Abescat e Stavridès, "Derrière l'Empire Chanel".

221 *Coco Chanel chamava-o simplesmente de "o garoto":* Jocelyn de Moubray, "Jacques Wertheimer" (obituário), *The Independent*, 10 de fevereiro de 1996, www.independent.co.uk/news/peolpe/obituaryjacques-werthei mer-1318229.html.

221 *A produção de jasmim estava em declínio:* Para detalhes neste parágrafo, ver "Business Abroad: King of Perfume", *Time*, 14 de setembro de 1953.

222 *"Chanel dominou o mundo da moda em Paris...":* "Chanel, the Couturier, Dead in Paris", *New York Times*, 11 de janeiro de 1971.

222 *"Foi talvez", a coluna dizia...:* Ibid.

223 *a parte do Chanel N° 5 no importantíssimo mercado americano havia escorregado para menos de 5%:* "Chanel S. A. Company History", *Funding Universe*, www. fundinguniverse.com/company-histories/Chanel-SA-Company-History. html.

223 *"Chanel estava morta... Nada estava acontecendo":* Thomas, *Deluxe*, 150.

224 *"Desde os 18 anos de idade, quando ele entrou para a Chanel, [Jacques Helleu] concentrou os seus esforços para transformar a embalagem em preto e branco característica" – e especialmente o vidro que era a sua marca registrada – "numa marca reconhecida universalmente":* Laurence Benaïm, *Jacques Helley and Chanel* (Nova York: Harry N. Abrams, Inc., 2006), 8.

224 *Marilyn Monroe, como a crítica de perfumes Tania Sanchez explica, usava Chanel N° 5 porque era sexy:* Turin e Sanchez, *Perfumes*, 260.

224 *ali na capa da revista* Look, *ele leu a legenda "A mulher mais bela do mundo":* Arquivos Chanel

224 *"A Chanel", Laurence Benaïm observou com muito discernimento, "escolhe seus modelos com tanto cuidado quanto uma colheita de rosas de maio e jasmins de Grasse":* Benaïm, *Jacques Helleu and Chanel*, 8.

225 *Mais lembrados hoje são os curtas do Chanel N° 5 tais como* La Piscine *(1979),* L'Invitation au rêve *(1982),* Monument *(1986) e* La Star *(1990):* Para um relato detalhado dos filmes de publicidade, ver Ternon, *Histoire du Chanel N° 5 Chanel*, 133 ff. Informações aqui e abaixo fornecidas pelos arquivos Chanel.

226 *Apenas um "punhado de marcas importantes – Hermès e Chanel em particular – luta para manter e parece conseguir o verdadeiro luxo", afirma Thomas. "A qualidade...":* Thomas, *Deluxe*, 323.

226 *Muitos creditam essa revitalização da Chanel durante os anos 70 à nova e enérgica liderança do neto de Pierre, Alain Wertheimer:* Ver, por exemplo, Madsen, *Chanel*, 334; Thomas, *Deluxe*, 150.

229 *fragrâncias "baseadas na complicada trajetória da difícil e exuberante vida da criadora... aromas que ela apreciava, fora e dentro de casa":* Allure, fevereiro de 2007, 178.

229 *Segundo Polge, é o aroma de Chanel N° 5:* Jacques Polge, Chanel, entrevista, 2009.

CAPÍTULO DEZOITO

231 *"Normas colocam 'em risco' perfumes famosos" e "Normas para alérgenos podem alterar os aromas de grandes perfumes":* Chris Watt, "Rules Put Famous Perfumes 'At Risk'", *The Herald* (Glasgow) 25 de setembro de 2009, 3; Basil Katz, "Allegen Rules May Alter Scents of Great Perfumes", agência telegráfica Reuters, 24 de setembro de 2009, www.reuters.com/article/idUSTRE58N3LQ20090924?pageNumber=1&virtualBrandChannel=11604; e Geneviève Roberts, "The Sweet Smell of Succes".

231 *o fim do Chanel N° 5 estava próximo e que "a perfumaria do século XX é coisa do passado":* Ver, por exemplo, a discussão on-line pelo perfumista Octavian Coifan, "1000 Fragrances", http://1000fragrances.blospot.com/2009/04/endangered-fragrances.html.

231 *Alastrou-se a notícia de que a notória quadragésima terceira emenda da IFRA limitaria o jasmim a 0,7%:* Ver IFRA, "Standards", www.ifraorg.org/Home/code,+Standards+Compliance/IFRA+Standards/page.aspx.

232 *"Quando os novos padrões da IFRA foram publicados, nós imediatamente conferimos os percentuais de* jasmine grandiflora *e* [jasmine] sambac*":* Citado em Katz, "Allergen Rules May Alter Scents of Great Perfumes".

234 *o aroma de pele limpa e quente:* Para uma discussão, ver, por exemplo, Burr, *Emperor of Scent*, 216.

234 *o primeiro "nitro-almíscar" do mundo:* Para uma excelente discussão, ver Turin e Sanchez, *Perfumes*, 35; também Burr, *Emperor of Scent*, 216. Conforme Turin explica a Burr em *The Emperor of Scent*, perfumistas hoje trabalham com uma nova geração de almíscares sintéticos, e a evolução desses materiais passou por vários estágios.

Os primeiros substitutos dos nitro-almíscares originais foram uma família de sintéticos conhecida como almíscares policíclicos, que não tinham a combinação de nitrogênio e oxigênio que tornavam instáveis os nitroalmíscares. De fato, esse foi exatamente o novo dilema que eles apresentavam: não eram biodegradáveis, tornando-os menos ideais do ponto de vista ambiental; Burr, *Emperor*, 217.

O seguinte – e atual estágio no desenvolvimento de almíscares sintéticos – é um grupo conhecido como de macrocíclicos e, mais recentemente, alicíclicos, que são seguros, sustentáveis e cada vez mais baratos. Os macrocíclicos, em particular, têm o cheiro característico de almíscar natural e às vezes um adicional aroma de frutas. Ver Philip Kraft, "Aroma Chemical IV: Musks", em *Chemistry and Technology of Flavours and Fragrances*, ed. David J. Rowe (Londres: Blackwell, 2004); e Till Luckenbach and David Epel, Marcus Eh, "New Alicyclic Musks: The Fourth Generation of Musk Odorants", *Chemistry and Biodiversity*, 1, nº 12 (2004): 1975-84.

235 *Hoje, a cetona de almíscar ainda é permitida somente com rígidas limitações:* Ver anexo III da European Cosmetic Directive.

235 *Conforme explica Christopher Sheldrake, embora esses nitro-almíscares sejam maravilhosos, intensos e baratos:* Christopher Sheldrake, Chanel, entrevista, 2009.

235 *E, como a perfumista Virginia Bonofiglio graceja: "Não se pode fazer o barato cheirar como Chanel Nº 5":* Virginia Bonofiglio, Fashion Institute of Technology, entrevista, 2009.

236 *Polge conta uma história sobre como o seu predecessor, Henri Robert, costumava observar Ernest Beaux corrigir todo um lote do perfume Chanel Nº 5 nas unidades de produção:* Jacques Polge, Chanel, entrevista, 2009.

237 *Reagindo a essa ameaça, no início dos anos 80, a Chanel intermediou um acordo exclusivo de longo prazo com a família Mul:* Chanel, entrevista, 2009; também relatado em Roberts, "The Sweet Smell of Success".

237 *Em breve, a Chanel espera ter resolvido todo o problema da sensibilidade ao jasmim:* Christopher Sheldrake, Chanel, entrevista, 2009.

BIBLIOGRAFIA

Abescat, Bruno e Yves Stavridès, "Derrière l'Empire Chanel... la Fabuleuse Histoire des Wertheimer", *L'Express*, 7 de abril de 2005, 15-30; 11 de julho de 2005, 84-88; 18 de julho de 2005, 82-86; 25 de julho de 2005, 76-80; 1º de agosto de 2005, 74-78; 8 de agosto de 2005, 80-84.

Agnus, Christophe, "Chanel, un parfum d'espionnage". *L'Express*, 16 de março de 1995, www.lexpress.fr/informations/chanel-un-parfum-d-espionnage_603397.html.

Anônimo, *Decades of Fashion*. Postam: H. F. Ulmann, 2008.

———. *Exposition Internationale des Arts Décoratifs et Industriels Modernes*. 10 vols. Nova York: Garland Publishing, 1977.

———. *Green Girls*. Paris: Bouillant, 1899.

———. *Russian Diary of an Englishman, Petrograd, 1915-1917*. Londres: William Heinemann, 1919.

Atlas, Michèle e Alain Monniat. *Guerlain: les flacons à parfum depuis 1828*. Toulouse: Éditions Milan, 1997.

Bachollet, Paul, Daniel Bordet e Anne-Claude Lelieur. *Paul Iribe*. Paris: Éditions Denoël, 1984.

Baillén, Claude. *Chanel Solitaire*. Trans, Barba Bray. Nova York: Quadrangle, 1973.

Baker, Jean-Claude. *Josephine Baker: The Hungry Heart*. Nova York: Cooper Square, 2001.

Beaux, Gilberte. *Une femme libre*. Paris: Fayard, 2006.

Benaïm, Laurence. *Jacques Helleu e Chanel*. Nova York: Harry N. Abrams, Inc., 2006.

Benton, Tim e Ghislaine Wood. *Art Deco: 1919-1931*. Nova York: Bulfinch Press, 2003.

Berry, Sarah. *Screen Style: Fashion and Femininity in 1930s Hollywood*. Minneapolis: University of Minnesota Press, 2000.
Bessel, Richard. *Political Violence and the Rise of Nazism: The Storm Troopers in Eastern Germany, 1925-1934*. New Haven: Yale University Press, 1984.
Blavatsky, Helena Petrovna, *The Secret Doctrine*. Wheaton, IL: Theosophical Publishing House, 1993.
Bohn, Michael K. *Heroes and Ballyhoo: How the Golden Age of the 1920s Transformed American Sports*. Dulles. VA: Potomac Books, 2009.
Budin, Stephanie. *The Myth of Sacred Prostitution*. Cambridge: Cambridge University Press, 2008.
Buisson, Patrick. *1940-1945, Années Érotiques: Vichy ou les Infortunes de la Vertu*. Paris: Albin Michel, 2008.
Burr, Chandler. *The Emperor of Scent: A Story of Perfume, Obsession, and the Last Mystery of the Senses*, Nova York: Random House, 2003.
———. *The Perfect Scent: A Year Inside the Perfume Industry in Paris and New York*. Nova York: Henry Holt, 2007.
Campbell, Bruce. *The S.A. Generals and The Rise of Fascism*. Lexington: University of Kentucky Press, 1998.
Castle, Vernon e Irene Castle. *Modern Dancing*. Nova York: Harper, 1914.
Charles-Roux, Edmonde. *Chanel*. Trad. Nancy Amphoux. Londres: Harvill Press, 1995.
———. *Chanel and Her World*. Nova York: Vendome, 2005.
———. *L'Irrégulière, ou mon itinéraire Chanel*. Paris: Grasset, 1974.
Churchill Archive Centre, University of Cambridge. Archives, CHAR 20/198A, items 61-91.
Closal, Jacques du. *Les Grands Magasins: Cent Ans Après*. Paris: Clotard et Associés, 1989.
Cowley, Malcolm. *Exile's Return: A Literary Odyssey of the 1920s*. Nova York: Penguin, 1994.
Crémieux, Hector Jonathan e Ernest Blum. *La Jolie Parfumeuse, An Opera-Comique in Three Acts*. Nova York: Metropolitan Print, 1875.
Davis, Mary E. *Classic Chic: Music, Fashion, Modernism*. Berkeley: University of California Press, 2006.
Davis, Tracy C. *Actresses as Working Women: Their Social Identity in Victorian Culture*. Londres: Routledge, 1991.
Delay, Claude. *Claude Solitaire*. Paris: Gallimard, 1983.
Dill, Marshall. *Germany: A Modern History*. Ann Arbor: University of Michigan Press, 1970.

Drobnick, Jim, ed. *The Smell Culture Reader*. Oxford, Grã-Bretanha: Berg Publishers, 2006.

Dufresne, Claude. *Trois Grâces de la Belle Époque*. Paris: Bartillat, 2003.

Dumas, Alexandre. *La Dame aux Camélias* (1847). Nova York: Oxford University Press, 2000.

Edwards, Michael. *Perfume Legends*. Levallois: H. M. Editions, 1996.

Elster, Jon. *Retribution and Reparation in the Transition to Democracy*. Cambridge: Cambridge University Press, 2006.

Faber, Toby. *Fabergé's Eggs: The Extraordinary Story of the Masterpieces that Outlived an Empire*. Nova York: Random House, 2008.

Fiemeyer, Isabelle. *Coco Chanel: Un Parfun* [sic] *de Mystère*. Payot: Paris, 1999.

Fitzgerald, F. Scott. *Tender Is the Night*. Nova York: Scribner's, 1934.

———. *The Jazz Age*. Nova York: New Directions, 1996.

Fitzpatrick, Sheila. *The Russian Revolution*. Oxford: Oxford University Press, 2008.

Fogg, Sharon. *The Politics of Everyday Life in Vichy France*. Cambridge: Cambridge University Press, 2009.

Fontan, Geneviève. *Générations Bourjois*. Toulouse, França: Arfon, 2005.

Freida, Leonie. *Catherine de Medici, Renaissance Queen of France*. Nova York: HarperCollins, 2005.

Furlough, Ellen. "Selling the American Way in Interwar France: 'Prix Uniques' and the Salons des Arts Menagers." *Journal of Social History*, 26, nº 3 (primavera de 1993): 491-519.

Galante, Pierre. *Les années Chanel*. Paris: *Paris-Match*/Mercure de France, 1972.

———. *Mademoiselle Chanel*. Trad. Eileen Gest e Jessie Wood. Chicago: Henry Regnery Company, 1973.

Gold, Arthur. *Misia: The Life of Misia Sert*. Nova York: Vintage, 1992.

Golden, Eve. *Vernon and Irene's Ragtime Revolution*. Lexington: University Press of Kentucky, 2007.

Goñi, Uki, *The Real Odessa: Smuggling Nazis to Peron's Argentina*. Londres: Granta Books, 2002.

Grasse, Marie-Christine, Elisabeth de Feydeau e Freddy Ghozland. *L'un des sens. Le Parfum au XXème siècle*. Toulouse: Éditions Milan, 2001.

Griffiths, Richard. *Patriotism Perverted: Captain Ramsay, the Right Club and British Anti-Semitism 1939-40*. Londres: Constable, 1998.

Groom, Nigel. *The New Perfume Handbook*. Londres: Chapman and Hall, 1997.

Haslip, Joan. *Madame du Barry. The Wages of Beauty*. Londres: Tauris Parke, 2005.
Heilbronn, Max. *Galeries Lafayette. Buchenwald, Galeries Lafayette*. Paris: Éditions Economica, 1989.
Herz, Rachel. *The Scent of Desire: Discovering Our Enigmatic Sense of Smell*. Nova York: William Morrow, 2007.
Jellinek, Paul e Robert R. Calkin. *Perfumery: Practice and Principles*. Oxford: Wiley Interscience, 1993.
Kennett, Frances. *Coco, the Life and Loves of Gabrielle Chanel*. Londres: Victor Gollancz, 1989.
Kidd, Colin. *The Forging of Races: Race and Scripture in the Protestant Atlantic World*. Cambridge: Cambridge University Press, 2006.
Kraft, Philip, Christine Ledard e Philip Goutell. "From *Rallet Nº 1* to *Chanel Nº 5* versus *Mademoiselle Chanel Nº 1*." *Perfume and Flavorist*, outubro de 2007, 36-41.
Kremmel, Paul, ed. *Marilyn Monroe and the Camera*, Londres: Schirmer Art Books, 1989.
Laty, Dominique. *Misia Sert et Coco Chanel*. Paris: Jacob, 2009.
Lauder, Estée. *Estée: A Success Story*. Nova York: Ballantine Books, 1986.
Laurie, Alison. *The Language of Clothes*. Nova York: Random House, 1981.
Leaska, Mitchell A., ed. *The Virginia Woolf Reader*. San Diego: Harcourt, 1984.
Lefkowith, Christine Mayer. *Paul Poiret and His Rosine Perfumes*. Nova York: Editions Stylissimo, 2007.
——. *The Art of Perfume*. Nova York: Thames and Hudson, 1994.
Levenstein, Harvey. *We'll Always Have Paris: American Tourists in France Since 1930*. Chicago: University of Chicago Press, 2004.
Longstreath, Richard. *The American Department Store Transformed, 1920-1960*. New Haven: Yale University Press, 2010.
Luckenbach, Till, David Epel e Marcus Eh. "New Alicyclic Musks: The Fourth Generation of Musk Odorants." *Chemistry and Biodiversity* 1, nº 12 (2004): 1975-84.
Madsen, Axel. *Chanel: A Woman of Her Own*. Nova York: Henry Holt, 1990.
Mann, Carol. *Paris Between the Wars*. Nova York: Vendome Press, 1996.
Manniche, Lisa. *Sacred Luxuries: Fragrance, Aromatherapie, and Cosmetics in Ancient Egypt*. Ithaca, NY: Cornell University Press, 1999.
Marcus, Stanley. *Quest for the Best*. Denton: University of North Texas Press, 2001.

Margueritte, Victor. *La Garçonne*, Nova York: A. Knopf, 1923.

Marquet, Alfred, *From Fauvism to Impressionism*. Nova York: Rizzoli, 2002.

McElvaine, Robert S. *The Great Depression: America, 1929-1941*. Nova York: Times Books, 1981.

Mendes, Peter. *Clandestine Fiction in English 1800-1930. A Bibliographical Study*. Aldershot, Grã-Bretanha: Scolar Press, 1993.

Mienert, Marion. *Maria Pavlovna: A Romanov Grand Duchess in Russia and in Exile*. Mainz, Alemanha: Lennart_bernadotte-Stiftung, 2004.

Milinski, Manfred e Claus Wedekind. "Evidence for MHC-Correlated Perfume Preferences in Humans." *Behavioral Ecology* 12, nº 2 (2001): 140-49.

Momas, Alphonse. *Green Girls*. Paris: Renaudie, 1899.

Moore, Lucy. *Anything Goes: A Biography of the 1920s*. Nova York: Overlook Press, 2010.

Morand, Paul. *L'Allure de Chanel*. Paris: Hermann, 1996.

Morris, Edwin. *Fragrance: The Story of Perfume from Cleopatra to Chanel*. Nova York: Charles Scribner's, 1984.

Museum of Modern Art. *The Package*, 27:1, outono de 1959.

Obazine, Étienne. *La Vie de Saint Étienne Fondateur et Premier Abbé du Monastère d'Obazine*. Ed. Monsignor Denéchau. Tulle: Jena Mazeyrie, 1881.

Otis Skinner, Cornelia. *Elegant Wits and Grand Horizontals*. Nova York: Houghton Mifflin, 1962.

Packard, Vance. *The Hidden Persuaders*. Nova York: David McKay, 1957.

Pavlovna, Marie. *A Princess in Exile*. Nova York: Viking Press, 1932.

Paxton, Robert O. *Vichy France: Old Guard and New Order, 1940-1944*. Nova York: Columbia University Press, 2001.

Pereira, Jonathan. *The Elements of Materia Medica and Therapeutics*. Filadélfia: Blanchard and Lea, 1854.

Pleij, Herman, *Dreaming of Cockaigne*. Trad. Diane Well. Nova York: Columbia University Press, 2001.

Poiret, Paul, *The King of Fashion: The Autobiography of Paul Poiret*. Londres: V & A Publishing, 2009.

Princeton Museum of Art. *Pop Art: Contemporary Perspectives*. New Haven, CT: Yale University Press, 2007.

Proust, Marcel. *À la recherche du temps perdu*. Paris: Gallimard, 2002.

Radcliffe, Herbert, "Is There a Fourth Dimension?" *World Theosophy* (fevereiro-junho de 1931): 293-296.

Radzinsky, Evard. *The Rasputin File*. Nova York: Anchor, 2001.

Rain, Patricia. *Vanilla: The Cultural History of the World's Favorite Flavor and Fragrance*. Nova York: Penguin, 2004.

Ralls, Karen. *Knights Templar Encyclopedia: The Essencial Guide to the People, Places, Events, and Symbols of the Order of the Temple*. Franklin Lakes, NJ: New Page Books, 2007.

Rasskavov, Pavel P. *Notes of a Prisoner*. Arkhangel: Sevkraigiz. 1935.

Reichert, Tom. *The Erotic History od Advertising*. Amherst, NY: Prometheus Books, 2003.

Rowe, David J. e Philip Kraft. *Chemistry and Technology of Flavours and Fragrances*. Oxford: Blackwell, 2004.

Sabetay, Hermine, "Creative Asymmetry". *The Theosophist Magazine* (agosto de 1962): 301-8.

Salhab, Walid Amine. *The Knights Templar of the Middle East*. San Francisco: Red Wheel, 2006.

Samuel, Larry. *Rich: The Rise and Fall of American Wealth Culture*. Nova York: ACOM, 2009.

Sandrini, Francesca, et al. *Maria Luigia e le Violette di Parma*. Parma, Itália: Publicazioni del Museo Glauco Lombardi, 2008.

Sauvy, Alfred, "The Economic Crisis of the 1930s in France", *Journal of Contemporary History* 4, nº 4 (outubro de 1969): 21-35.

Schellenberg, Walter. *The Labyrinth: Memoirs of Walter Schellenberg, Hitler's Chief of Counterintelligence*. Londres: DaCapo Press, 2000.

Schröder, Friedrich, B. E. Lüthge e Günther Schwenn. *Chanel Nº 5*. Berlim: Corso, 1946.

Schwarzenback, R. e L. Berteschi. "Models to Assess Perfume Diffusion from Skin." *International Journal of Cosmetic Science* 23 (2001): 85-98.

Seaton, Beverly. *The Language of Flowers: A History*. Charlottesville: University of Virginia, 1995.

Sell, Charles. *The Chemistry of Fragrances: From Perfumer to Consumer*. Londres: Royal Society of Chemistry Publishing. 205.

Sert, Misia. *Misia and the Muses: The Memoirs of Misia Sert*. Nova York: John Day Company, 1953.

———. *Misia par Misia*. Paris: Gallimard, 1952.

Seward, Desmond. *Prince of the Renaissance. The Life of François I*. Londres: Constable, 1973.

Shipman, Pat. *Femme Fatale: Love, Lies, and the Unknown Life of Mata Hari*. Nova York: Harper Perennial, 2008.

Shteir, Rachel. *Striptease: The Untold History of the Girlie Show*. Oxford: Oxford University Press, 2005.

Stamelman, Richard. *Perfume: Joy, Obsession, Scandal, Sin*. Nova York: Rizzoli, 2006.

Tamagne, Florence. *A History of Homosexuality in Europe: Berlin, London, Paris, 1919-1939*. Nova York: Algora Publishing, 2006.

Ternon, François. *Histoire du Nº 5 Chanel: Un numéro intemporel*. Nantes: Éditions Normant, 2009.

Thomas, Dana, *Deluxe: How Luxury Lost Its Luster*. Nova York: Penguin, 2007.

Toledano, Roulhac B. e Elizabeth Z. Coty. *François Coty: Fragrance, Power, Money*. Gretna, LA: Pelican Publishing, 2009.

Turin, Luca. *The Secret of Scent: Adventures in Perfume and the Science of Smell*. Nova York: Harper Perennial, 2006.

Turin, Luca e Tania Sanchez. *Perfumes: The Guide*. Nova York: Viking, 2008.

Vecchiet, Jean-Michel, dir. *Andy Warhol. L'Oeuvre Incarnée: Vies et Morts de Andy Warhol*. Paris: France Télévisions, 2005 (filme).

Veillon. D. *Vivre et survivre en France, 1939-1947*. Paris: Payot, 1995.

Verdi, Giuseppe. *La Traviata* (1853). Nova York: G. Schirmer, 1986.

Warhol, Andy. *The Philosophy of Andy Warhol: From A to B and Back Again*. Nova York: Mariner Books, 1977.

Watson, Lyall. *Jacobson's Organ and the Remarkable Nature of Smell*. Nova York: Plume, 201.

Weriguine, Constantin. *Souvenirs et Parfums: Mémoires d'un parfumeur*. Paris: Plon, 1965.

Whaley, Kirsty. "Is Perfume House Hiding Secret Aircraft?" *Crodon Guardina*, 2 de agosto de 2008.

Whitaker, Jan. *Service and Style: How the American Department Store Fashioned the Middle Class*. Nova York: St. Martin's, 2006.

Wilson, Edmund. *The American Earthquake: A Chronicle of the Roaring Twenties. The Great Depression, and the Dawn of the New Deal*. Nova York: DaCapo Press, 196.

Wiser, William. *Crazy Years: The Twenties in Paris*. Londres: Thames and Hudson, 190.

Youssoupoff, Felix. *Lost Splendor: The Amazing Memoirs of the Man Who Killed Rasputin*. Nova York: Helen Marx Books, 2007.

Impressão e Acabamento:
EDITORA JPA LTDA.